DIE RÖMISCHEN KATAKOMBEN UND IHRE MARTYRER

Sarkophag-Porträt

*LUDWIG HERTLING S.J., ENGELBERT KIRSCHBAUM S.J.*

# DIE
# RÖMISCHEN KATAKOMBEN
# UND
# IHRE MARTYRER

WIEN 1950

VERLAG HERDER

Das Buch erschien in italienischer Sprache unter dem Titel:
Le catacombe Romane e i loro martiri. Roma, 1949

Imprimi potest
VINDOBONAE, 8. DEC. 1947
G. Bichlmair S. J.
Praep. Prov. Austriae

Mit Druckerlaubnis des
Erzbischöflichen Ordinariates Wien
vom 12. III. 1948, Z. 2009

Copyright 1950 by Verlag Herder, Wien
Alle Rechte vorbehalten
Printed in Austria

---

Satz und Druck: Josef Müller, Wien II.

## EINLEITUNG

*Wenn man Fremde durch das Kolosseum führt, wird man zuweilen gefragt, wo die Tribüne war, von der aus der Kaiser Nero den Hinrichtungen der Christen zugeschaut hätte. In Wirklichkeit war Nero längst tot, als das Kolosseum gebaut wurde. Es ist das gewiß kein moralischer Defekt, wenn einer das nicht weiß oder es wieder vergessen hat. Man wird auch niemand einen Vorwurf daraus machen, wenn er auf dem Forum Romanum nicht weiß, welche Säulen noch vom Altertum her an ihrem Platz stehen und welche nachträglich aus den Trümmern wieder aufgestellt worden sind, überhaupt wenn er unberührte Altertümer nicht von Restaurierungen oder Imitationen unterscheiden kann. Man kann ein vortrefflicher und wahrhaft gebildeter Mensch sein, ohne Archäologe zu sein.*

*Aber in einer Hinsicht ist solche Unkenntnis und solches Unvermögen bedauerlich: es läßt niemals den vollen Genuß an den Resten der Antike aufkommen. Denn zum vollen Genuß gehört vor allem das Erlebnis der Echtheit und Wirklichkeit. Eine Statue im Museum kann ich rein artistisch genießen, selbst ohne zu wissen, ob sie von Lysipp oder von Canova ist. Aber eine Trümmerstätte und erst recht eine bloße Gedächtnisstätte redet erst dann zu mir, wenn ich im Geist die Jahrhunderte oder Jahrtausende zu überbrücken und mich in die verschwundene Gegenwart und unter die verschwundenen Lebendigen zu versetzen* vermag. Dann überkommt mich jenes unbeschreibbare Erlebnis der Wirklichkeit, daß meine Füße dieselbe Via Sacra berühren, auf der einst Horaz gewandelt hat, oder daß ich an der Stelle stehe, an der Paulus ans Land stieg, oder daß mein Ruder denselben See berührt, auf dem einst Christus mit seinen Aposteln gerudert hat.

Gerade in den römischen Katakomben ist dieses Erlebnis überaus stark, so stark, daß selbst der Ungelehrteste einen Hauch davon verspürt. Aber in seiner vollen Stärke wird es doch erst dem zuteil, der sich in ernstem Studium die notwendigen Kenntnisse und Urteile angeeignet hat. Sonst bleiben sie für ihn allzuleicht eine halb malerische, halb mythische Kuriosität, nicht anders als das Grab Vergils am Posillipo in Neapel oder das Haus von Romeo und Julia in Verona oder das Grab Barbarossas im Kyffhäuser.

Bei einer Katakombenführung fragte mich ein gebildeter Herr, als wir an einem offenen Grab vorbeikamen, in dem, wie so oft, Knochenreste zu sehen waren: „Sind das alles Gebeine von Märtyrern? Und sind sie auch echt?" Diese Frage ist bezeichnend für das, was viele in die Katakomben mitbringen: eine ganze Wolke von vager, frommer Märtyrerromantik und zugleich das unbestimmte Gefühl, daß alles Schwindel sein könnte. Beides hängt zusammen. Wer keine wirklichen Kenntnisse besitzt und dafür mit Romantik überschüttet wird, verliert alle Sicherheit. Die Welt der Märtyrer kommt ihm vor wie eine Heldensage, nicht wahrer als homerische Lieder oder die Geschichte von Romulus und Remus.

Nicht als ob die christliche Legende nicht auch ihren Eigenwert und ihre Daseinsberechtigung hätte. Wer nichts weiter will als sich erbauen und sich ganz allgemein in den Geist der Märtyrerzeit *versenken, der greife getrost nach Wisemans Fabiola. Er wird dort den Geist des alten Christen=tums ebenso lebendig gestaltet finden, wie den Geist des alten Römertums bei Vergil oder in den ersten Büchern des Livius. Aber es gibt doch auch nachdenkliche Menschen, die wissen wollen, wie es wirklich gewesen ist, und für diese sind die folgenden Blätter bestimmt.*

*Wir haben uns bemüht, dem Leser nicht einfach Behauptungen vorzusetzen, sondern ihm einen ge=wissen Einblick zu gewähren in die Arbeitsmethode und in die Problemstellungen der christlichen Altertumskunde. Anderseits waren wir bestrebt, den eigentlichen gelehrten Apparat auf das Not=wendigste zu beschränken. Es wäre nicht schwer gewesen, dem Ganzen einen wissenschaftlicheren Anstrich zu geben, mit vielen Anmerkungen, grie=chischen und lateinischen Zitaten und kritischen Kontroversen. Dem verständigen Leser wird es jedoch lieber sein, wenn ihm einer ernst und ehr=lich aus seinem Fachstudium erzählt und plaudert, als wenn er mit Dozentenweisheit bedrängt wird, die er schließlich doch wieder nicht nachprüfen kann.*

*Wenn diese Blätter dazu beitragen, dem Leser, der selbst einmal in der Ewigen Stadt geweilt hat oder in Zukunft seine Schritte dorthin lenken wird, zu jenem Wirklichkeitserlebnis zu verhelfen, zu jener Lebensnähe, die uns mit der alten Kirche nir=gends so verbindet wie in Rom, dann haben sie ihren Zweck erfüllt.*

*Rom, Gregorianische Universität, Ostern 1949*

*DIE VERFASSER*

## INHALT

|   |   |   | Seite |
|---|---|---|---|
| Einleitung | | | 5 |
| Verzeichnis der Abbildungen | | | 10 |
| 1. Kapitel: | Die Erforschung der Katakomben | | 13 |
| 2. „ | Die Cömeterien | | 31 |
| 3. „ | Die Gräber der Päpste | | 57 |
| 4. „ | Die Gräber der Martyrer | | 75 |
| 5. „ | Die Gräber der Apostel | | 97 |
| 6. „ | Die Verfolgungen | | 123 |
| 7. „ | Auf dem Weg zum Martyrium | | 149 |
| 8. „ | Die Eucharistie | | 169 |
| 9. „ | Die Taufe | | 185 |
| 10. „ | Das Volk Gottes | | 197 |
| 11. „ | Die Kunst der Katakomben | | 221 |
| 12. „ | Das Credo der Katakombenkunst | | 245 |
| Anmerkungen | | | 269 |

# VERZEICHNIS DER ABBILDUNGEN

Titelbild: Sarkophagporträt. — Domitilla.

1. Graffiti der „Römischen Akademie" in Callisto. Oben die Jahreszahl 1475, dann „Pantagathus" und die übrigen Mitglieder mit ihren angenommenen antiken Namen, zuletzt POM (ponius Laetus) PONTI (fex) MAX (imus).

2. und 3. Die übliche Gestalt der Katakombengänge. Die Gänge sind schmal, wenig über Mannesbreite, und wenig über mannshoch. Zu beiden Seiten sind vier, selten mehr als fünf Gräber übereinander. Die meisten Gräber sind heute leer. Abb. 3 (Panfilo) zeigt den ursprünglichen Zustand.

4. Knochenreste sind heute noch häufig in den Gräbern zu sehen, selten ganze Skelette. — Panfilo.

5. Die großen Cömeterien enthielten nicht nur unterirdische Galerien und Grabkapellen, sondern auch die oberirdische Area war mit Gräbern besetzt. Die Abbildung zeigt Reste solcher Gräber all'aperto über Domitilla (Ausgrabung 1926/27).

6. und 7. Goldglas mit Darstellung der Brotvermehrung und Glasfläschchen für Parfümerien, mit Mörtel an den Gräbern befestigt. — In situ, Panfilo.

8. Tonlampe mit dem Guten Hirten. — Panfilo.

9. Tonlampe mit Fabrikstempel, am Grab befestigt. — Panfilo.

10. Kreuz als Anker mit zwei gefangenen Pisciculi (Fischlein), die die Gläubigen versinnbildlichen. Sehr alt. — Domitilla.

11. Münzen aus der Zeit Kaiser Aurelians (270—275), eingedrückt in den weichen Mörtel bei der Zumauerung des Grabes. Die Münzen dienten den Angehörigen als Erkennungszeichen für das Grab, das keine Inschrift trägt. — Panfilo.

12. Grabplatte des Papstes Cornelius (251—253) in Callisto. Sie bildete den Ausgangspunkt für die großen Entdeckungen de Rossis.

13. Grabplatte des Papstes Pontianus (230—235 in Callisto).

14. Presbyter in pace. — Callisto.

15. Hinrichtung des Martyrers Achilleus, Skulptur auf einer Säule in der Basilika der hl. Nereus und Achilleus in Domitilla. Dem Martyrer sind die Hände auf den Rücken gebunden. Der Henker hebt das Schwert um ihm den Kopf abzuschlagen. Dahinter

symbolisch das Kreuz mit dem Siegeskranz, darüber die Inschrift Achilleus. Darstellungen geschichtlicher Martyriumsszenen sind sehr selten.

16. Altar in S. Alessandro an der Via Nomentana. Beispiel eines Altars über dem Martyrergrab in einer Cömeterialbasilika. In der Mitte das Fenster, durch das man das Grab von oben berühren konnte. Die Inschrift erwähnt den Bischof von Nomentum im 4. Jahrhundert, der den Altar geweiht hat.

17. Ausgrabung unter dem Hochaltar der Cömeterialbasilika S. Agnese. Blick von der Apsis gegen das Kirchenschiff. Das Grab liegt in geringer Tiefe genau unter dem Altar. Es war ein gewöhnliches Katakombengrab; die Galerie wurde zugemauert bis auf ein vergittertes Fenster. Der übrige Teil der in den Tuff gehauenen Galerie wurde beim Bau der Basilika teils abgetragen, teils durch Ziegelmauern verstärkt.

18. Relief aus S. Agnese, jetzt an der großen Treppe eingemauert, 4. Jahrhundert. Die Martyrin steht in Orantenhaltung in dem Fenster des Altars über ihrem Grab.

19. Rekonstruktion der Apostelbasilika (S. Sebastiano) von Süden gesehen. Rechts hinten ist die Via Appia zu denken. Der Abhang, auf dem die Gebäude stehen, ist die Talsenke Catacumbae. Das Grab des Martyrers Sebastianus befindet sich unter dem Nebengebäude rechts. Die kleinen Anbauten unten sind Grabkapellen von Privaten. Dort befindet sich die Kritzelinschrift Domus Petri. Die sogenannte Triklia mit den berühmten Graffitti liegt unter der Mitte des Langhauses. Unter der Apsis sind gut erhaltene Reste eines römischen Privathauses.

20. Ausgrabung unter S. Sebastiano, 1915 bald nach Beginn. Blick nach Osten gegen den Eingang. Links auf dem Bild ist ein Stück der Ostmauer der „Triklia" sichtbar, leicht kenntlich an dem Zickzackornament, das beinahe in der Höhe des Kirchenpflasters liegt. Gerade unter dem Zickzackstreifen bebeginnen die Graffitti, die sich dann über die darunter befindliche (dunkelrote) Fläche fortsetzen. Rechts oben sieht man das moderne Gitter, das die Sebastianskapelle abschließt. Darunter ist das Katakombengrab des hl. Sebastianus, das mit der Triklia nicht in Beziehung steht.

21. Proben aus den Graffitti in der Triklia mit Anrufungen von Petrus und Paulus.

22. S. Pietro. Blick in die Confessio. Der Boden, das Niveau der heutigen Grotten, entspricht ungefähr dem Niveau der konstantinischen Basilika. Die Bronzetür in der Mitte führt in den kleinen leeren Raum unter dem Papstaltar. Hinter

diesem Raum, nur durch eine Wand getrennt, liegt die kreuzförmige Kapelle mit dem Petrusaltar, in die man von den Grotten aus gelangt.

23. Fossor mit Spitzhacke und Lampe. — Marco e Marcelliano.
24. Typisches Deckengemälde in einem Cubiculum. In der Mitte der Gute Hirt, in den Halbkreisen Jonas (1. ins Meer geworfen, 2. vom Fisch ausgespien, 3. unter der Kürbislaube, 4. Bild zerstört). Dazwischen Oranten. — Pietro e Marcellino.
25. Dreifüßiger Tisch mit Brot und Fisch. Rechts Orante. Wahrscheinlich Meßopferszene. — Callisto.
26. Noe mit der Taube. — Pietro e Marcellino.
27. Malerei an einem Arkosolgrab. Links oben Auferweckung des Lazarus, unten der Gichtbrüchige mit seinem Bett. Rechts oben Anbetung der Magier, unten Moses, Wasser aus dem Felsen schlagend. — Domitilla.
28. Lamm zwischen Wölfen, darüber „Susanna" und „Senioris". Symbolische Darstellung der Susannaszene. — Pretestato.
29. Taufszene. — Callisto.
30. Die Martyrin Petronilla führt Veneranda ins Paradies ein. — Domitilla.
31. Brotvermehrung. — Giordani.
32. Der Prophet Balaam (Num. 24, 17) vor Maria mit dem Kind auf den Stern hinweisend. Wohl noch 2. Jahrhundert. — Priscilla.
33. Guter Hirt. Sarkophag. — S. Sebastiano.
34. Sarkophag aus dem 3. Jahrhundert. Links Jonas, in der Mitte christlicher Lehrer zwischen Orante und Gutem Hirt, rechts Taufe Christi. — S. Maria Antiqua.

Die Aufnahmen zu den Abbildungen 22 und 32 sind von Alinari, Rom, die übrigen vom Päpstl. Archäologischen Institut.

I. KAPITEL

# DIE ERFORSCHUNG DER KATAKOMBEN

## Die Erforschung der Katakomben

Die römischen Katakomben sind, wissenschaftlich betrachtet, nichts anderes als Ausgrabungsstätten, genau wie Pompeji, Herculanum, Ostia, die ägyptischen Königsgräber und die Tells oder Schutthügel in Mesopotamien. Unsere ganze Kenntnis von der menschlichen Vorzeit baut sich auf zwei Arten von Zeugnissen auf: auf den schriftlichen, also Urkunden, Briefen und eigentlichen Geschichtserzählungen, und den monumentalen, den noch erhaltenen Überresten aus vergangener Zeit. Je weiter wir in der Menschheitsgeschichte zurückgehen, desto mehr lassen uns die schriftlichen Zeugnisse im Stich. Schon die Geschichte der alten orientalischen Hochkulturen, der ägyptischen und der sumerisch-babylonisch-assyrischen, läßt sich fast nur mehr aus den Ergebnissen der Ausgrabungen zusammensetzen, bis wir schließlich in die sogenannte vorgeschichtliche Zeit kommen, von der wir überhaupt nur noch aus den Überresten und Grabungsfunden Kenntnis haben.

Für das sogenannte klassische Altertum, das Jahrtausend von etwa 500 v. Ch. bis 500 n. Ch., haben wir beides: schriftliche Quellen in reichem Maß und zum Teil von „klassischer" Vollendung, und daneben monumentale Überreste in solcher Fülle, daß wir nicht nur den Ablauf der wichtigeren Ereignisse jener Zeit fast lückenlos kennen, sondern auch ein abgerundetes Kulturbild gewinnen und zahlreiche Einblicke tun können bis in das Privatleben der Familien und die Verhältnisse und

Schicksale selbst mancher Personen, die sich in der großen Geschichte keinen Namen gemacht haben.

Für die christliche Zeit, die mitten in jenem Jahrtausend und fast gleichzeitig mit der römischen Kaiserzeit beginnt, haben wir ebenfalls beides: die Schriften der Kirchenväter, von denen viel mehr erhalten ist als von den Klassikern, und die Ausgrabungen und Funde christlicher Altertümer. Unter diesen stehen die römischen Katakomben an allererster Stelle. An künstlerischer Ausbeute lange nicht so reich wie Pompeji, übertreffen sie die vesuvianische Totenstadt bei weitem durch die Fülle ihres Inschriftenmaterials und durch die unmittelbare Beziehung zu geschichtlichen Personen und Ereignissen. Pompeji ist für die Geschichte des römischen Reiches ein Zufallsausschnitt auf einem Randgebiet; die römischen Katakomben liegen am Mittelpunkt der ältesten christlichen Geschichte.

Freilich hat es lange Zeit gebraucht, bis diese in ihrer Art auf der ganzen Welt einzigen Schätze gefunden, gesichtet, verstanden waren.

Das ganze Mittelalter hindurch waren die Katakomben kaum bekannt. Man besuchte die berühmten Grabkirchen vor den Mauern Roms und wußte auch, daß unter einzelnen von ihnen, besonders S. Sebastiano, S. Pancrazio und S. Agnese, unterirdische Gänge mit Gräbern lagen. Aber für diese interessierte man sich nicht. Zuweilen mag ein Campagnabewohner durch einen der im Feld oder im Gestrüpp sich öffnenden Luftschächte hinabgestiegen sein, um von den schön polierten Marmorplatten heraufzuholen, die zu allerlei Zwecken dienen konnten. Manche dieser Platten haben merkwürdige Reisen gemacht. Erst kürzlich hat man Stücke der Grabinschrift gefunden, die Papst Damasus dem Märtyrer Hippolytus in seinem Cömeterium an der Via Tiburtina gesetzt hatte: sie

## Die Erforschung der Katakomben

hatten, zersägt und verstümmelt, in einem alten Bodenpflaster der Lateranbasilika Verwendung gefunden.

Aus dem 15. Jahrhundert haben wir einzelne Spuren von frommen Pilgern, die in die noch gänzlich unerforschten Grüfte hinabstiegen und sich dort durch Kritzelinschriften verewigten. Die älteste derartige ist in Callisto aus dem Jahr 1432. Dann kamen die Mitglieder der „römischen Akademie", Pomponius Lätus an der Spitze, die wohl hauptsächlich nach antiken Kunstgegenständen suchten. Ihre Erwartung wurde jedoch enttäuscht. In ihren gelehrten Schriften erwähnen sie nichts von diesen ergebnislosen Streifzügen. Wohl aber kritzelten sie ihre Inschriften an die Wände, die deutlich zeigen, daß diesen halb heidnischen Humanisten am christlichen Altertum nichts gelegen war. Spuren solcher Besuche aus dem 15. Jahrhundert finden sich in Callisto, Pretestato, Priscilla, Pietro e Marcellino.

Ein wirkliches Interesse begann sich erst im 16. Jahrhundert zu regen, in der Zeit der religiösen Erneuerung. Filippo Neri, der „Apostel Roms", liebte die Katakomben, von denen er nur die Gänge unter S. Sebastiano kannte. Oft brachte er dort Stunden in einsamer Betrachtung zu und führte auch seine Schüler hin. Filippo Neri war selbst kein Gelehrter, aber er erkannte intuitiv den Wert und die Bedeutung des Studiums der christlichen Altertümer. Unter seinem Einfluß begann sein größter Schüler Cäsar Baronius seine „Annales Ecclesiastici", in denen er zum erstenmal in großem Umfang die römischen Handschriftenschätze verwertete. Er ist dadurch der Vater der wissenschaftlichen Kirchengeschichtsschreibung geworden. Gleichzeitig beschäftigte sich der berühmte Augustiner Panvinio eingehend mit der christlichen Archäologie und Topographie Roms. Er veröffentlichte 1568 eine

eigene Arbeit über die Cömeterien, von denen er
43 Namen aufzählt, die in den Martyrologien und
sonstigen Quellen genannt werden. Er konnte aber
nur drei davon lokalisieren, nämlich S. Sebastiano,
S. Lorenzo und S. Valentino.[1]

So waren die Geister vorbereitet, als im Juni 1578
die erste wirkliche große Entdeckung auf dem
Katakombengebiet gemacht wurde. Durch reinen
Zufall stießen Arbeiter, die vor Porta Salaria nach
Puzzolanerde gruben, auf ein gut erhaltenes Cöme‚
terium mit vielen Gängen in mehreren Stockwerken
und zahlreichen Fresken und Inschriften. Die Be‚
geisterung ergriff sofort ganz Rom. Kardinäle und
Gelehrte stiegen hinunter, um sich die neuentdeckte
Wunderwelt anzusehen. Unter den ersten war
Baronius, der sogleich die hohe wissenschaftliche
Bedeutung erkannte. Auch der Papst Gregor XIII.
interessierte sich lebhaft dafür. Überall begann man
jetzt die bisher kaum beachteten unterirdischen
Gänge rings um die Stadt zu besuchen und zu
studieren.

Einer der fleißigsten Erforscher dieser Zeit war
Antonio Bosio, der, von dem römischen Universi‚
tätsprofessor Pompeo Ugonio angespornt, mit er‚
staunlichem Eifer alles notierte und skizzierte,
was er auf seinen unterirdischen Wanderungen
fand. Noch heute treffen wir seinen Namen in
großen Buchstaben in den verschiedensten Winkeln
der Katakomben an Wände und Decken geschrieben,
eine Unsitte, der auch andere bedeutende Katakom‚
benforscher reichlich gehuldigt haben. Die Früchte
seines jahrelangen Forschens, das ihm mit Recht
den Ehrennamen des „Kolumbus der Katakomben"
eintrug, sind in seinem berühmten Werk „*Roma
Sotterranea*" zusammengetragen, das erst nach sei‚
nem Tod 1629 veröffentlicht wurde.

Wenn es auch der damaligen Zeit nicht an Begei‚

sterung und Forscherfleiß fehlte, so ließ doch die methodische Bearbeitung der neuen Funde vieles zu wünschen übrig. Es fehlten noch die wissenschaftlichen Vorbedingungen. Zudem suchte man in den Katakomben Aufschlüsse über Dinge, die sie ihrer ganzen Natur nach nicht bieten konnten. In erster Linie stand hier das theologisch-apologetische Interesse. Man wollte aus den Katakombenfunden den Religionsneuerern gegenüber den Nachweis liefern, daß sie sich zu Unrecht auf die Lehre der ältesten Kirche beriefen, daß vielmehr zwischen der Lehre der ältesten Zeit und der Gegenwart eine volle Kontinuität bestehe. Nun läßt sich dieser Beweis tatsächlich führen; aber er ist viel schwieriger und lang nicht so handgreiflich, wie man sich das anfangs vorstellte. Die Katakomben sind eben nichts anderes als Friedhöfe, und aus noch so viel Grabschmuck und Grabinschriften läßt sich kein Katechismus und keine Dogmatik rekonstruieren. Man empfand diesen Mangel und half sich mit der Theorie von einer Arkandisziplin, die die alten Christen verhindert hätte, viele Stücke ihrer Lehre bildlich oder schriftlich darzustellen.

Das hing mit dem weiteren Irrtum zusammen, daß man voraussetzte, die ganzen Katakomben mit ihrem Inhalt stammten ausschließlich aus der Verfolgungszeit, während doch in Wirklichkeit die weitaus größere Zahl der Gräber und die große Masse der inschriftlichen und sonstigen Funde aus der Friedenszeit, dem 4. und 5. Jahrhundert, herrührt. Die Begeisterung für die „Martyrer" beherrschte nicht nur das große Publikum, sondern auch die Forscher in einer Weise, daß sie überall, auch in den gleichgültigsten Dingen, Beziehungen zu den Verfolgungen und zu den Martyrien zu erkennen glaubten. Die auf den Grabplatten so häufig eingeritzten Palmzweige deutete man ohne weiteres als Zeichen des Martyriums. Sogar das Monogramm Christi XP, das sich so überaus zahlreich findet und das ein fast sicheres Zeichen für die Zeit nach 313 ist, wollte man als *passus pro Christo* entziffern. Die vielen Glasreste, seien es Fläschchen in den Gräbern, seien es Stücke, die außen am Grab in dem noch frischen Mörtel eingeklebt waren, deutete man auf Blutampullen und sah darin wiederum ein Zeichen des Martyriums, während man heute annimmt, daß es sich teils um Parfümerien handelt, teils um Gläser, die bei den Grabmahlzeiten Verwendung gefunden hatten, und daß die außen am Grab aufgeklebten Scherben nichts weiter waren als Erkennungsmarken.

Diese Martyrerromantik verhinderte ein sauberes wissenschaftliches Arbeiten und bewirkte gleichzeitig, daß man sich von der Geschichte der ersten christlichen Jahrhunderte ein gänzlich falsches Bild machte. Da man alles mit den Verfolgungen in Verbindung brachte, dachte man sich die Katakomben geradezu als Zufluchtsstätten der Christen in der Verfolgungszeit, so daß der ganze Gemeindegottesdienst unter der Erde gehalten worden wäre, und manche Christen dort geradezu gewohnt hätten. Solche Vorstellungen wurden genährt durch die alten Martyrerlegenden, die nach der Auffindung der Katakomben mehr als je zu Ehren kamen. In der Susannalegende wird von Papst Caius erzählt, daß er sich jahrelang in den Grüften verborgen gehalten und dort Messe gefeiert, gepredigt und getauft, sogar Konzilien gehalten habe. In Wirklichkeit war zur Zeit des geschichtlichen Papstes Caius (283 bis 296) überhaupt keine Verfolgung.

Es fehlte eben noch jede geschichtliche Anschauung. Einerseits stellte man sich die Christengemeinde so klein vor, daß sie sich in Räumen versammeln konnte, von denen die ansehnlichsten kaum die Größe eines Wohnzimmers haben; anderseits meinte man, es müsse in derselben Gemeinde Hunderttausende von Martyrern gegeben haben. In Wirklichkeit dürfte die römische Christengemeinde zur Zeit der diokletianischen Verfolgung zwischen 50.000 und 100.000 Gläubige gezählt haben, von denen weitaus die meisten die Verfolgung überlebten.

Dennoch ist die Arbeit der Katakombenforscher des 17. und 18. Jahrhunderts nicht wertlos gewesen. Nicht nur daß in jeder Wissenschaft Irrwege gewissermaßen naturnotwendig sind, bis man zu einer richtigen Methode und zu wirklichen Ergebnissen gelangt, sondern jene Gelehrten haben in ihren Werken viel Material aufbewahrt, das sonst verloren gegangen wäre. Sie waren vor allem Sammler. Sie kopierten Bilder und Inschriften, genau wie ihre gleichzeitigen Kollegen aus der profanen Archäologie, und haben dadurch vieles, das inzwischen zugrunde gegangen ist, wenigstens in Abschriften gerettet. Leider begnügten sie sich nicht mit dem Beschreiben und Kopieren, sondern verschleppten die Gegenstände in Museen und Privatsammlungen. Dadurch ist nicht nur manches zerstört worden, wie die interessante Darstellung des Fossors Diogenes in Domitilla, die beim Versuch, sie von der Wand abzulösen, zerfiel, sondern vieles hat an wissenschaftlichem Wert verloren. Das war nicht nur eine Unsitte der Katakombenforscher. Auch in Pompeji und Herculanum, in der Hadriansvilla und in den Caracallathermen und überall hat man die besten Sachen verschleppt. Nur daß bei Kunstwerken der Schaden nicht so groß ist wie bei Inschriften, die oft nur dadurch überhaupt Bedeutung haben, daß sie an Ort und Stelle sind oder daß man wenigstens ihre Herkunft kennt. Im Ganzen wird man sagen können, daß die Erforscher und die Freunde der Katakomben dort kaum weniger Schaden angerichtet haben als der Zahn der Zeit und die plündernden Hände der Barbaren. Erst in der Mitte des 19. Jahrhunderts begann der Umschwung zum Guten.

Die neue Bewegung, die zur wahren wissenschaftlichen Entdeckung der Katakomben führte, knüpft sich vor allem an zwei Namen: Giuseppe Marchi S. J. und Giovanni Battista De Rossi. Marchi war der Wegbereiter, De Rossi der Vollender.

Es war im Jahre 1849, als der damals siebenundzwanzigjährige De Rossi beim Durchstöbern von Schutt ein Bruchstück einer Marmortafel fand mit einigen Buchstaben einer antiken Inschrift: ...NELIVS MARTYR. Es war in einer Vigna in dem spitzen Winkel zwischen der Via Appia und der Straße der Sieben Kirchen, eine Stunde vor der Stadt. Zu dieser Vigna gehörte ein altes, längst verlassenes Kirchlein, das einmal dem Andenken des Martyrerpapstes Xystus geweiht war, damals aber nur zur Aufbewahrung von Gerätschaften diente. In diesem Raum fand De Rossi das Bruchstück jener Tafel, eine Sache, die auf Campagnaboden nichts Ungewöhnliches ist. De Rossi, mit jenem Kombinationsinstinkt begabt, den die Menge für „glücklichen Zufall" hält, ergänzte sich die Buchstaben auf seiner Tafel als CORNELIVS MARTYR. Er nahm mit Recht an, daß solche Steine, wenn nicht ein Gelehrter oder ein Sammler darüber kommt, für gewöhnlich nicht weit verschleppt werden. Das Grab des fraglichen Martyrers mußte also in der Nähe zu suchen sein.

De Rossi wußte, daß der Fundort seiner Tafel über einem bisher unerforschten Cömeterium lag, denn ganz nahe bei dem alten Sixtuskirchlein war im Boden ein Luftschacht, der in weitverzweigte Gänge führte. Er wußte aber auch aus alten topographischen Angaben, daß der Papst Cornelius in der Nähe oder in einem Teil des damals noch nicht identifizierten Callistuscömeteriums begraben war. Er schloß also, daß er dieses Cömeterium gefunden habe und es ihm nun auch gelingen werde, die übrigen Gräber der Päpste des 3. Jahrhunderts zum Vorschein zu bringen, die nach den alten Quellen dort sein mußten.

Dafür war vor allem notwendig, das Grundstück zu erwerben, unter dem die fraglichen Gänge lagen. De Rossi begab sich zu Pius IX., der seit kurzem wieder nach Rom zurückgekehrt war, trug ihm seine Entdeckungen und Hoffnungen vor und bat ihn, die Vigna zu kaufen. Pio Nono, der als echter Italiener kleine Scherze und Neckereien liebte, stellte sich abweisend. Nach der Audienz sagte er zu Mgr. Merode: „Ich habe De Rossi davongejagt wie eine Katze, aber die Vigna werde ich kaufen."

Das geschah. De Rossi konnte nunmehr ungehindert graben, und seine Voraussagungen erfüllten sich: er fand nicht nur an einem unterirdischen Grab das fehlende Stück seiner Inschrift, die jetzt CORNELIVS MARTYR EP (iscopus) hieß, sondern auch die gesuchte Papstgruft.

Nun wollte der Papst die Entdeckungen selbst sehen. Vor der Besichtigung nahm er das Frühstück in der Malteservilla auf dem Aventin und sagte währenddessen zu seiner Umgebung, so daß der anwesende De Rossi es hören mußte, die Archäologen seien Träumer und Dichter, die sich alles mögliche zusammenspinnen, wovon gewöhnliche Sterbliche nichts ahnen.

Bei der Besichtigung der unterirdischen Funde war der Papst tief ergriffen. Er legte selbst mit De Rossi die Bruchstücke der aufgefundenen Papstinschriften aus dem 3. Jahrhundert zusammen und fragte mit Tränen in den Augen: „Das sind also wirklich die Grabsteine meiner Vorgänger, die hier begraben waren?" De Rossi konnte sich nicht enthalten, dem Papst die kleine Neckerei von vorhin zurückzugeben, indem er sagte: „Lauter Träumereien, Heiligkeit!" — Worauf Pius: „De Rossi, Sie sind sehr boshaft!"[2]

Die Papstgruft in Callisto war nur eine der vielen Entdeckungen, die De Rossi während seines langen Gelehrtenlebens gemacht hat, allerdings wohl die bedeutendste. Dabei führte ihn nicht nur das Entdeckerglück, sondern er hatte die richtige Methode für die Katakombenforschung gefunden.

De Rossi ging davon aus, daß man, um zu einem geordneten Arbeiten zu gelangen, vor allem die alten schriftlichen Berichte über die Cömeterien studieren müsse. Von diesen war zwar eine ganze Reihe längst bekannt, aber man hatte ihre Bedeutung nicht recht zu würdigen gewußt. Es existieren mehrere Berichte, die von alten Pilgern als eine Art von primitiven Reiseführern für ihre Nachfolger aufgezeichnet worden waren. Manches darin ist verworren und fabelhaft, das Latein ist barbarisch, aber die Ortsangaben sind gut und genau. Denn diese Stücke stammen aus einer Zeit, da die Gräber noch größtenteils unberührt, die Inschriften noch vorhanden und lesbar waren. Nicht minder wertvoll als diese sogenannten Itinerarien sind die Ortsangaben in den alten Festkalendern, von denen der älteste aus dem Jahre 354 stammt, also aus einer Zeit, da noch viele Leute lebten, die die diokletianische Verfolgung mitgemacht hatten. Dazu kommen die poetischen Inschriften, mit denen Papst Damasus (366—384) sehr viele Martyrergräber versehen hatte. Manche von seinen Tafeln, die sich durch besonders schöne Steinmetzarbeit auszeichnen und daher leicht zu erkennen sind, bestehen noch, wenn auch nicht mehr an Ort und Stelle, aber die Mehrzahl war wenigstens im Altertum abgeschrieben worden und hatte sich handschriftlich erhalten. Auch hieraus ergaben sich wertvolle Ortsangaben.

Ein eigenartiges Stück ist der sogenannte *Papiro di Monza* aus der Zeit Gregors des Großen (590—604). Die Langobardenkönigin Theodolinde hatte den Papst gebeten, ihr möglichst viele Reliquien von römischen Martyrern zu schicken. Gregor antwortete, wirkliche Reliquien könne er nicht geben, da in Rom die Gräber der Martyrer nicht geöffnet würden. Aber er schicke ihr andere Andenken, wie sie von den Gläubigen an Stelle von Reliquien aufbewahrt zu werden pflegten, nämlich Öl von den Lampen, die an den Gräbern brannten (wie heute noch in S. Pietro und S. Paolo). Diese Liste von Martyrergräbern mit der Angabe ihres Cömeteriums ist im Original erhalten. Sie ist im Domschatz von Monza. Auch einige von den Ölfläschchen existieren noch, mit den dazugehörenden Etiketten. Auch daraus kann man wiederum ein topographisches Verzeichnis von römischen Martyrergräbern gewinnen.

Schließlich geben auch die Legenden wertvolle topographische Fingerzeige. Mag die Erzählung auch noch so fabelhaft sein, so hatte doch der Verfasser, der vielleicht im 5. oder 6. Jahrhundert schrieb, die Örtlichkeiten vor sich.

Aus diesem recht unscheinbaren Material läßt sich mit einiger Vollständigkeit rekonstruieren, was für Cömeterien in alter Zeit vorhanden waren und was für Martyrergräber in den einzelnen gezeigt und verehrt wurden. Auf Grund dieser Kenntnisse hatte De Rossi aus seiner Corneliusinschrift geschlossen, daß er das Callistuscömeterium gefunden habe und dort die Papstgruft entdecken werde. Auf diese Weise kennen wir heute alle alten Cömeterien

mit Sicherheit. Kein einziges ist gänzlich ver≠
schwunden und nur das Cömeterium Ad Clivum
Cucumeris ist noch nicht aufgefunden, aber man
kennt wenigstens seine ungefähre Lage an der Via
Salaria.

Ein weiterer methodischer Fortschritt war die
Datierung. Das einzige sichere Kriterium dafür
sind die Inschriften mit Konsulardatum. Da diese
nicht in allzu großer Zahl vorhanden sind, ist es
um so mehr zu bedauern, wenn sie verschleppt
wurden; denn nur wenn man ihre Herkunft weiß,
kann man das Alter der betreffenden Teile eines
Cömeteriums aus ihnen bestimmen. Der weitaus
größte Teil der datierten Inschriften stammt aus
dem 4. und 5. Jahrhundert. Die älteste christliche
Inschrift mit Jahreszahl, die wir besitzen, ist aus
dem Jahre 217, auf dem Sarkophag des M. Aurelius
Prosenes, der aber nicht in den Katakomben stand
(heute im Park der Villa Borghese). Die nächste ist
die Grabtafel des Papstes Pontianus in Callisto. Sie
trägt zwar selbst keine Jahreszahl, aber das Jahr
235 steht als sein Todesjahr fest.

Damit ist nicht gesagt, daß nicht einzelne Cöme≠
terien viel weiter hinaufreichen. Die ältesten gehen
mindestens bis in den Anfang des 2. Jahrhunderts
zurück. Aber man braucht einen festen chronolo≠
gischen Ausgangspunkt, um dann zu weiteren Kri≠
terien für das Alter zu gelangen. Solche können
die Schriftform bieten, auch die Form der Namen≠
gebung, unter Umständen auch die Bildersymbolik.
Für die relative Chronologie, das einfache Früher
oder Später, ist häufig die Anlage der Gänge und
Grabkammern entscheidend. So ist z. B. klar, daß
bei ungewöhnlich hohen Galerien nicht das Gewölbe
nachträglich höher gelegt, sondern der Boden tiefer
gelegt worden ist, so daß die unteren Gräberreihen
die späteren sind. Viele derartige Regeln sehen

heute wie Selbstverständlichkeiten aus, aber es hat eben hier wie in anderen Wissenschaften der Arbeit von Generationen bedurft, bis diese Erkenntnisse gewonnen waren.

Heute ist denn auch ein wissenschaftliches Arbeiten auf dem Gebiet der christlichen Archäologie nur mehr möglich mit spezieller Fachausbildung. Eine solche gewährt jetzt das von Pius XI. im Jahre 1925 ins Leben gerufene *Pontificio Istituto di Archeologia cristiana*.

Die Verwaltung der ganzen christlichen Altertümer und die Leitung von neuen Ausgrabungen liegt ausschließlich in der Hand der auf De Rossis Initiative von Pius IX. eingesetzten *Pontificia Commissione di Archeologia Sacra*.

Die Rechtsverhältnisse sind im Konkordat von 1929 Art. 33 festgelegt: È riservata alla Santa Sede la disponibilità delle Catacombe esistenti nel suolo di Roma, e delle altre parti del territorio del Regno con l'onere conseguente della custodia, della manutenzione e della conservazione. Essa può quindi con l'osservanza delle leggi dello Stato e con salvezza degli eventuali diritti di terzi, procedere alle occorrenti escavazioni ed al trasferimento dei corpi santi. „Dem Hl. Stuhl ist vorbehalten die Verfügung über die Katakomben, die sich im Boden von Rom und in den übrigen Teilen des Königreichs befinden, mit der entsprechenden Auflage, sie zu bewachen und instandzuhalten. Er kann daher unter Beobachtung der staatlichen Gesetze und unter Berücksichtigung etwa bestehender Rechte Dritter nach Bedarf Ausgrabungen und Übertragungen heiliger Leiber vornehmen lassen."

Für die wissenschaftliche Leitung ist von der Kommission ein Inspektor bestellt, gegenwärtig der bekannte römische Archäologe Professor Enrico Josi. Die einzelnen dem Publikum zugänglichen

Cömeterien sind Ordensgenossenschaften anvertraut. Die Ordensgenossenschaft stellt die sprachkundigen Führer und ist der Kommission für die Instandhaltung verantwortlich, darf aber nicht selbständig Ausgrabungen vornehmen. Von dem Zudrang des Publikums kann man sich daraus einen Begriff machen, daß das von den Salesianern Don Boscos betreute Cömeterium von S. Callisto vor Kriegsausbruch jährlich 70—100.000 Besucher hatte. Bei besonderen Anlässen, wie im Jubiläumsjahr 1933/34 wurde diese Zahl noch bei weitem überschritten.

Gerade die letzten Jahrzehnte haben auf dem Katakombengebiet einige wichtige Neuentdeckungen gebracht. Im Jahre 1915 begannen die schnell berühmt gewordenen Ausgrabungen unter S. Sebastiano; 1919 wurde durch einen Zufall beim Viale Manzoni das Hypogaeum eines Aurelius Felicissimus entdeckt, den man alsbald als Anhänger einer gnostischen Sekte erkannte. Das Jahr 1920 brachte die Entdeckung des großen Cömeteriums von S. Panfilo an der Salaria Vetus und im folgenden Jahr wurde, ebenfalls an der Salaria, das Cömeterium Jordanorum gefunden oder vielmehr wiedergefunden, denn es war das jene Katakombe, deren erste Entdeckung im Jahre 1578 die damalige Gelehrtenwelt erregt hatte. Damals war alsbald der Eingang wieder verschüttet worden, so daß schon Bosio nicht mehr imstande war, die von den ersten Forschern gesehenen Stücke nachzuprüfen. Im Jahr 1926 endlich wurde bei S. Lorenzo jene kleine Katakombe entdeckt, die in den alten Itinerarien nicht erscheint, und die das Grab des vielumstrittenen Martyrers Novatianus enthält.

Diese Entdeckungen, besonders Panfilo und Jordanorum, haben eine reiche Ausbeute an Inschriften und gut erhaltenen Gemälden gebracht. Immerhin wird man sagen können, daß die Zeit der großen Entdeckungen auf dem Katakombengebiet heute vorüber ist. Einzelne Funde werden immer wieder gemacht werden, aber große Überraschungen stehen uns schwerlich mehr bevor.

Damit ist nicht gesagt, daß die römischen Archäologen jetzt nichts mehr zu tun hätten. Das Material, das die Katakomben geliefert haben, ist so gewaltig, daß sich mit ihm an Ausdehnung und Bedeutung keine Ausgrabungsstätte der Welt vergleichen läßt. An seiner kritischen Sichtung werden noch Generationen zu arbeiten haben.

Die Katakomben sind wissenschaftliche Forschungsstätten ersten Ranges. Aber für die vielen Tausende, die jahraus jahrein in ihre Grüfte hinabsteigen, sind sie mehr als das: sie sind geradezu Stätten der Andacht. Und das mit Recht. Jeder, der nicht für alle höheren Gefühle stumpf geworden ist, wird mit Ehrfurcht das Grab eines großen Mannes betrachten, das Haus besuchen, in dem er gewohnt hat, ein Schlachtfeld betreten, auf dem eine der Entscheidungen der Weltgeschichte gefallen ist. In den Katakomben haben wir mehr als das. Die Personen und die Ereignisse, mit denen wir hier über die Jahrhunderte hinweg in unmittelbare Berührung treten, bedeuten für den gläubigen Christen mehr als die großen Männer der Weltgeschichte und die Schlachten, die sie geschlagen haben.

Aber freilich, wer in die Katakomben kommt, um seinen Glauben zu stärken und um zu beten, der sollte nicht vergessen, daß er das nur deshalb kann, weil die Männer der Wissenschaft ihm in gewissenhafter und oft entsagungsvoller Arbeit den Boden bereitet haben. Die Wissenschaft gibt ihm die Sicherheit, daß es sich hier nicht um Träumereien und künstliche Schaustellungen handelt, sondern um reale Wirklichkeit.

## II. KAPITEL

## DIE CÖMETERIEN

## Die Cömeterien

Wenn man einen Lageplan der römischen Katakomben betrachtet, dann fällt einem auf, wie sie die Stadt in gemessenem Abstand wie ein Kranz umgeben. Zumeist liegen sie außerdem an einer der großen Straßen, die nach allen Seiten das alte Rom verlassen und mit der übrigen Welt verbinden. Hierin folgen die Katakomben dem Vorbild der übrigen antiken Grabanlagen. Mit Vorliebe bauten die alten Römer ihre Grabmonumente längs ihrer berühmten Straßen. Aber sie begannen damit erst da, wo diese den Stadtbezirk schon verlassen hatten, denn es war durch Gesetz verboten, innerhalb der Stadtmauern Gräber anzulegen.

Schon in den ältesten Berichten finden wir die Katakomben nach den römischen Straßen geordnet und beschrieben, und auch heute kann es kein besseres System geben, weil sie eben diese topographische Bindung als Wesensmerkmal an sich tragen.

Die Katakomben sind jedoch nicht gleichmäßig auf die einzelnen Straßen verteilt. Die großen liegen alle im Nordosten, Osten und Süden der Stadt. Auf der Westseite jenseits des Tiber sind nur kleinere: An der Via Portuensis, die dem rechten Tiberufer entlang zieht, liegen Ponziano, S. Felice, Generosa. An der Via Aurelia, die die Stadt auf dem Gianicolo bei Porta S. Pancrazio verläßt, liegen S. Pancrazio, SS. Processo e Martiniano, Calepodio.

Nach Norden, an der Via Flaminia, lag nur das

cimitero all'aperto von S. Valentino. An der Via Salaria im Nordosten liegen S. Felicita, Trasone, Giordani und als größtes Priscilla (Salaria nuova), ferner S. Panfilo, Ermete und das unerforschte Ad clivum cucumeris (Salaria vecchia). Ebenfalls nach Nordosten zieht die Via Nomentana, die die Stadt bei Porta Pia verläßt. Hier liegt das kleine Cömeterium S. Nicomede, ferner die beiden großen S. Agnese und Cömeterium Maius und schließlich weit draußen S. Alessandro.

Es folgt die Via Tiburtina, die Straße nach Tivoli mit den beiden Cömeterien S. Lorenzo oder Ciriaca und S. Ippolito. Dazu kommt jetzt das neuentdeckte kleine, vielleicht novatianische Cömeterium ganz in der Nähe.

Die Via Labicana oder Casilina hat S. Pietro e Marcellino und das kleine S. Castulo.

Die wichtigste Straße des alten Roms war die nach Südosten laufende Via Appia, die die Stadt ursprünglich am Südende des Circus Maximus bei der alten Porta Capena verließ. Später war ihr Tor in der Aurelianischen Mauer die Porta S. Sebastiano. Die von ihr nach links abzweigende Via Latina hat nur einzelne kleine christliche Grabstätten, an der Hauptstraße dagegen liegen die wichtigen Callisto, S. Sebastiano und Pretestato. Nach rechts zweigt die Via Ardeatina ab mit Domitilla. Diese vier bilden einen beinahe zusammenhängenden Komplex, eine wahre unterirdische Stadt. In Callisto sind zehn Kilometer Gänge erforscht und gemessen, in Domitilla zwölf.

Die Via Ostiensis, die den Tiber am linken Ufer begleitet, hat nur die kleinen Cömeterien S. Timoteo und S. Tecla. Etwas landeinwärts liegt das größere Cömeterium Comodillae.

Die antiken Gräber Roms zeigen zweierlei Arten von Bestattung. Wir finden die Feuerbestattung mit ihren an Aschenurnen reichen Columbarien neben der Erdbestattung mit ihren sarkophagge= schmückten Mausoleen. Beide Formen bestanden oft selbst in der gleichen Grabkammer nebenein= ander, die dann im oberen Teil die typischen Nischen der Aschenurnen aufweist und im untern Teil die weiten flachbogigen Nischen, die zur Auf= nahme eines Sarkophags aus Stein oder Terracotta bestimmt waren. Die Erdbestattung war aber die ursprüngliche, und es gab alte Familien wie die Scipionen, die ausschließlich an ihr festhielten. In der späteren Kaiserzeit verschwand die Sitte der Feuerbestattung wieder. Die Christen haben sie niemals geübt.

Die Besonderheit der Katakomben besteht in ihrer unterirdischen Anlage. Der Name Katakombe sagt allerdings über diese Eigenschaft nichts aus, wie man vielleicht erwarten könnte. Katakombe ist nur der Beiname eines der vielen römischen Cöme= terien von alters her, nämlich der berühmten Sebastianskatakombe, die ursprünglich Ad Cata= cumbas hieß. Das ist nichts anderes als eine Orts= bezeichnung, die man etwa mit „Talsenke" über= setzen könnte. Ähnliche Ortsnamen führten an= dere Cömeterien, wie Ad duas lauros oder Ad ursum pileatum. Da nun aber gerade S. Sebastiano im Mittelalter zugänglich und bekannt war, so wurden vom Volk schließlich alle unterirdischen Friedhofsanlagen Katakomben genannt.

Man kann aber mit Recht die Frage stellen, wie man darauf kam, solche unterirdische Friedhöfe anzulegen, denn uns heutigen Menschen erscheint ein solcher Brauch nicht ohne weiteres selbstver= ständlich. Und doch erklärt er sich leicht aus der Beschaffenheit des Geländes. Der römische Boden enthält weite und tiefe Schichten eines dunkeln, weichen Tuffs, der sehr leicht auszuhöhlen ist und doch genügend Festigkeit besitzt. Wo immer man ähnliche Tuffarten oder auch weichen Sandstein besitzt, hat man sie zu höhlenartigen Kammern und unterirdischen Gängen ausgenützt. Es lag also nahe, von der weit verbreiteten Vorstellung des Felsengrabes zum unterirdischen Felsengrab überzugehen, wo das Gelände es gestattete. Schon die Etrusker kannten beide Arten für ihre Gräber, das Felsengrab und die unterirdische Tuffkammer. Katakomben gibt es denn auch nicht nur in Rom, sondern überall in Italien, wo der Boden ähnliches Gestein enthält, wie in Neapel und an vielen Orten in Sizilien.

Man darf sich nun nicht vorstellen, als ob die römischen Christen an irgend einer Straße vor der Stadt querfeldein unterirdische Stollen in den Boden getrieben hätten, die sich dann unter der Erde wie in einem Niemandsland ungestört nach allen Richtungen verzweigen und ausdehnen konnten. Zur Anlage einer Katakombe mußte man zunächst das Eigentumsrecht einer Parzelle Landes besitzen, die dann entsprechend am damaligen römischen Katasteramt eingeschrieben werden mußte.

Man hat die Frage aufgeworfen, wie es den Christen während der Verfolgungszeit möglich war, derartige Grundstücke zu erwerben und zu besitzen. Solang die Cömeterien im Privatbesitz einzelner Christen waren, bestand keine Schwierigkeit. Im 3. Jahrhundert gingen sie dann allerdings wenigstens zum Teil in den Besitz der Kirchengemeinde über, aber man darf sich eben nicht vorstellen, daß wegen der Verfolgungsgesetze die Kirche in privatrechtlicher Hinsicht gänzlich rechtsunfähig gewesen wäre. Wir wissen zum Beispiel von einem Prozeß, den die römische Kirche wegen eines Grundstückes in der Stadt mit der Genossenschaft der Gastwirte zu führen hatte. Der Kaiser

Alexander Severus entschied ihn zu Gunsten der Christengemeinde. Im Jahre 257 wurde dann allerdings den Kirchen das Besitzrecht an den Cömeterien entzogen, aber 260 von Gallienus zurückerstattet.

Auf einem solchen genau umgrenzten Stück Land, das wie erwähnt außerhalb der Mauern liegen mußte, konnte man nun einen Friedhof einrichten. Es ist bis heute eine umstrittene Frage, ob man die Gräber von Anfang an unterirdisch anlegte, oder ob man zuerst das zur Verfügung stehende Terrain oberirdisch benutzte, bis Platzmangel die unterirdische Ausnutzung nahelegte. Jedenfalls mußte man nicht nur oberirdisch, sondern auch unten genau in den Grenzen der Parzelle bleiben.

Die unterirdischen Gänge entstanden gewöhnlich so, daß man zuerst eine Treppe in die Tiefe grub. Von dieser wurde ein gut mannshoher Stollen geradeaus vorgetrieben. Von diesem ersten Gang aus wurden rechts und links Seitenstollen angelegt, die je nachdem an ihren Enden wieder durch einen dem ersten Stollen parallelen Gang verbunden werden konnten. So entstand zunächst ein einfaches Netz, das sich erst nach und nach verfeinerte und komplizierte.

Die einfachste Weise, diesen Raum auszunützen, war die, die Gräber an den Seitenwänden anzulegen, übereinander und nebeneinander. Wie wir aber auf unseren Friedhöfen neben Einzelgräbern auch Familiengrüfte finden, so schuf man auch damals zu beiden Seiten der Gänge kleine Kammern, sogenannte Cubicula, die für eine Gruppe von Gräbern Raum boten.

Die Gräber selbst weisen verschiedene Formen auf. Die vornehmste Art ist der Marmorsarkophag, der selber wieder sehr verschieden sein kann, je nach dem Reichtum der künstlerischen Ausarbeitung. Die nächste Form ist das sogenannte Arkosolgrab. Dieses besteht aus einer vom Boden aufgemauerten kastenartigen Grabnische, die von einem halbkreisförmigen Bogen überspannt wird. Diese Art findet sich gewöhnlich in den Cubicula, aber auch in einfachen Galerien. Die schlichteste Form und weitaus die häufigste ist der sogenannte Loculus. Dieser besteht aus einer rechteckigen, kastenförmigen Nische, deren Langseite nicht in die Tiefe geht, sondern in der Wandfläche liegt. Wenn sich ein derartiges Grab nicht in die Wand, sondern in den Boden eingelassen findet, wird es Forma genannt.

Die Gänge einer Katakombe sind normalerweise vom Boden bis zur Decke mit solchen Loculi besetzt. Es macht einen erschütternden Eindruck, wenn man durch die dunkeln Gänge der Katakomben wandernd dieses unzählbare Totenheer durchschreitet und an die vielen Namenlosen denkt, die hier ihre letzte Ruhe fanden und von denen nichts übrig blieb als ein leeres Grab. Denn die Mehrzahl der Loculi ist heute offen und leer, wenn auch Knochenreste nicht selten zu sehen sind.

Ursprünglich waren diese Wandgräber natürlich sorgfältig verschlossen. Man benutzte dazu eine Marmorplatte oder mehrere Ziegelplatten, die nebeneinander gesetzt wurden. Am Rande wurde die Platte mit Zement verputzt.

Nur die wenigsten Platten trugen Inschriften. Um das Wiederfinden bestimmter Gräber zu erleichtern, brachte man zuweilen kleine Gegenstände an, die das Grab von andern unterschieden. Manchmal ist es eine Münze, die in den noch frischen Verputz gedrückt wurde, zuweilen ein Elfenbeinfigürchen, eine bunte Majolikaplatte oder ein hübsches Goldglas. So dienten diese kleinen Er-

kennungszeichen zugleich als bescheidener Grab=
schmuck.

Zuweilen, wenn auch nicht allzu häufig, finden
sich in den Verputz kleine Fläschchen eingelassen.
Diese enthielten eine wohlriechende Flüssigkeit,
mit der man beim Besuch die Grabplatte bestrei=
chen konnte. Dieser schöne Brauch der Antike ent=
spricht genau dem, was wir wollen, wenn wir
frische Blumen auf die Gräber unserer Lieben legen.

Wenn man die Katakomben der alten Christen
mit unseren heutigen Friedhöfen vergleicht, so
kommt einem bei aller Verschiedenheit doch ihre
große Ähnlichkeit zum Bewußtsein. Unter ver=
schiedenen äußeren Bedingungen haben derselbe
schlichte Zweck und dieselbe schlichte Liebe zu
den Verstorbenen mit andern Mitteln das Gleiche
zum Ausdruck gebracht: den Glauben an ein
ewiges Leben.

Wenn in einer Katakombe der Platz nicht mehr
ausreichte, suchte man sich auf verschiedene Weise
zu helfen. Eine weitere Ausdehnung in die Breite
war nicht möglich, wenn die Grenzen des Grund=
stücks erreicht waren. Man grub dann, soweit die
Beschaffenheit des Bodens es erlaubte, ein zweites
oder auch ein drittes Stockwerk in die Tiefe. Ein
einfacherer Weg war der, die Gänge selber tiefer
zu legen, indem man den Boden weggrub. So ent=
standen Gänge von beträchtlicher Höhe, in denen
logischerweise die obersten Gräber die ältesten und
die unteren die jüngsten sind. Oft wurden aus
Platzmangel leider die Malereien wieder zerstört,
die man vorher als frommen Schmuck hatte an=
bringen lassen. So kann man in Callisto ein schö=
nes Bild des Guten Hirten finden, in das mitten
hinein ein neuer Loculus gehauen wurde, ohne daß
man versucht hätte, das so verunstaltete Bild wie=
der herzustellen oder zu überstreichen.

Mit der Zeit entstanden mehrere Katakomben=
parzellen nebeneinander. Dann versuchte man das
trennende Gelände zu erwerben und die verschie=
denen vorher unabhängigen Katakomben mitein=
ander zu verschmelzen. So ist zum Beispiel das
große Callistuscömeterium aus verschiedenen Kata=
komben allmählich zusammengewachsen.

Über die Gesamtzahl der in den Katakomben
begrabenen Christen hört man zuweilen ganz phan=
tastische Angaben. Auf den richtigen Weg führt
jedoch ein einfaches Rechenexempel. Die größte
Katakombe, Callisto, hat 10 km Gänge. Die Ge=
samtlänge aller Katakombengänge dürfte nicht viel
über 100—150 km betragen haben. Was ganz zer=
stört oder bis heute nicht ausgegraben ist, ist nicht
so viel, daß es daran viel änderte. Man kann durch=
schnittlich vier bis fünf Gräberlagen übereinander
rechnen, und da die beiden Gangwände damit be=
setzt sind, wird man auf je 2 m Galerie etwa
10 Gräber rechnen können. Das ergibt auf 100 km
Gesamtlänge 500.000, auf 150 km 750.000 Gräber,
alles natürlich roh geschätzt.

Diese Zahl könnte klein erscheinen, wenn man
bedenkt, daß die Gräber sich auf rund zweieinhalb
Jahrhunderte verteilen, von etwa 150 bis 400.
Aber wir dürfen uns eben die römische Christen=
gemeinde nicht zu groß vorstellen. Um 200 dürfte
es in Rom noch kaum 10.000 Christen gegeben
haben, und um 313, am Ende der Verfolgungen,
noch lang nicht 100.000. Auch im 4. Jahr=
hundert waren die Christen in Rom noch lange
Zeit in der Minderzahl gegenüber den Heiden. Die
Einwohnerzahl der Stadt, die unter Trajan und
Hadrian vielleicht eine Million betrug, war vom
Ende des 2. Jahrhunderts an in raschem Sin=
ken begriffen.

Die ältesten römischen Cömeterien sind aus Pri=

vatgräbern wohlhabender christlicher Familien ent=
standen. Also genau so wie die späteren römischen
Titelkirchen, die ebenfalls ursprünglich Kulträume
in Privathäusern waren. Bei den Cömeterien kann
man das aus der Anlage der ältesten Teile schlie=
ßen, sowie aus den Namen der alten Eigentümer
(Jordani, Praetextatus, Commodilla, Domitilla,
Priscilla usw.), die an dem ganzen Komplex haften
blieben, auch nachdem das ursprüngliche unter=
irdische oder halb=unterirdische Grabhaus zu einem
ganzen System von Gängen und Stockwerken er=
weitert war.

Am besten kennen wir jene *Domitilla,* von der
die große Nekropole an der Via Ardeatina ihren
Namen hat. Sie war eine Enkelin des Kaisers
Vespasianus (69—79) und hatte einen Neffen ihres
Großvaters geheiratet, T. Flavius Clemens. Beide
waren Christen, wie aus einer Stelle bei Sueton[3]
hervorgeht. Clemens war im Jahr 95 Konsul.
Kaiser war damals sein Vetter Domitianus, der
Sohn Vespasians und Onkel der Domitilla.

Wir wissen sogar einiges vom Hofstaat dieser
Flavia Domitilla. Sie hatte einen Verwalter, den
Freigelassenen Stephanus. Er hat im Jahr 96 den
Kaiser Domitianus ermordet, wahrscheinlich um
seine Patronin zu rächen. Sie besaß an der Via
Ardeatina in der heute Tor Marancia genannten
Gegend ein Grundstück, denn eine dort gefundene
Inschrift sagt, daß dort ein Grabmal errichtet
wurde ex indulgentia Flaviae Domitillae. Sie besaß
einen Ziegeleibetrieb, denn wir besitzen Ziegel=
stempel von einem Felix, Sklaven der Flavia Domi=
tilla. Ferner haben wir die Grabschrift einer Tatia,
Freigelassenen der Flavia Domitilla. Diese war die
Amme von sieben Kindern ihrer Herrin. Von
diesen Kindern wissen wir, daß die zwei ältesten
Knaben zur Thronfolge bestimmt waren. Der

kaiserliche Oheim hatte ihnen die Namen Vespasianus und Domitianus beilegen lassen. Ihr Erzieher war der berühmte Rhetor Quintilianus, dem der Vater, Flavius Clemens, dafür die Ornamenta consularia verschaffte.[4]

Das alles würde auf einen wohlhabenden und vornehmen, aber nicht auf einen christlichen Haushalt deuten. Aber die Historiker Sueton und Cassius Dio sprechen von der Hinrichtung des Flavius Clemens in solchen Ausdrücken, daß das christliche Bekenntnis als Ursache nicht zweifelhaft sein kann. Dio sagt ausdrücklich, es sei wegen „Gottlosigkeit" geschehen. Überdies befindet sich auf eben jenem Grundstück von Tor Marancia jenes christliche Hypogäum, dessen Mauerwerk dem Anfang des zweiten Jahrhunderts angehört und das den Anfang zu der riesigen christlichen Nekropole bildete, die im ganzen Altertum Cömeterium der Domitilla hieß. In ihrem ältesten Teil sind abermals Flavii begraben. Wir besitzen von dort namentlich eine griechische Grabschrift der Geschwister Flavius Sabinus und (Flavia) Titiana. Ob diese christlichen Flavii des zweiten Jahrhunderts leibliche Nachkommen von Clemens und Domitilla sind, wissen wir nicht. Es können auch Nachkommen von Freigelassenen sein. Aber irgendein Zusammenhang besteht sicher.

Während Flavius Clemens von der Legende vergessen worden ist, hat sich von Domitilla wenigstens eine dunkle Kunde in der römischen Gemeinde erhalten. Dazu trug wohl hauptsächlich bei, daß ihr Name eben an jenem Grundstück haftete, unter dem die Katakomben sind. In der späten Zeit, in der die Legende von Nereus und Achilleus verfaßt wurde, wußte man noch, daß der Name nicht etwa von einem Martyrergrab kam, sondern daß Domitilla die ursprüngliche Besitzerin

## Die Cömeterien

des Grundstücks gewesen war. Die Gegend wird dort ausdrücklich als Vorstadtvilla der Domitilla bezeichnet.[5] Im 4. Jahrhundert zeigte man auf der Insel Ponza noch die Räume, die Domitilla während ihrer Verbannung bewohnt hatte.[6] Freilich hat die Legende dann alles überwuchert. Sie hat aus der geschichtlichen Domitilla, die mindestens sieben Kinder hatte, eine gottgeweihte Jungfrau gemacht und sie mit den Martyrern Nereus und Achilleus in Verbindung gebracht, die in Domitilla begraben waren, aber wahrscheinlich einer viel späteren Verfolgung angehören.

Es ist sehr schade, daß wir über die Familientragödie des flavischen Kaiserhauses vor seinem Sturz nicht mehr wissen. Eine Familientragödie war es sicher; war es auch eine Thronfolgertragödie und hängt diese mit dem christlichen Glauben zusammen? Da Clemens und Domitilla Christen waren, werden es ihre unmündigen Söhne ebenfalls gewesen sein, auch wenn der Heide Quintilian ihr Lehrer war. Wußte Domitianus darum, als er sie zu Thronerben bestimmte? War das römische Reich am Ende des 1. Jahrhunderts daran, einen christlichen Kaiser zu bekommen? Oder wußte Domitianus nichts von dem christlichen Glauben seiner Thronerben, und hat dann die Entdeckung den Sturz der Eltern herbeigeführt? Wie konnte Flavius Clemens unter diesen Umständen seine Zustimmung dazu geben, daß seine Kinder Thronerben wurden, da er doch in diesem Fall eine Katastrophe kommen sehen mußte? Sind die beiden Kinder mit ihrem Vater beseitigt worden? Hat man in der römischen Christengemeinde von diesen Dingen etwas gewußt, hat man gehofft oder gefürchtet? Alle diese Fragen können wir nicht beantworten. Ein dramatischer Dichter könnte sich den Stoff in seiner Weise zurechtlegen und eine erschütternde Thronfolger- und Martyrertragödie daraus gestalten. Der Historiker muß sich damit begnügen, die Fragen aufzuwerfen.

Das zweite von den ganz alten Cömeterien liegt am entgegengesetzten Ende der Stadt und trägt den Namen *Priscilla*. Auch hier besteht ein Zusammenhang mit einer vornehmen Familie, nur ist er nicht so durchsichtig wie bei Domitilla.

Im ältesten Teil dieses Cömeteriums ist eine Gruft der Acilii. Diese Familie, in der die ältesten Söhne regelmäßig den Beinamen Glabrio führten, ist viel älter als die Flavii, wenn sie auch nicht zum alten Patriziat gehörte. Ihr Ahnherr war jener Konsul Acilius Glabrio, der im Jahr 191 v. Chr. den König von Syrien Antiochus bei den Thermopylen besiegte. Ein Nachkomme von ihm war der Konsul von 91 n. Chr. Acilius Glabrio. Auch dieser gehörte zu den vielen, die nach Cassius Dio der Kaiser Domitianus wegen „Gottlosigkeit und Hinneigung zu jüdischen Sitten" töten ließ. Dieser im allgemeinen sehr zuverlässige Historiker erzählt darüber eine merkwürdige Geschichte.

Der Kaiser Domitianus hatte bei Albano eine Villa auf dem Hügel, den heute die päpstliche Sommerresidenz Castelgandolfo krönt. Dorthin ließ er am Fest der Juvenalien den Konsul Acilius Glabrio kommen und zwang ihn, in der Arena mit einem Löwen zu kämpfen. Offenbar lag etwas gegen ihn vor; denn aus bloßem Übermut einen aktiven Konsul als Gladiator auftreten zu lassen, konnte sich auch ein Domitianus schwerlich erlauben. Glabrio führte jedoch eine gute Klinge und erlegte den Löwen. Er mußte daher nach römischen Begriffen freigelassen werden. Er scheint dann freiwillig in die Verbannung gegangen zu sein um sich weiteren Nachstellungen zu entziehen. Aber der Kaiser, der sich durch die wahr-

## Die Cömeterien

scheinlich vielbelachte Löwengeschichte bloßgestellt fühlen mußte, verfolgte ihn noch weiter und ließ ihn schließlich töten. Er stellte nachträglich die Sache so dar, als ob Glabrio freiwillig als Gladiator aufgetreten sei und damit eine für einen Konsul unwürdige Handlung begangen hätte. So weit Cassius Dio.

Diese Geschichte ist für uns nicht deutlich genug, um aus dem Konsul Acilius Glabrio ohne weiteres einen Christen machen zu können, wenn auch sein Tod von Dio sowohl wie von Sueton im Zusammenhang mit dem des Flavius Clemens erzählt wird. Aber hier kommt der Befund der Aciliergruft in Priscilla dazu. Inschriftlich finden sich hier ein Acilius Rufinus, Claudius Acilius Valerius, Acilius Glabrio, M. Acilius, Manius Acilius (Manius ist der gewöhnliche Vorname bei den Acilii Glabriones), die offenbar alle zusammengehören. Von diesen sind Acilius Rufinus und Claudius Acilius Valerius sicher Christen, aber beide gehören einer späteren Zeit an, vielleicht sogar erst dem 4. Jahrhundert. Bei den andern verrät die Inschrift nichts Christliches. Tatsächlich war der Familienstamm der Acilii Glabriones im 2. und 3. Jahrhundert sicher nichtchristlich. Wir kennen noch eine Reihe von Konsuln dieses Namens, die alle von dem Löwentöter abstammen. Es kann also höchstens ein Teil seiner Nachkommenschaft christlich gewesen sein. Ferner hat sich das Priscillacömeterium nicht einfach aus der Aciliergruft entwickelt. Nach Styger haben wir dort drei ursprünglich selbständige Teile zu unterscheiden: den sogenannten Kryptoporticus, das Hypogäum der Acilii und das sogenannte Arenarium. Alle drei hatten eigene Eingänge und standen ursprünglich nicht in Verbindung. Diese drei privaten Begräbnisstätten wurden seit der

Mitte des 3. Jahrhunderts nicht mehr benützt. Erst im 4. Jahrhundert entstand dann das große Gemeindecömeterium, in dem die ursprünglich getrennten alten Teile aufgingen. Da aber die späten christlichen Acilii doch wieder in der alten Aciliergruft begraben wurden, scheinen sie noch irgendein Anrecht gehabt zu haben.

Wenn wir uns umsehen, wo in der Familie der Glabriones eine Priscilla vorkommt, dann stellt sich uns die Frau des Konsuls von 152 Manius Acilius Glabrio Cornelius Severus dar, die Arria L. f. Plaria Vera Priscilla hieß. Ferner ist ein Manius Acilius zusammen mit seiner Schwester Priscilla auf einer der Inschriften im Hypogäum genannt. Der Konsul von 152 hatte auch eine Tochter Priscilla.

Es ist nicht zu leugnen, daß dieses ganze Gewebe aus dünnen Fäden besteht. Wir haben den Konsul und Löwentöter vom Jahr 91, der möglicherweise Christ war. Nachkommen von ihm sind in einer Gruft begraben, aus der später ein christliches Cömeterium wurde. Einige von diesen Nachkommen sind sicher selbst Christen. Das Cömeterium heißt nach einer Priscilla, und tatsächlich kommen in der Familie der Glabriones im 2. Jahrhundert mehrere Priscillen vor. Das ist nicht genug für einen zuverlässigen Beweisgang; anderseits würde uns hier die Geschichte gewissermaßen zum Narren halten, wenn das alles reine Zufälle wären.

Auch bei dem dritten der großen alten Cömeterien, bei *S. Callisto,* führt eine Spur zu einer römischen Familie.

Tacitus berichtet in seinen Annalen zum Jahr 56/57: „Pomponia Graecina, eine vornehme Frau, die Gattin des Aulus Plautius, der, wie früher erzählt, wegen britannischer Siege den Triumph bewilligt bekommen hatte, wurde wegen ausländischen

## Die Cömeterien

Aberglaubens angeklagt und dem Gericht ihres Gatten übergeben. Dieser hielt nach altem Herkommen in Gegenwart der Verwandtschaft Gericht über Leib und Leben und Ruf seiner Frau und sprach sie als unschuldig frei. Diese Pomponia lebte sehr lang und in beständiger Trauer. Denn seit dem Tod der Julia (42 n. Ch.), der Tochter des Drusus, die auf Anstiften der Messalina getötet wurde, verbrachte sie vierzig Jahre ausschließlich in Trauerkleidung und in betrübtem Geist. Solang Claudius regierte, geschah ihr deshalb nichts, und jetzt (unter Nero) brachte es ihr sogar Ehre", nämlich die ehrenvolle Freisprechung durch das Familiengericht.

Es ist kaum daran zu zweifeln, daß Pomponia Christin war. Schon die Angabe des Tacitus von ihrer Superstitio externa und ihrer rätselhaften Lebensweise, daß sie sich als vornehme Dame ganz vom gesellschaftlichen Leben zurückzog und man ihr keineswegs etwas Ehrenrühriges nachweisen konnte, deutet in dieser Richtung. Diese Vermutung wird aber fast zur Gewißheit dadurch, daß im ältesten Teil der Callistuskatakombe eine Inschrift gefunden wurde, von einem Pomponius Graecinus. Bei den römischen Namen beweist die Gleichheit des Gentilnamens (Cornelius, Caecilius, Pomponius) allein keine Verwandtschaft, da manche dieser Namen sehr verbreitet waren und auch die Freigelassenen und deren Nachkommen denselben Gentilnamen führten. Sobald aber ein charakteristisches Cognomen hinzutritt (Cornelius Scipio, Caecilius Metellus, Pomponius Graecinus), haben wir es mit Blutsverwandtschaft zu tun. Der christliche Pomponius Graecinus muß also ein Neffe oder eher Großneffe der von Tacitus erwähnten Pomponia Graecina gewesen sein.

Tacitus datiert das „traurige" Leben der Pomponia von der Ermordung der Prinzessin Julia, die eine entfernte Verwandte ihres Mannes war. Einen ursächlichen Zusammenhang kann man sich vielleicht so vorstellen, daß Pomponia die Gelegenheit benützte, wo sie für die Verwandte Trauerkleidung anlegen mußte, um ihre Lebensänderung und ihren Rückzug aus der Hofgesellschaft weniger auffallend erscheinen zu lassen.

Daß Pomponia schon im Jahr 43 oder kurz darauf Christin wurde, ist nicht unmöglich. Im zweiten Jahrzehnt nach der Auferstehung des Herrn konnte es in Rom schon einzelne Christen geben, auch wenn noch kein Apostel die Ewige Stadt betreten hatte. Und wenn wirklich der rätselhafte Ausdruck der Apostelgeschichte (12, 17): Petrus begab sich „an einen andern Ort" auf Rom zu deuten ist, und wenn die Befreiung des Apostels aus dem Gefängnis in Jerusalem in das Jahr 42 zu setzen ist, wie viele Exegeten annehmen, dann könnte Pomponia eine von den ersten gewesen sein, die von Petrus in Rom persönlich für das Christentum gewonnen wurden.

Vierzig Jahre verharrte Pomponia nach Tacitus in ihrer seltsamen Lebensweise, bis zu ihrem Tod, der mithin um das Jahr 83 erfolgte. Aus der Bemerkung des Tacitus über ihre beständige Trauerkleidung möchte man beinahe schließen, daß sie unter die kirchlichen Witwen aufgenommen war. Sie hat also das ganze erste Aufblühen der römischen Christengemeinde miterlebt und bei dem familienhaften Charakter der ältesten Gemeinden gewiß an allem persönlich Anteil genommen. Sie mag auch eine finanzielle Stütze der jungen Gemeinde gewesen sein, wenigstens bis zum Jahr 65, wo ihr Neffe Plautius Lateranus, designierter Konsul, von Nero hingerichtet wurde. Die Plautier verloren damals ihre Familiengüter, darunter den Palast am Südrand des Cölius, der durch manche Hände ging, bis Kaiser Konstantin die Aedes Lateranorum dem römischen Bischof schenkte. Ob Pomponia dort gewohnt hat, wissen wir nicht. Aber wir können uns vorstellen, daß sie die Apostel Petrus und Paulus aus nächster Nähe gekannt hat, auch Marcus, Lukas, Linus, Clemens, daß sie die Verfolgung unter Nero miterlebt und an den frischen Gräbern der Apostel gestanden hat. Was hätte diese Frau uns alles erzählen können!

Freilich reicht das, was wir über Pomponia wissen, nicht dazu aus, daß wir das Callistuscömeterium in der Weise als eine ursprüngliche Pomponiergruft ansprechen könnten, wie bei Domitilla. Das geht schon deshalb nicht, weil in Callisto alles so verändert ist, daß wir den Kern der ursprünglichen Anlage nicht mehr kennen. Ein gewisser Zusammenhang mit den alten Pomponiern liegt jedoch nahe.

Im ganzen 2. Jahrhundert hören wir nichts von den Cömeterien, obwohl mindestens die drei, Priscilla, Domitilla und Callisto, schon bestanden. Sie waren damals, entsprechend der Zahl der römischen Christen, die im 2. Jahrhundert erst wenige Tausend ausmachte, noch lange nicht so ausgedehnt, wie später. Erst um das Jahr 200 treffen wir auf die wichtige Notiz bei Hippolytus, daß der Papst Zephyrinus (ca. 200—217) den Diakon Callistus mit der Verwaltung „des Cömeteriums" betraute.

Bei dieser Gelegenheit erfahren wir allerlei über die Lebensgeschichte des Callistus, dessen Name an dem Cömeterium haften geblieben ist. Nur müssen wir dabei berücksichtigen, daß das neunte Buch der Philosophumena eine ausgesprochene Schmähschrift ist, von Hippolytus geschrieben, nachdem er als Gegenbischof gegen Callistus aufgetreten war. Danach war Callistus von Haus aus ein Sklave. Das glauben wir dem Hippolytus gern, denn Callistus ist ein echter Sklavenname. Sein Patron war ein Christ, der kaiserliche Freigelassene (M. Aurelius) Carpophorus. Dementsprechend wird Callistus nach seiner Freilassung mit dem vollen Namen M. Aurelius Callistus geheißen haben. Callistus begann mit einem Kapital seines Patrons ein Bankgeschäft. Seine Wechselstube war bei der Piscina Publica, das ist die heutige Gegend von S. Saba. Hippolyt weiß zu erzählen, daß Callistus Gelder veruntreute und durchbrannte. Er erreichte im Hafen von Porto ein Schiff, wurde von Carpophorus eingeholt, sprang ins Meer, wurde herausgefischt und seinem Patron übergeben, der ihn nach Rom zurückbrachte und in Zwangsarbeit gab. Auf Bitten der Christen ließ sich Carpophorus schließlich bewegen, ihn wieder freizugeben, damit er seinen Verpflichtungen nachkommen könne, und er verzichtete sogar auf seine eigenen Forderungen an ihn. Callistus war trotzdem außerstande, die Depositen wieder zum Vorschein zu bringen, und versuchte nun einen Gewaltstreich: er störte eine jüdische Sabbatfeier, wurde von den Juden als Christ angeklagt, von dem Stadtpräfekten Seius Fuscianus (Konsul im Jahr 188) gegeißelt und nach Sardinien verbannt, obwohl Carpophorus vor dem Richter als Zeuge behauptete, Callistus sei gar kein Christ, sondern suche absichtlich den Tod.

Ganz so wird diese Geschichte schwerlich gewesen sein. Hippolyt hat sichtlich das Bestreben, den für ihn unbequemen Confessorentitel des Callistus zu entwerten. In Wirklichkeit hätte man einen Mann mit so skandalösem Vorleben später kaum zum Bischof geweiht. Mit dem Bankgeschäft kann es seine Richtigkeit haben, vielleicht auch damit, daß Callistus zeitweise in Zahlungsschwierigkeiten geriet. Daß er veruntreut hätte, ist die billigste Verleumdung, die man einem Geschäftsmann anhängen kann. Er wird der Schwierigkeiten Herr geworden sein, denn einem Verkrachten hätte Papst Zephyrinus nicht die Verwaltung des Kirchenvermögens anvertraut. Daß die Juden den lästigen Konkurrenten als Christen denunzierten, ist möglich; daraus folgt aber nicht, daß an seinem Bekenntnis für Christus etwas nicht in Ordnung war, wie Hippolyt es gern darstellen möchte.

Bei der Begnadigungsaktion, die Papst Victor für die Verbannten in Sardinien beim Kaiser Commodus einleitete, wurde Callistus wieder frei. Hippolyt unterläßt auch hier nicht, ihm eins anzuhängen: Victor hätte nämlich in dem Verzeichnis der Confessoren, das er nach Sardinien an die Behörden schickte, den Namen des Callistus absichtlich ausgelassen, weil er diesen Abenteurer nicht wieder in Rom haben wollte. Callistus hätte aber mit Bitten und Tränen erreicht, daß der Beamte ihn gleichfalls laufen ließ. Victor war sehr ungehalten, konnte aber an dem Geschehenen nichts mehr ändern und schickte den Callistus, um ihn loszuwerden, nach Antium, mit einem Monatsgehalt, damit er Ruhe gebe.

Das sind natürlich wieder Klatschgeschichten. Richtig wird sein, daß Callistus nach seiner Befreiung eine Zeit lang im Auftrag des Papstes in Antium weilte. Vielleicht hatte die römische Kirche dort Güter zu verwalten. Daß er ein Gehalt bezog, deutet darauf hin, daß er damals schon zum Klerus gehörte. Vielleicht hat ihn Victor bei seiner Rückkehr aus der Verbannung als Confessor in den Klerus aufgenommen, eine Sache, die damals öfter vorkam.

Victors Nachfolger Zephyrinus berief Callistus wieder nach Rom und machte ihn zum „Archidiakon". Hippolyt unterläßt nicht, hinzuzufügen, Callistus sei dem neuen Papst nicht von der Seite gewichen und habe ihn durch seine Heuchelei ganz gewonnen — wörtlich nach dem Griechischen „eingeseift", da Zephyrinus ohnedies beschränkten Geistes gewesen sei. Ohne Satire heißt das nur: Callistus tat als Diakon seine Pflicht.

Was uns hier interessiert, ist, daß Zephyrinus ihm die Verwaltung „des Cömeteriums" übertrug. Wir hören da zum erstenmal von einer der römischen Kirche als solcher, nicht mehr Privatleuten gehörenden Begräbnisstätte. Ohne Zweifel ist das dieselbe, die heute noch den Namen des Callistus trägt. Welche Arbeiten Callistus hat ausführen lassen, wissen wir nicht, aber sie waren jedenfalls nicht unbedeutend, da sein Name mit der ganzen Anlage verbunden blieb, obwohl er weder der erste Gründer war, noch dort begraben wurde. Callistus, der im Jahre 217 Zephyrins Nachfolger als Bischof von Rom wurde, und im Jahre 222 als Martyrer starb, fand seine Grabstätte an der Via Aurelia im Cömeterium Calepodii.

Die Papstgruft in Callisto scheint erst von Papst Fabianus (235—250) angelegt worden zu sein.

Von diesem sagt eine der sehr zuverlässigen Notizen im Liberianischen Katalog, daß er viele Arbeiten in den Cömeterien ausführen ließ. Was das im einzelnen war, wissen wir nicht; es können neue Galerien gewesen sein, Dekorationsarbeiten, Reparaturen und Sicherungsarbeiten, die in den Katakomben immer notwendig werden infolge von Erdrutschungen und eindringendem Wasser. Wichtig ist, daß hier bei Fabianus bereits von einer Mehrzahl von Cömeterien die Rede ist, die der Kirchenverwaltung unterstehen, also nicht mehr Privatleuten gehören. Das Callistuscömeterium blieb aber das Hauptcömeterium und scheint im 3. und 4. Jahrhundert die Begräbnisstätte des Klerus gewesen zu sein. Das läßt sich mit genügender Sicherheit aus der Inschrift schließen, die Papst Damasus in der Papstkrypta angebracht und deren Original De Rossi aus zahllosen Bruchstücken wieder zusammengesetzt hat. Daß die Kleriker dort auch für ihre Angehörigen Grabstätten einrichten konnten, erfahren wir aus der Inschrift des Diakons Severus, der eine solche Familiengruft „mit Erlaubnis des Papstes Marcellinus" (298—304) einrichtete.

Außer den ältesten drei bestanden um die Mitte des 3. Jahrhunderts Comodilla, Pretestato, Ermete, Giordiani und andere.

Ob die Verfolgungen unter Valerianus (257—59) und unter Diokletian (von 303 an), von denen wenigstens die zweite eine Schließung und Enteignung der Cömeterien mit sich brachte, irgend welche Schäden oder Verwüstungen an den unterirdischen Grabstätten verursachten, wissen wir nicht. Der Befund in den Anlagen gibt uns dafür keine sicheren Anhaltspunkte.

Das Jahr 313 brachte der Kirche den endgültigen Frieden, und damit begann für die Cömeterien allmählich eine neue Zeit.

Man kann das 4. Jahrhundert als die Zeit des Überganges der Katakomben vom Friedhof zur Wallfahrtsstätte bezeichnen. Bis zum Ende des Jahrhunderts finden noch Beerdigungen statt. Gleichzeitig entwickeln sich aber mit dem aufblühenden Martyrerkult die entsprechenden Kultzentren und Kultformen. Es werden die Gräber der Martyrer zu Heiligtümern ausgebaut. Bei einzelnen, wie bei der hl. Agnes, dem hl. Laurentius, den hl. Nereus und Achilleus werden über dem Grab wirkliche Basiliken gebaut. Da man das Grab selbst möglichst unberührt lassen wollte, wurden diese Basiliken in die Katakomben eingebaut. Dabei mußte natürlich ein Teil der nächstliegenden Gänge mit ihren Gräbern geopfert werden. Es entstand so die eigenartige Form einer halb unterirdischen Basilika, die, weil vor allem von oben zugänglich, ein zweites Stockwerk bekam, die sogenannten Matronäen. Damals entstanden auch die Basiliken über den Gräbern der Apostel Petrus und Paulus. Alle diese Kirchen, die wir Cömeterialbasiliken nennen, unterschieden sich von den Stadtkirchen wie S. Giovanni in Laterano oder S. Clemente dadurch, daß ihr Anlaß die Verehrung eines Martyrergrabes ist, durch das die Lage des Gebäudes und die besondere Form des Altares bestimmt wird.

In der zweiten Hälfte des 4. Jahrhunderts bemühte sich besonders Papst Damasus um die Katakomben. Die meisten Martyrergräber ließ er neu ausschmücken und verfaßte für sie Epigramme, die in klassisch schöner Schrift auf großen weißen Marmortafeln die zahlreichen Heiligtümer zierten. Er sorgte auch durch Öffnung neuer Eingänge und Anlage von Treppen dafür, daß die einzelnen Martyrergrüfte bequemer zugänglich wurden.

Mit dem 5. Jahrhundert beginnt der Verfall der Katakomben. Bei den fortgesetzten Barbareneinfällen wurde nicht nur in den Katakomben selbst viel Schaden angerichtet, sondern auch das darüberliegende Land verwüstet. Die römische Campagna, bis dahin gepflegtes Land mit vielen Villen und zahlreicher Bevölkerung, verödete. Die Einwohner der Stadt mit ihrem viel zu weit gewordenen Mauerring waren so zusammengeschmolzen, daß sie keine großen Friedhöfe mehr brauchten, sondern ihre Toten in den Stadtkirchen begruben. Ein neuer Damasus erstand den Katakomben nicht mehr.

Trotzdem blieben sie noch immer Stätten der Andacht und Verehrung. Ihr Ruhm breitete sich in den folgenden Jahrhunderten vor allem im Norden aus und zog viele fromme Pilger nach Rom. In dieser Zeit entstanden jene Pilgerführer oder Itinerarien, die trotz manchen Mißverständnissen und Seltsamkeiten dem heutigen Forscher wertvollste Dienste leisten.

Um die Mitte des 8. Jahrhunderts plünderte der Langobardenkönig Aistulf die römischen Katakomben und trug viele Reliquien mit sich fort. Damit beginnt eine neue Phase für die unterirdische Gräberstadt. Die römischen Päpste besaßen nicht mehr die Mittel, die stark verfallenen Grüfte vor weiteren Schäden zu schützen oder wiederherzustellen. Papst Paul I. (757—767) entschloß sich, einen großen Teil der Gebeine aus ihren unterirdischen Gräbern zu erheben und sie in den Stadtkirchen sicher und würdig zu bergen. Auch die folgenden Päpste, vor allem Paschalis I. (817—829), suchten auf diese Weise die heiligen Überreste vor Verunehrung und Raub zu schützen.

Anderseits zeigt der Raub Aistulfs die hohe Wertschätzung, deren sich die Gebeine der Martyrer und alles, was man dafür hielt, bei diesen jungen christlichen Völkern erfreute. Die Verehrung der Heiligen lockte schon lang die Pilger aus dem Norden nach Rom. Mußte nicht der Wunsch entstehen, an diesen heiligen Schätzen Anteil zu haben, gutwillig oder durch Gewalt?

So entstand allmählich ein wahrer Wettkampf um Martyrergebeine, der leider auch zu bedauerlichen Auswüchsen führte. Bekannt ist vor allem der Fall des römischen Diakons Deusdona und seiner Brüder Luniso und Theodor.[7] Deusdona hatte auf einer Reise über die Alpen Einhard, den gelehrten Freund Karls des Großen, kennengelernt. Einhard wollte für sein Kloster Mulinheim, später Seligenstadt genannt, Martyrerreliquien besitzen, und Deusdona versprach, ihm hiebei zu helfen. Dem Diakon unterstand die Katakombe der hl. Petrus und Marcellinus zur Pflege und Betreuung. So war es für ihn

nicht allzu schwer, bei Nacht dort Gebeine zu ent=
nehmen, und Seligenstadt kam in den Besitz der
Reliquien von Petrus und Marcellinus. Bald knüpf=
ten sich auch Fäden zu einer andern großen deut=
schen Abtei und ihrem Abt. Rhabanus Maurus von
Fulda wünschte ebenfalls den Glanz seines Klosters
auf diese Weise zu erhöhen und ließ deshalb durch
einen seiner Mönche mit Deusdona verhandeln.
So erhielt Fulda Reliquien der römischen Martyrer
Alexander, Sebastianus, Fabianus, Urbanus, Feli=
cissimus, Felicitas und Emerentiana. Es handelt
sich dabei natürlich nicht immer um die ganzen
Gebeine, sondern meist nur um ein kleines Stück.
Rhabanus Maurus war aber höchst zufrieden und
entließ Deusdona und seinen Bruder mit reichen
Geschenken. Diese Erfolge machten die deutschen
und fränkischen Äbte immer begieriger und die
Vermittler immer mutiger. Mit der Zeit ruhten
Überreste der berühmtesten römischen Martyrer,
eifersüchtig behütet und aufrichtig verehrt, in vielen
großen Kathedralen und Klosterkirchen jenseits der
Alpen. Ob es bei den Vermittlungen immer ganz
ehrlich zuging, sei dahingestellt. Jedenfalls glaubte
sich Seligenstadt schon seit fast tausend Jahren der
hl. Gebeine des Martyrers Hyacinthus zu erfreuen,
als dessen Gebeine im Jahr 1843 noch wohlver=
schlossen in seinem römischen Grab in S. Ermete
aufgefunden wurden. Viele der übertragenen Ge=
beine waren aber zweifellos echt, und so hat schließ=
lich der Übereifer deutscher und fränkischer Bi=
schöfe und Äbte und das Entgegenkommen römi=
scher Vermittler nur dazu beigetragen, die Vereh=
rung und den Ruhm der römischen Martyrer weit
zu verbreiten und zu vermehren.

III. KAPITEL

DIE GRÄBER DER PÄPSTE

*Die Gräber der Päpste*

Wo die Gräber der beiden Apostelfürsten sind, wissen wir, aber von denen der ersten Nachfolger Petri auf dem römischen Stuhl hat sich keine Erinnerung erhalten. Zwar die Reihenfolge der ersten Päpste kennen wir genau. Das älteste Papstverzeichnis, das wir besitzen, stammt von Irenäus und ist in den Siebzigerjahren des 2. Jahrhunderts zusammengestellt. Hundert Jahre nach dem Tod der Apostel konnte es in Rom noch Leute geben, die die Generation der Apostelschüler persönlich gekannt hatten. Die Liste der Päpste umfaßte damals erst zwölf Namen: Linus, Anenkletus, Clemens, Euaristus, Alexander, Xystus I., Telesphorus, Hyginus, Pius, Anicetus, Soter, Eleuther. Übrigens scheint Irenäus garnicht der erste gewesen zu sein, der diese Liste schriftlich zusammenstellte. Schon vor ihm hatte Hegesipp, der die von Aposteln gegründeten Kirchen bereiste, um die Übereinstimmung in der Glaubensüberlieferung zu untersuchen, für Rom eine solche Bischofsliste aufgestellt.

Die Liste ist natürlich im Lauf der Zeit immer länger geworden und in einer weitverzweigten Überlieferung auf uns gekommen. Durch Lese- oder Hörfehler schlichen sich mitunter Irrtümer ein, die sich aber nach den ältesten Textzeugen leicht verbessern lassen. Die veränderte Aussprache des Lateins und die Unkenntnis des Griechischen brachte es mit sich, daß manche Namen verballhornt wurden: aus Hyginus machten einzelne Egenus oder gar Eugenius, Zephyrinus wurde Geferinus oder

Severinus geschrieben. Am schlimmsten ging es mit dem ungewöhnlichen Namen Anencletus. Es wurde daraus Anaclitus, Anelitus, Clitus, Cletus, und schließlich wußte man nicht mehr, ob das einer oder zwei waren, und so schoben manche vor oder nach Clemens einen überschüssigen Anacletus oder Cletus ein. Da wir aber die älteste Liste bei Irenäus besitzen, brauchen uns diese späteren Fehler nicht zu stören.

Allerdings war die Liste bei Irenäus und den anderen ältesten Sammlern ein bloßes Namensverzeichnis ohne Jahreszahlen. Diesen Män= nern kam es nicht darauf an, eine Chronik zu schreiben, sondern sie wollten nur die lückenlose apostolische Sukzession und damit die Sicherheit der Glaubensüberlieferung feststellen. Die sicheren Jahreszahlen beginnen für uns erst mit dem 3. Jahr= hundert, mit dem Tod des Papstes Zephyrinus 217. Für die vorausliegende Zeit haben wir nur einzelne Anhaltspunkte, wie daß Anicetus um die Mitte des 2. Jahrhunderts regierte, weil wir die Romreise des Bischofs Polycarpus von Smyrna einigermaßen zu= verlässig in das Jahr 155 ansetzen können und er damals in Rom mit Papst Anicetus zusammentraf.

Von den Grabstätten der ältesten Päpste wissen wir nichts. Im 6. Jahrhundert meinte man, sie seien alle in der Nähe des Petrusgrabes beigesetzt wor= den. Aber es scheint, daß das damals nur eine Vermutung war, die sich weder auf einen Befund noch auf eine wirkliche Erinnerung stützte. Die Ausgrabungen unter S. Peter haben bis jetzt keine andern Papstgräber zu Tage gefördert, allerdings auch die Möglichkeit nicht ausgeschlossen.

Der erste Papst, von dem wir wissen, wo er be= graben war, ist Zephyrinus († 217), nämlich im Callistuscömeterium, und zwar in der oberirdischen Area. Das Salzburger Itinerar beschreibt die Ört=

lichkeit folgendermaßen: „An derselben (appischen) Straße: bei der hl. Cäcilia unzählige Martyrer. Zuerst Papst Xystus..., die hl. Cäcilia, Jungfrau und Martyrin. Achtzig Martyrer ruhen dort unterirdisch. Geferinus, Papst und Bekenner, ruht oben. Eusebius, Papst und Martyrer, weit davon in einer Höhle. Cornelius, Papst und Martyrer, weit davon in einer andern Höhle. Dann kommst du zu der hl. Soteris, Jungfrau und Martyrin...". Das Zephyrinusgrab war also oberirdisch, und zwar an einer Stelle, daß die Pilger es aufsuchten, wenn sie von der Cäciliengruft und der daneben gelegenen Papstkrypta (Xystus) emporstiegen. Dann erst stiegen sie wieder hinunter zu Eusebius und Cornelius und schließlich zu Soteris. Das Zephyrinusgrab war natürlich nicht im freien Ackerboden, sondern in einem wenn auch noch so bescheidenen Mausoleum.

Cäciliengruft, Papstkrypta und Corneliusgrab kennen wir genau. Dann käme als Zephyrinusmausoleum eben jene Cella trichora in Betracht, die fast unmittelbar über der Papstkrypta neben dem heutigen Eingang in diese steht. Es ist das jenes Kirchlein, in dem De Rossi das Bruchstück der Corneliusinschrift fand. Tatsächlich ist in der mittleren Apsis dieser Cella trichora ein Grab gefunden worden, zwei Meter tief im Boden und mit Mauerwerk umgeben, also in besonderer Weise geschützt. Marucchi glaubte sicher zu sein, daß es das gesuchte Grab Zephyrins sei. Allerdings stammt die Cella selbst aus der Zeit nach Konstantin, aber sie steht wiederum auf älteren Fundamenten, die eben das ursprüngliche Mausoleum Zephyrins sein könnten. Aber auch die Ummauerung des gefundenen Grabes ist jünger, wie Wilpert gezeigt hat. Wilpert sucht daher das Zephyrinusgrab in der andern, gegen die Via delle Sette Chiese zu gelegenen Cella, die nach der hl. Soteris benannt ist, was wiederum mit dem

Salzburger Itinerar nicht recht stimmt. Marucchis Annahme dürfte die wahrscheinlichere sein.

Im 7. Jahrhundert verehrte man in dem Mausoleum Zephyrins auch das Grab des hl. Tarsicius, des berühmten Martyrers der Eucharistie. Da aber die schöne Inschrift, die Damasus im 4. Jahrhundert auf diesen Martyrer verfaßt hat, nur in Abschriften erhalten ist, kennen wir den genauen Ort dieses Grabes nicht mehr.

Zephyrins Nachfolger *Callistus* (217—222) ist an der Via Aurelia im Cömeterium Calepodii begraben gewesen. Von dem Grab ist nichts erhalten, nur von einem Oratorium, das Papst Julius im 4. Jahrhundert dort zu seinem Andenken errichtet hat, sind noch Spuren übrig. Man wundert sich darüber, daß Callistus nicht in „seinem" Cömeterium begraben wurde. Die Erklärung glaubte man in einem legendarischen Bericht zu finden, demzufolge Callistus in Trastevere ermordet worden sei. Man hätte sich damals nicht die Zeit genommen, seinen Leichnam an die Via Appia hinauszutragen, sondern ihn in der Eile an der näher gelegenen Via Aurelia beigesetzt. Nun wissen wir allerdings, daß Callistus als Martyrer gestorben ist, und daß zur Zeit seines Todes keine allgemeine Verfolgung herrschte. Eine tumultuarische Ermordung ist also nicht unwahrscheinlich. Von Trastevere bis zur Papstgruft ist eine gute Wegstunde. Aber bis Calepodii sind es auch dreiviertel Stunden, so daß mit der Eile nichts erklärt ist. Viel einfacher ist die Annahme, daß die Papstgruft in Callisto im Jahr 222 noch nicht bestand.

Von dem Nachfolger des Callistus, *Urbanus* (222 bis 230), wissen wir nicht, wo er begraben war.

Die Reihe der in Callisto beigesetzten Päpste beginnt mit Pontianus (230—235). Als De Rossi die Papstgruft entdeckte, war dort alles im Zustand

## Die Gräber der Päpste

ärgster Verwüstung. Die Gräber waren offen und die Inschriften lagen im Schutt. Es fanden sich nur die Inschriften von vier Päpsten: Anteros (235), Fabianus (235—250), Lucius (253—254) und Eutychianus (275—283). Im Jahr 1907 waren in der benachbarten Cäciliengruft wegen einer Erdrutschung Sicherungsarbeiten notwendig, und dabei fand man einen mit Schutt gefüllten Brunnenschacht, aus dem Wilpert die in mehrere Stücke zerbrochene Inschrift des Papstes Pontianus (230—235) ans Licht zog. Ferner fanden sich in demselben Cömeterium, aber außerhalb der Papstkrypta, die Inschriften von Cornelius (251—253), Caius (283—296) und Eusebius (310). Alle diese waren nach dem zuverlässigen Verzeichnis von 354, der sogenannten Depositio episcoporum, in Callisto begraben, außerdem noch Stephanus (254—257), Dionysius (260—268), Felix (269—274) und Melchiades (311—314), von denen keine Inschriften erhalten sind, ferner der Martyrerpapst Xystus II. (257—258).

Xystus war in dem großen Grab im Boden der Krypta beigesetzt, da wo jetzt der Altar steht. Wandgräber enthält die Krypta sechzehn. Da Caius bereits außerhalb der Krypta beigesetzt war, dürfte sie mit seinem Vorgänger Eutychianus († 283) gefüllt gewesen sein. Nun sind aber von Pontianus bis Eutychianus nur acht Päpste in der Krypta begraben (mit Xystus neun), so daß man annehmen muß, daß auch einige andere dort ruhten, die nicht Päpste waren.

Die Papstgruft und ihre Umgebung in Callisto ist ohne Zweifel für jeden, der einigermaßen geschichtlich denken kann und die Sprache der Steine versteht, eines der eindrucksvollsten Denkmäler aus dem ganzen Bereich des antiken Roms. Hier stehen wir mitten im Strom der alten Kirchengeschichte.

*Pontianus* (230—235) hat eine Synode gehalten, auf der er das Absetzungsurteil über Origenes bestätigte, das der Bischof von Alexandria ausgesprochen hatte. Sein großes Verdienst besteht aber in der Beilegung des Schismas Hippolyts.

*Hippolytus,* Gegenbischof von 217 bis 235, ist eine der merkwürdigsten Persönlichkeiten der alten römischen Kirche. An Gelehrsamkeit zu seiner Zeit nur von Origenes übertroffen, von hohem sittlichem Ernst, leidenschaftlich und von unverwüstlicher Arbeitskraft bis in sein hohes Alter, war er unter dem langen Pontifikat Zephyrins (200—217) als Presbyter der große Theologe im römischen Klerus. Schon damals scheint es ihn verbittert zu haben, daß er mit seinen Ansichten nicht überall durchdringen konnte. Als nach Zephyrins Tod der ihm persönlich unsympathische Diakon Callistus zum Papst gewählt wurde und nicht er selbst, wie er gehofft haben mochte, kam es zum offenen Bruch. Hippolytus ließ sich, durch wen wissen wir nicht, die Bischofsweihe erteilen, organisierte eine Sondergemeinde, die er als die wahre Kirche betrachtet wissen wollte, und hetzte gegen Callistus in unwürdiger Weise. Dieser Zustand dauerte unter den nächsten Päpsten Urbanus (222—230) und Pontianus (230—235) fort. Hippolytus Gemeinde scheint später nicht sehr zahlreich gewesen zu sein, wenigstens beklagt er sich über den Abfall vieler seiner Anhänger. Aber sein literarischer Ruhm war noch im Steigen. Er unterhielt Beziehungen zum Kaiserhof und widmete seine Weltchronik dem Kaiser Severus Alexander.

Alexanders Nachfolger, Maximinus Thrax, war wieder ein Christenverfolger und hatte es besonders auf die Bischöfe abgesehen. Da es in Rom zwei christliche Bischöfe gab, Pontianus und Hippolytus, verbannte er sie alle beide nach Sardinien.

Was sich dort zutrug, können wir nur mehr vermuten. Sicher ist, daß Pontianus in Sardinien seine bischöfliche Würde niederlegte. Es ist das erste Beispiel dieser Art in der Papstgeschichte. Sicher ist ferner, daß Hippolytus vor seinem Tod sein Schisma aufgab und sich mit der wahren Kirche versöhnte. Damasus sagt das in seinem Epigramm auf Hippolytus ausdrücklich. Und wenn auch Damasus diesen Umstand nur aus der Tatsache erschlossen hätte, daß Hippolytus als Martyrer verehrt wurde, so war dieser Schluß richtig; denn ein Schismatiker oder Häretiker bekam niemals einen Kult in der katholischen Kirche, auch wenn er Martyrer war. Da sonst die Päpste ihr Amt nicht niederlegten, wenn sie in die Verbannung geschickt wurden — weder Cornelius noch Lucius noch Eusebius haben es getan — so dürfen wir annehmen, daß Pontianus diesen Schritt eigens zu dem Zweck tat, um seinem Gegenbischof denselben Schritt zu erleichtern. Vielleicht ist uns hier eine der schönsten Episoden der alten Kirchengeschichte verloren gegangen. Die beiden dem Tod geweihten Greise ringen miteinander, und der Edelmut des einen hilft dem andern, den schweren Sieg über sich selbst erkämpfen und den großen Irrtum seines Lebens eingestehen.

Pontianus und Hippolytus starben in Sardinien. Ihre Leichen wurden nach Rom gebracht. Pontianus kam in die Papstgruft, Hippolytus fand seine Ruhestätte in dem Cömeterium an der Via Tiburtina, das später nach ihm benannt wurde. Dort wurde ihm jene Statue errichtet, die heute das Lateranmuseum ziert. Die Statue selbst sagt uns nicht viel. Der obere Teil mit dem Kopf ist moderne Ergänzung, und der untere Teil war ursprünglich wohl die Statue irgendeines Senators aus älterer Zeit, die zu diesem Zweck umgearbeitet wurde. Für uns ist wichtig, daß auf beiden Seiten des Thronsessels ein Verzeichnis von Hippolyts Schriften eingegraben ist, sowie seine Berechnung des Osterzyklus, die damals als besondere wissenschaftliche Leistung galt.

Die zweite der erhaltenen Papstinschriften ist die von *Anteros* (235), der nach der Abdankung des Pontianus und noch zu dessen Lebzeiten gewählt wurde, aber schon nach einigen Wochen starb. Die Geschichte berichtet von ihm nichts als den Namen, und dieser ist ein typischer Sklavenname. Man kann fast sicher annehmen, daß dieser Papst ebenso wie Callistus ein Freigelassener war. Allerdings darf man sich unter einem römischen Freigelassenen keinen pensionierten Bedienten vorstellen. Die Freigelassenen waren, obwohl die Vornehmen auf sie herabsahen, strebsame und oft sehr wohlhabende Leute und keineswegs Proletarier. Es wäre überhaupt ein Fehler, wenn man sich die Christen der ersten Jahrhunderte, wie das zuweilen geschieht, gar zu sehr als „kleine Leute" und „unterste Volksschicht" vorstellte. Gerade die Papstgruft zeigt in der architektonischen Ausführung wie in den Inschriften eine gewisse Wohlhabenheit und Eleganz, die den Vergleich mit den besten klassischen Werken dieser Art nicht zu scheuen brauchen.

Die dritte Inschrift ist die von *Fabianus* (235 bis 250). Cyprian spricht mit hohem Lob von diesem Papst und auch im Orient blieb sein Andenken in Ehren, sodaß er später unter die wundertätigen Heiligen gezählt wurde. Wir wissen, daß Origenes an ihn eine Schrift gerichtet hat, um sich gegen den Vorwurf der Häresie zu verteidigen. Die Hauptbedeutung seines Pontifikates scheint in der Organisation zu liegen. Von ihm stammt die Einteilung des unteren Klerus, die sein Nachfolger Cornelius

## Die Gräber der Päpste

erwähnt: Sieben Diakone, denen je ein Subdiakon und sechs Akolythen zur Seite standen. Dementsprechend teilte er das Stadtgebiet in sieben Regionen ein, für die Armenpflege. Außer diesen 56 Klerikern und den 46 Presbytern gab es noch 52 niedere Kleriker (Lektoren, Exorzisten, Ostiarier). Aus Fabians Schule gingen die nachfolgenden bedeutenden Päpste hervor: Cornelius, Lucius, Stephanus, wahrscheinlich auch noch Xystus II. und Dionysius. Gleich zu Beginn der decischen Verfolgung erlitt er das Martyrium.

Auf Fabianus folgte nach langer Sedisvakanz *Cornelius* (251—253), den wir besser kennen als die meisten alten Päpste und von dem wir mehr wissen als beispielsweise von dem damaligen Kaiser Gallus. Wir besitzen mehrere Briefe, die der berühmte Bischof von Karthago, der hl. Cyprian, an ihn geschrieben hat. Von ihm selbst haben wir zwei Briefe an Cyprian und einen an Fabius von Antiochia. Cornelius hat auf einer Synode in Rom, an der sechzig Bischöfe teilnahmen, den Novatianus und seine Anhänger exkommuniziert. Es gelang ihm, fünf römische Presbyter, die anfangs zu Novatianus gehalten hatten, zur Kirche zurückzuführen, darunter den Presbyter Maximus. — In den vatikanischen Sammlungen existierte die Grabschrift eines Presbyters Maximus, die aus dem 3. Jahrhundert stammen dürfte. Man hat sie jetzt im Callistuscömeterium in der Nähe des Corneliusgrabes angebracht; aber da der Name so häufig vorkommt, wissen wir nicht mit Sicherheit, ob es wirklich jener Maximus ist, der vor Cornelius öffentlich Buße getan hat.

Cornelius wurde im Jahre 253 vom Kaiser Gallus nach Centumcellae (Civitavecchia) verbannt und starb bald darauf. Sein Leichnam wurde erst nach 283 nach Rom gebracht und in Callisto in einer eigenen Gruft beigesetzt. Sein Fest wurde später zusammen mit dem seines Freundes Cyprian am 14. September gefeiert. Über seinem Grab brachte Damasus eine seiner Inschriften an. Sie wurde von De Rossi im Jahr 1852 an Ort und Stelle gefunden, aber in so zerstörtem Zustand, daß nur noch einzelne Wörter lesbar sind. Darunter sind kleine Stücke einer andern Inschrift erhalten, die von Papst Siricius (384—399), dem Nachfolger des Damasus, stammen dürfte. Später wurde die Krypta noch mit Gemälden geschmückt, die verhältnismäßig gut erhalten sind: Links Papst Xystus II. und ein unbekannter Bischof Optatus, rechts Cornelius und Cyprian. Marucchi setzt diese Bilder in die zweite Hälfte des 6. Jahrhunderts, Wilpert ins achte.

Der Nachfolger des Cornelius, *Lucius* (253 bis 254), war wieder in der Papstgruft beigesetzt. Er wurde alsbald nach seiner Wahl ebenfalls in die Verbannung geschickt, konnte aber nach dem Tod des Kaisers Gallus nach Rom zurückkehren. Wir besitzen einen Brief Cyprians an ihn, in dem er ihn zu seiner Verbannung und zu seiner Rückkehr beglückwünscht. An seiner Grabinschrift ist auffallend, daß der Name Lukios in der familiären Kurzform Lukis gegeben ist.

Von Papst *Stephanus* (254—257), der ebenfalls in der Papstkrypta begraben war, ist keine Inschrift erhalten, ebensowenig von seinem Nachfolger; aber von diesem kennen wir das Grab selbst, das gewissermaßen den Mittelpunkt der ganzen Papstkrypta bildet: es ist der berühmte *Xystus II.* (257—258).

Bei Eusebius ist ein Brief erhalten, den Dionysius von Alexandria an Xystus schrieb, der ihn aber vielleicht nicht mehr am Leben getroffen hat. Die Kürze seines Pontifikats mitten während der

valerianischen Verfolgung hat ihm keine Gelegen;
heit zu großen Taten gegeben. Nur die Aussöh;
nung mit Cyprian brachte er zustande, der sich mit
seinem Vorgänger Stephanus vollständig überwor;
fen hatte. Berühmt geworden ist Xystus durch sein
Martyrium.

Cyprian meldet an einen Freund: „Xystus ist im
Cömeterium hingerichtet worden, am 8. vor den
Iden des August (6. August 258) und mit ihm
vier Diakone." Es ist der vorletzte Brief, den
Cyprian geschrieben hat: fünf Wochen später, am
14. September, erlitt er selbst das Martyrium.
Außer dieser Nachricht haben wir das Epigramm
des Damasus auf Xystus, das durchaus den Ein;
druck der Glaubwürdigkeit macht. Danach kön;
nen wir uns den Hergang einigermaßen vorstellen.

Der Schauplatz ist „das Cömeterium", also jeden;
falls Callisto. Damasus sagt, daß Xystus gerade
predigte,[8] als die Soldaten kamen. Es war also eine
gottesdienstliche Feier, offenbar in einem größeren
Raum, nahe bei der Eingangstreppe, wofür am
ehesten die Papstgruft selbst in Betracht kommt.
Damasus fährt fort: „Die Menge bot den Soldaten
ihren Hals dar. Als der Greis sah, daß ihm andere
in der Palme (des Martyriums) zuvorkommen
wollten, duldete er es nicht, sondern bot sich und
sein Haupt als erster dar, damit die Wütenden nie;
mand verletzen sollten."

Die Soldaten drangen also überraschend ein, was
darauf hindeutet, daß die Versammlung unter der
Erde stattfand. Es war Nacht oder frühester Mor;
gen, denn nach der Predigt sollte wahrscheinlich
die Eucharistie gefeiert werden. Die Volksmenge
sieht die Soldaten eindringen und weiß natürlich
sofort, worum es sich handelt. Alle drängen sich
vor den Bischof und machen Front gegen die Sol;
daten. Sie versuchen keine gewaltsame Abwehr,

aber alle erklären sich mit lautem Geschrei zum Sterben bereit und begleiten das mit den jedem antiken Menschen so geläufigen Gesten: sie entblößen die Brust zum Stoß oder werfen sich gegen die Soldaten auf die Knie, mit gesenktem Kopf den Todesstreich erwartend. Die Soldaten sind nicht übel geneigt, zuzuschlagen. Da ertönt aus dem Hintergrund das Halt des greisen Bischofs, ähnlich wie der Herr am Ölberg durch sein „Halt, wen sucht ihr?" ein Gemetzel verhütet hatte. Der Lärm verstummt, die Menge macht Platz und die Soldaten gehen auf den Hintergrund zu, wo der Bischof noch auf seinem Thron sitzt, so wie er eben gepredigt hatte; rechts und links von ihm stehen je zwei Diakone. Der Bischof wird ergriffen, die Treppe hinauf ins Freie geführt und sofort mit samt seinen vier Diakonen hingerichtet. Das entsprach ganz dem Wortlaut des kaiserlichen Edikts, in dem es hieß, daß die Bischöfe, Presbyter und Diakone „unverzüglich" hinzurichten seien, also wahrscheinlich ohne Prozeßverfahren.

Xystus wurde in der Papstgruft begraben. Die Tafel mit der damasianischen Inschrift ist verschwunden. Aber Damasus hat dort noch eine zweite Inschrift angebracht, deren Bruchstücke De Rossi gefunden und wieder dort aufgestellt hat. Hier spricht Damasus von den „Begleitern des Xystus", womit offenbar die vier Diakone gemeint sind, die danach ebenfalls in Callisto begraben waren.

Aus späteren Nachrichten kann man mit einiger Wahrscheinlichkeit schließen, daß damals noch mehr Diakone hingerichtet wurden, vielleicht alle sieben, wenn auch nicht an demselben Tag. Man nimmt an, daß Felicissimus und Agapitus, die in Pretestato begraben waren, zu diesen Diakonen gehören. Der siebente wäre dann der berühmte

Laurentius. Felicissimus und Agapitus sind ebenso wie Laurentius historische Martyrer. Daran ist kein Zweifel. Aber wir wissen nicht sicher, ob ihr Martyrium in die Verfolgung von 258 gehört oder vielleicht erst in die diokletianische. Die charakteristischen Züge der Laurentiuslegende, die Konfiskation der Armensachen und der Feuertod auf dem Rost, würden besser in die diokletianische Verfolgung passen.

Von den nächsten Päpsten, deren Inschriften erhalten sind, *Eutychianus* (275—283) und *Caius* (283—296) wissen wir nichts Näheres. Ihr Pontifikat fiel in die ruhige Zeit, die der diokletianischen Verfolgung vorausging.

*Marcellinus* (296—304), der während der diokletianischen Verfolgung, aber nicht als Martyrer starb, wurde in Priscilla begraben. Von seinem Grab ist nichts mehr übrig, aber an ihn erinnert die Inschrift in Callisto, die der Diakon Severus „mit Erlaubnis seines Papstes Marcellinus" für sich verfertigen ließ. Das Grab von Marcellins Nachfolger Marcellus legt der Liber Pontificalis ebenfalls nach Priscilla, aber die viel zuverlässigere Depositio von 354 weiß nichts davon. Das Epigramm des Damasus auf Marcellus ist nur handschriftlich erhalten, so daß wir den Ort seines Grabes nicht kennen.

*Eusebius* wurde gegen Ende der Verfolgungszeit, vielleicht 310, gewählt, aber alsbald von Maxentius nach Sizilien verbannt, wo er bald darauf starb. Die Leiche wurde nach Rom gebracht und in Callisto beigesetzt, ganz nahe bei dem Grab des Papstes Caius. Die Inschrift, die Damasus dort anbrachte, scheint im 6. Jahrhundert von den Goten zerschlagen worden zu sein, denn Papst Vigilius (537—555) ließ auf einer neuen Tafel eine Kopie anfertigen, die jetzt noch in der Krypta steht. Von

der ursprünglichen Tafel haben sich einige Bruch=
stücke gefunden. Auf der Inschrift wird Eusebius
als Martyrer bezeichnet, was der Übung ent=
spricht, da er in der Verbannung gestorben war,
ebenso wie die als Martyrer verehrten Päpste Pon=
tianus und Cornelius. Auffallend ist, daß die
Depositio von 354 ihm den Martyrertitel nicht gibt.

Papst *Silvester* (314—335) wurde in der von ihm
errichteten oberirdischen Basilika in Priscilla be=
graben. Diese Basilika, die von De Rossi 1890 und
endgültig von Marucchi 1907 ausgegraben wurde,
liegt gerade über der Aciliergruft. In ihr wurden
auch die späteren Päpste *Liberius* (352—366),
*Siricius* (384—399), *Cölestinus I.* (422—432) und
*Vigilius* (537—555) begraben.

Sonst gab es vom 4. Jahrhundert an keine eigent=
liche Papstgruft mehr. *Julius I.* (337—352) errich=
tete sich sein Grab in Calepodii an der Via
Aurelia, wo Papst Callistus ruhte. *Damasus* (366
bis 384), der große Freund der Katakomben,
wählte für sich einen entlegenen Teil des Callistus=
cömeteriums, weil er, wie er selbst sagt, zwar bei
den Martyrern begraben sein wollte, aber sich nicht
in ihre Mitte wagte. In der Nähe der Damasusgruft
war auch das Grab des Papstes *Marcus* (336).

*Anastasius I.* (399—402) und *Innozenz I.* (402
bis 417) kamen in das Cömeterium Ad Ursum
Pileatum (Ponziano in Trasterere), *Bonifatius I.*
(418—422) nach S. Felicita an der Via Salaria. Drei
Päpste, nämlich *Zosimus* (417—418), *Xystus III.*
(432—440) und *Hilarus* (461—468) ruhten in der
Krypta des hl. Laurentius an der Via Tiburtina,
*Felix III.* (483—492) in S. Paolo. Von seinem
Nachfolger *Gelasius* (492—496) an wurden auf
Jahrhunderte hinaus fast alle Päpste in S. Pietro
begraben, wo sich als erster bereits *Leo der Große*
(440—461) seine Grabstätte errichtet hatte.

Die Gebeine der in den Katakomben beigesetzten Päpste wurden später in die Stadtkirchen übertragen, auch die aus der altehrwürdigen Papstgruft in Callisto. Damit fielen die ursprünglichen Gräber der Zerstörung und der Vergessenheit anheim.

IV. KAPITEL

DIE GRÄBER DER MARTYRER

*Die Gräber der Martyrer*

Die eigentliche Anziehungskraft der Katakomben bildeten für die Gläubigen im Altertum wie in der Neuzeit die Gräber der Martyrer. Aber ein heutiger Besucher ist vielleicht enttäuscht, wenn er auf stundenlanger Wanderung durch die unterirdischen Gänge wohl mancherlei interessante Dinge zu sehen bekommt, aber kein einziges wirkliches Martyrergrab, am wenigsten eines, in dem noch die Gebeine ruhen. Alles ist leer. Die Inschriften fehlen. Die Frage liegt daher nahe: Welche geschichtliche Sicherheit haben wir, daß hier überhaupt Martyrer begraben waren? Wer waren sie? Wie viele waren es?

Am einfachsten liegt der Fall da, wo bereits im Altertum über dem noch unberührten Grab eine Basilika errichtet wurde. Diese Basiliken waren zwar oberirdisch, aber sie waren regelmäßig so gestellt, daß der Hauptaltar gerade über dem Martyrergrab zu stehen kam. In der Vorderwand des Altars befand sich eine Öffnung, die Fenestella, und durch diese ließen die Gläubigen kleine Gegenstände durch einen Schacht bis zum eigentlichen Grab hinunter, meist Tücher, die sie dann als Andenken mitnahmen. Diese Einrichtung kann man noch sehr gut an dem Altar der Basilika der hl. Alexander, Eventius und Theodulus auf der Via Nomentana sehen. Sie dürfte auch der Grund gewesen sein, warum in den Cömeterialbasiliken, und nur in diesen, der Altar regelmäßig so gestellt war, daß der zelebrierende Priester gegen das

Volk schaute, also hinter dem Altar stand. Dadurch blieb den Gläubigen auch während des Gottesdienstes der Zutritt zur Fenestella jederzeit offen. In den Cömeterialbasiliken war eben die Darbringung des Meßopfers sozusagen nicht die Hauptsache, sondern der Besuch des Martyrergrabes.

Schon bei der ersten Anlage einer solchen Basilika wurde natürlich die Katakombenumgebung des Martyrergrabes stark zerstört, und ebenso war das der Fall bei den weiteren baulichen Umgestaltungen, die die meisten Basiliken im Lauf der Jahrhunderte erfuhren. Doch läßt sich die ursprüngliche Anlage durch Grabungen feststellen, wie das z. B. in S. Agnese geschehen ist.

Wo also Cömeterialbasiliken bestehen, deren Geschichte wir kennen, und die bis ins Altertum zurückreichen, können wir sicher sein, daß das Martyrergrab vorhanden ist oder wenigstens vorhanden war — die Gebeine können längst in Staub zerfallen sein — und wir kennen dann seinen genauen Ort. Aber solche Basiliken wurden nur über den Gräbern der berühmtesten und verehrtesten Martyrer errichtet, und ihre Zahl ist nicht groß. Es sind vor allem die beiden Kirchen S. Pietro und S. Paolo, die ja ursprünglich nichts anderes sind als Cömeterialbasiliken, ferner S. Agnese, S. Lorenzo, S. Sebastiano, S. Nereo ed Achilleo an der Ardeatina, S. Pancrazio. Daß es sich bei allen diesen um geschichtliche Martyrer handelt, ist archäologisch sicher. Bei den weitaus meisten Martyrern haben wir dagegen keine derartige Basilika, die uns die Existenz des Grabes verbürgt, und müssen uns daher nach andern Kriterien umsehen.

Das einfachste Kriterium wäre eine Inschrift an Ort und Stelle. Aber es müßte eine Inschrift sein, die gleich beim Verschließen des Grabes

angebracht wurde, nicht etwa in späterer Zeit bei
einer Ausschmückung des betreffenden Platzes.
Diese ursprünglichen Inschriften sind jedoch fast
alle verschwunden. Wenn wir von den Martyrer=
Päpsten absehen, so besitzen wir von dieser Art
nur eine einzige, die Marchi im Jahr 1845 in
S. Ermete gefunden hat. Sie steht jetzt im Pro=
pagandakolleg.

Es ist in verschiedener Hinsicht von Interesse zu
erfahren, wie diese Auffindung vor sich ging.
P. Marchi berichtet darüber selber in seinem
Werke über die Katakomben:[9]

„Am Karfreitag Abend, den 21. März 1845, kam
zu mir ins Römische Kolleg der Vorarbeiter der
kleinen Gruppe von Erdarbeitern, die der Be=
treuung der Reliquien des Apostolischen Palastes
zugeteilt sind... Der Mann hieß Giovanni Zinobili
und verfügte über keinerlei Bildung. Er brachte
mir ein Blatt auf dem er ganz roh folgende In=
schrift kopiert hatte:

DP III IDUS SEPTEBR YACINTHUS MARTYR

Wenige Tage zuvor war ich im Cömeterium von
S. Ermete gewesen, wo Zinobili arbeitete. Ich fragte
ihn daher, wo er diese wertvolle Inschrift gefunden
habe. Er antwortete, ganz nahe bei dem mosaizier=
ten Arkosol, und der Stein sei noch fest an der
Öffnung des betreffenden Grabes. In meiner
Eigenschaft als Konservator der Cömeterien ver=
bot ich ihm inzwischen jenen Raum zu betreten,
bis ich ihn am Ostermontag dorthin begleiten
würde. Frühmorgens am Montag war ich im Cöme=
terium, mit Zinobili, dem Architekten Fontana
und dem Maler Bossi. An demselben Morgen
ließ ich von dem Maler das Mosaik abzeichnen
und vermaß inzwischen mit dem Architekten alle
Teile im Lageplan sowie die Höhe der Krypta. Die

Entdeckung war so wichtig, und es kam so viel auf möglichste Unversehrtheit an, daß ich verfügte, die Arbeiter sollten ihre Tätigkeit an andern Stellen des Cömeteriums fortsetzen. Nach Rom zurückgekehrt meldete ich den großen Fund dem Papst und dem Sakristan Sr. Heiligkeit Mons. Castellani, die sich lebhaft dafür interessierten. Darauf zog ich mich mit den Zeichnungen und Abschriften in mein Arbeitszimmer zurück, um eingehend den Befund an der Krypta mit allem zu vergleichen, was sich an schriftlichem und sonstigem Material über die Reliquien der hl. Protus und Hyazinthus andernorts finden ließ."

Marchi erzählt dann ausführlich über die Öffnung des Grabes und die sorgfältige Rekognoszierung der heiligen Reste. Ein öffentlicher Notar, Angelo Monti, war unter andern dabei zugegen und nahm alles genau zu Protokoll. Eine weitere Untersuchung der Reliquien fand am 29. April im Quirinal statt, wiederum im Beisein des erwähnten Notars und der zuständigen kirchlichen Persönlichkeiten, zu denen noch der Anatomieprofessor Andrea Belli hinzugezogen wurde. Schließlich wurde noch ein weiteres Gutachten eines der besten römischen Chemiker eingeholt, des P. G. B. Pianciani. Erst dann gab sich Marchi zufrieden.

Einen ähnlichen Fall stellt das vor wenigen Jahren aufgefundene Grab dar mit der Inschrift:

NOVATIANO BEATISSIMO MARTYRI
GAUDENTIUS DIACONUS FECIT

Dieses Grab ist leer, aber die Inschrift ist an ihrem ursprünglichen Platz in einer kleinen, sonst ganz unbekannten Katakombe an der Via Tiburtina nahe bei S. Lorenzo. Dieser Martyrer Novatianus, der in den Itinerarien und den Martyrologien nicht

## Die Gräber der Martyrer

vorkommt, ist wahrscheinlich der bekannte Sektengründer aus dem 3. Jahrhundert, den Papst Cornelius im Jahr 251 aus der Kirche ausgeschlossen hat. Wir haben also den seltsamen Umstand, daß die einzige in Rom an ihrem Platz — in situ, wie die Archäologen sagen — befindliche Originalinschrift eines Martyrers die eines Schismatikers ist.

Damit, daß wir so wenig ursprüngliche Inschriften haben, ist uns aber nicht die Möglichkeit genommen, das Vorhandensein weiterer geschichtlicher Martyrergräber nachzuweisen. Zwar nicht aus der Form eines Grabes oder der Bestattungsart: früher meinte man, jedes größere sogenannte Arkosolgrab müsse ein Martyrergrab sein; auch nicht aus „Blutampullen" und ähnlichen Zeichen; sondern die heute allgemein als gültig angesehene Regel heißt: Wo sich Spuren eines alten, d. h. *ursprünglichen Kultes* nachweisen lassen, ist die Existenz des Grabes und damit auch die Geschichtlichkeit des betreffenden Martyriums sichergestellt, auch wenn das Grab selbst nicht mehr erkennbar ist.

Als Beispiel wählen wir den Martyrer Crescentio in Priscilla. Den genauen Ort des Grabes kennen wir nicht. Die Itinerarien erwähnen nur das Vorhandensein und geben den Namen verschieden: das Würzburger Itinerar hat Crescentius, die Quelle für Wilhelm von Malmesbury und die Mirabilia Urbis Romae: Crescentianus. Der Liber Pontificalis bestimmt das Grab des Papstes Marcellinus in Priscilla: „In einer Krypta neben dem Leib des hl. Crescentio". Eine in Priscilla gefundene Inschrift lautet:

FILICISSIMUS ET LEOPAR (da emerunt locum)
BISOMUM AT CRISCENT (ionem martyrem)
INTROITU (= Felicissimus und Leoparda haben

das Grab mit zwei Plätzen bei dem Martyrer Crescentio beim Eingang gekauft).

Ferner ist dort ein Graffito vorhanden:

SALBA ME DOMNE CRESCENTIONE MEAM LUCE... (= Heile mir, heiliger Crescentio, meine Augen!)

Obwohl wir weder von der Inschrift noch von dem Graffito das Alter genau bestimmen können und obwohl wir die Lage des Martyrergrabes in den in Frage kommenden Räumen nicht kennen, genügen diese Anzeichen doch vollständig, um diesen Crescentio als geschichtlichen Martyrer nachzuweisen. Um die Beweiskraft würdigen zu können, bedarf es allerdings einer gewissen Kenntnis vom Entstehen und der Art des Martyrerkultes überhaupt.

Der Martyrerkult ist aus dem Totenkult entstanden und hatte ursprünglich keine andern liturgischen Formen als dieser. Noch zu Cyprians Zeit unterschied man nicht genau zwischen der Fürbitte für die Toten und der Anrufung ihrer Fürsprache bei Gott. Man brachte das Meßopfer *für* die Verstorbenen dar, auch wenn sie Martyrer waren. Der Totenkult für einen Martyrer unterschied sich aber wohl von Anfang an nicht nur durch die größere Anteilnahme der Gemeinde, als vor allem durch die größere Dauerhaftigkeit, da er eine Angelegenheit des Bischofs und der Gemeinde war und daher nicht mit dem Aussterben der nächsten Angehörigen aufhörte. Seinen Zusammenhang mit dem Totenkult verriet der Martyrerkult aber auch später noch dadurch, daß er ausschließlich an das Grab gebunden war. Eine sozusagen abstrakte Heiligenverehrung kannte das Altertum noch kaum. Später, im Mittelalter, konnte es vorkommen, daß man eine Legende für bare Münze nahm und einen nur auf dem Papier exi≠ stierenden Heiligen zu verehren anfing, wenn auch nachweisbare Fälle dieser Art nicht allzu häufig sind. Im Altertum war das schwer möglich, denn ein Grab konnte man nicht so leicht erfinden oder fälschen, wenigstens nicht mitten in einer Gemeinde.

Es kamen wohl auch im Altertum Mißverständ≠ nisse vor. Der älteste römische Heiligenkalender vom Jahr 354 hat am 8. August an der Via Ostiensis das Fest Julianetis, also einer Martyrin Juliana. Das Martyrologium Hieronymianum und die Späteren haben Juliani. Man hielt also später diese Martyrin für einen Mann. Vielleicht war die Inschrift abgekürzt oder undeutlich. Das ändert aber nichts an der Tatsache, daß die Kenntnis von diesem Martyrergrab zuverlässig fortlebte.

Unter diesen Umständen haben wir das Recht, überall da, wo wir alte Spuren einer wirklichen, örtlichen, Martyrerverehrung finden, auf ein wirk≠ liches Martyrergrab zu schließen.

Zu den sicheren Anzeichen eines ursprünglichen Kultes gehören nicht nur Basiliken, Inschriften, Bilder und Graffiti, sondern vor allem auch die Erwähnung in den ältesten liturgischen Heiligen≠ kalendern. Für Rom besitzen wir zwei liturgische Martyrerverzeichnisse: die sogenannte Depositio Martyrum vom Jahr 354 und das sogenannte Mar≠ tyrologium Hieronymianum, dessen von Kirsch rekonstruierte Urfassung etwa in das Jahr 400 zu setzen ist. Das Auffallende dabei ist, daß das spätere Verzeichnis viel mehr Martyrernamen ent≠ hält, ungefähr das Dreifache der Depositio. Das hat manche Kritiker zu dem Schluß veranlaßt, daß eine ganze Menge von Kulten erst nachträglich, nach der Mitte des 4. Jahrhunderts dazugekommen sei, als eine wirkliche Erinnerung an die Verfolgung nicht mehr bestand.

Dieser Schluß hält jedoch einer genaueren Prüfung nicht stand. Zunächst kann darüber, daß die Namen der Depositio von 354 lauter wirkliche Martyrer sind, wohl kein Zweifel sein. Im Jahr 354 waren noch keine fünfzig Jahre seit dem Ende der letzten Verfolgung verflossen, und überdies sind diese Kulte nicht erst in diesem Jahr eingeführt worden. Die Depositio ist nur die Niederschrift eines damals geübten Festkalenders. Aber die Depositio bietet offenbar nicht den ganzen damals geübten Festkalender, sondern nur eine bestimmte Art von liturgischen Gedenktagen, etwa solche, an denen der Bischof und der ganze höhere Klerus in die Cömeterialkirchen hinauszog.

Das sogenannte Martyrologium Hieronymianum scheint nun ein Festkalender anderer Art zu sein, nämlich ein möglichst vollständiges Verzeichnis aller damals (um 400) gefeierten Heiligenfeste, ohne Rücksicht darauf, welchen Rang sie in der Liturgie einnehmen, ob lokal oder bischöflich. Es besteht also kein Grund dafür, daß man Feste, die nur im Hieronymianum stehen und nicht in der Depositio, für nachträglich dazugekommen betrachtet. Dann dürfen wir aber auch die Namen des Hieronymianum noch als Namen von wirklichen Martyrern betrachten.

Nicht als ob im Jahre 400 noch eine wirkliche Überlieferung oder Erinnerung an die große Verfolgung von 303—305 oder gar an die früheren lebendig gewesen wäre. Sie war schon zur Zeit des Papstes Damasus (366—384) auffallend verblaßt. Damasus hat, so viel wir aus seinen Gedichten entnehmen können — freilich sind viele verloren gegangen — wenig konkrete Einzelheiten aus der Verfolgungszeit noch gewußt und dieses

Wenige hat er nicht von unmittelbaren Augen=
zeugen. Der Fall, den er in seinem Epigramm auf
Petrus und Marcellinus berichtet, daß er selbst
noch in seiner Jugend mit dem Mann gesprochen
habe, der die beiden Martyrer hingerichtet hatte,
ist eine Ausnahme. Um 400, eine Generation
nach Damasus, war man sicher noch viel
weniger imstand, aus bloßer Erinnerung Martyrien
zu rekonstruieren.

Das aber, was man um 400 und auch noch später
vor sich hatte, und wozu man keine Erinnerung
und Rekonstruktion brauchte, waren die Martyrer=
gräber. Um sie und damals noch um sie allein
konzentrierte sich der Kult. Daran, daß die Grä=
ber um 400 im großen und ganzen echt, unberührt
und bekannt waren, brauchen wir nicht zu zweifeln.

Es gab nun freilich Fälle, wo man bis dahin un=
bekannte Martyrergräber auffand oder aufzufinden
glaubte. Das bekannteste Beispiel dieser Art ist
die Auffindung der Reliquien von Gervasius und
Protasius in Mailand durch den hl. Ambrosius im
Jahr 386. Solchen Auffindungen stehen viele Kri=
tiker skeptisch gegenüber, besonders wenn sie auf
Grund von Visionen und Offenbarungen statt=
fanden. Auch aus Rom haben wir einen derartigen
Fall. Damasus berichtet in seinem Epigramm auf
den Martyrer Eutychius, daß ihm in einer schlaf=
losen Nacht der Ort des Grabes gezeigt wurde.[10]
Manche Kritiker sind bei solchen Gelegenheiten
sofort mit „pia fraus" bei der Hand, obwohl man
damit Männern wie Ambrosius und Damasus ge=
genüber doch sehr vorsichtig zu sein hätte. Aber
wenn sich Damasus auch getäuscht und etwa ein
auf Grund seiner vermeintlichen übernatürlichen
Erleuchtung ausgegrabenes Skelett irrtümlicher=
weise für den Martyrer Eutychius gehalten hätte,
so folgt daraus noch lang nicht, daß das Mar=

tyrerverzeichnis auf diese Weise einen ungeahnten Zuwachs an Namen bekommen hätte. Wir wissen, daß Damasus in den Cömeterien eifrig gegraben, gebaut und restauriert hat. Dabei hat er auch Gräber, die verschüttet oder sonst unzugänglich waren, wieder zugänglich gemacht. Von Protus und Hyacinthus berichtet er: „Tief unter dem Bergesschutt lag das Grab verborgen; Damasus brachte es ans Licht, denn es enthält heilige Gebeine". Daß dieses Grab sehr tief lag, ist auch durch eine spätere Inschrift bezeugt.[11] Nach den Worten des Damasus könnte man meinen, man habe von diesem Grab bis dahin überhaupt nichts gewußt. Das wäre ein Irrtum. Denn die Depositio von 354 hat Protus und Hyacinthus in Basilla (S. Ermete) am 11. September. Ihr Fest wurde also an dieser Stelle gefeiert, längst bevor Damasus zu graben anfing. Man wußte offenbar, daß hier tief unten ein Martyrergrab lag, konnte aber nicht hinzu.

Einen andern Fall von „Auffindung" erzählt Damasus in seinem Epigramm auf Petrus und Marcellinus. Die Leichen lagen „verborgen unter dem Boden. Später hat Lucilla, durch eure (der Martyrer) Gnade ermahnt, die heiligen Gebeine an dieser besseren Stelle (im Cömeterium Ad duas Lauros, Torpignattara) beisetzen wollen." Man hat auch diesen Bericht *„bedenklich"* finden wollen.[12] Aber man braucht nur das ganze Epigramm zu lesen, und die Bedenklichkeit verschwindet. Der „rasende Henker", d. h. der Beamte, der das Urteil fällte, hatte den Befehl gegeben, Marcellinus und Petrus am Ort der Hinrichtung zu verscharren, damit niemand das Grab kennen sollte. Der Mann, der den Befehl ausführte, hat das selbst dem jungen Damasus erzählt und sich dabei noch erinnert, daß die beiden Christen vor der Hinrichtung sich selbst ein Grab bereiteten. Der Mann, der inzwischen wahrscheinlich selbst Christ geworden war, kannte natürlich die Stelle im Busch und hat sie ohne Zweifel dem jungen Damasus verraten. Wenn Damasus also von „verborgen" spricht, so heißt das nicht, daß die Stelle überhaupt für Menschen unauffindbar war, sondern nur, daß kein äußeres Zeichen verriet, daß hier Martyrer begraben waren. Da aber der Hauptzeuge noch lebte, konnte man sie ohne Schwierigkeit finden. Vielleicht war durch die Erzählung des Henkers der Platz längst notorisch. Damasus sagt nicht, daß die fromme Lucilla durch Offenbarung die Örtlichkeit erfahren hätte, sondern nur, daß sie durch die Heiligen bewogen wurde, ihnen ein würdigeres Grab zu bereiten. Jedenfalls haben wir nicht den mindesten Grund, an der Geschichtlichkeit dieses Martyriums und an der Identität der später verehrten Reliquien zu zweifeln, nur deswegen, weil im Verlauf der Angelegenheit von einer Vision oder einer übernatürlichen Erleuchtung berichtet wird.

Die Kritiker begehen leicht den Fehler, daß sie sich bei diesen Auffindungen die übernatürliche Erleuchtung als eigentliches heuristisches Prinzip vorstellen. Das scheint nun gerade bei den Fällen, die wir genauer kennen, nicht zuzutreffen. In dem Bericht, den Ambrosius im Jahr 386 unmittelbar nach der Auffindung der Heiligen Gervasius und Protasius an seine Schwester nach Rom schrieb[13], sagt er ausdrücklich, daß „alte Leute" die Namen dieser Martyrer gekannt und ihre Grabaufschrift gelesen hätten. Der Platz, an dem Ambrosius graben ließ, war also bekannt. Die „Erleuchtung", die den Bischof zum Graben veranlaßte, erschien ihm ebenso wie die Wunder nach der Auffindung als eine göttliche Bestätigung dafür, daß er sich nicht getäuscht hatte.

Übrigens mag man solche Auffindungen beurteilen wie man will, es sind auf jeden Fall nur Ausnahmen. Die weitaus größere Zahl der Martyrergräber war vom Anfang an bekannt und mußte nicht erst nachträglich wiedergefunden werden.

Unsere Regel heißt also: Wo wir Anzeichen eines alten Kultes finden, da war ein Grab vorhanden, und wo ein Grab vorhanden war, da handelt es sich um einen historischen Martyrer.

Wir können also getrost behaupten, daß gerade die bekanntesten römischen Martyrer geschichtliche Persönlichkeiten sind, daß sie wirklich gelebt haben und wirklich für ihren Glauben gestorben sind: Laurentius, Sebastianus, Pancratius, Nereus und Achilleus, Processus und Martinianus, Petrus und Marcellinus, Agnes, Emerentiana, Tarsicius, Largus und Smaragdus, Tiburtius, Soteris, Parthenius und Calocerus, Abdon und Sennen, Protus und Hyacinthus, Saturninus, Gorgonius und viele andere.

Die weitere Frage ist, ob die uns bekannten Namen die Gesamtheit der römischen Martyrer darstellen, oder ob es noch andere gegeben hat, die wir nicht kennen. Namen, die sich aus dem Kult mit einiger Sicherheit als geschichtlich feststellen lassen, bringen wir für Rom nicht viel mehr als hundert zusammen.

Zunächst ist zu beachten, daß der liturgische Martyrerkult in Rom erst verhältnismäßig spät eingeführt worden ist. Während er in Afrika schon vor der decischen Verfolgung als feststehender Brauch erscheint, also vor 250, und in Kleinasien sogar bis ins zweite Jahrhundert zurückgeht, finden wir ihn in Rom erst nach 258 in Übung, nach der valerianischen Verfolgung. Die Martyrer der ersten zwei Jahrhunderte sind gewissermaßen vergessen worden, d. h. sie bekamen keinen Kult. Wir wissen von solchen Martyrern nur aus anderweitigen Quellen. Von der „ungeheuren Menge" der unter Nero hingerichteten Christen berichtet überhaupt nur ein nichtchristlicher Schriftsteller, Tacitus. Das Martyrium des Papstes Telesphorus erwähnt Irenäus. Von dem Martyrium von Ptolemäus und Lucius erzählt Justinus in seiner zweiten Apologie. Von Justinus selbst und seinen sechs Gefährten haben wir die Prozeßakten, ebenso von Apollonius. Aber es hat jedenfalls in dieser Zeit in Rom noch mehr Martyrer gegeben, von denen sich überhaupt keine Spur erhalten hat.

Von den Martyrern des 3. Jahrhunderts haben zunächst nur die Bischöfe einen Kult bekommen, nämlich Callistus († 222), Pontianus († 235), Fabianus († 250), Cornelius († 253), und der Gegenbischof Hippolytus († 235). Das scheint aber erst in der zweiten Hälfte des 3. Jahrhunderts geschehen zu sein, wenigstens ist auf den erhaltenen Grabplatten von Pontianus, Fabianus und Cornelius der Martyrertitel nachträglich eingraviert. Der Presbyter Moses oder Musäus († 251) hat noch keinen Kult bekommen. Daraus dürfen wir vielleicht schließen, daß auch die übrigen römischen Martyrer aus der Verfolgung unter Decius noch nicht verehrt wurden. Selbst nach der valerianischen Verfolgung scheint man nur die Kleriker in den Kult aufgenommen zu haben. Hier kommen außer Papst Xystus II. († 258) der Diakon Laurentius in Betracht, wenn sein Martyrium nicht erst in die diokletianische Verfolgung fällt, und Felcissimus und Agapitus, die wahrscheinlich ebenfalls Diakone waren.

Es scheint demnach, daß fast alle später verehrten römischen Martyrer aus der diokletianischen Verfolgung stammen. Daraus allein ergibt sich schon, daß die Gesamtzahl der Martyrien viel größer gewesen sein muß als die der nachweisbaren Kulte.

Ferner dürfen wir auch für die Zeit, nachdem der Martyrerkult schon allgemein eingeführt war, nicht ohne weiteres voraussetzen, daß jeder Martyrer gewissermaßen zwangsläufig einen Kult erhielt. Zum mindesten war es notwendig, daß man sein Grab kannte. Versprengte, verschollene, auf der Flucht ermordete oder in der Verbannung gestorbene Christen konnten im vollen Sinn des Wortes Martyrer sein, aber ohne Kult bleiben, auch nach der diokletianischen Verfolgung.

Man hat die Frage aufgeworfen, ob es im Altertum etwas wie eine kirchliche Approbation des Kultes gegeben hat, so daß ein Kult nur dann entstehen oder weiterbestehen konnte, wenn die kirchliche Obrigkeit die Authentizität des betreffenden Martyriums geprüft und gebilligt hätte. Man beruft sich dafür gern auf einen Text bei Optatus, wo von einer Frau die Rede ist, die mißbräuchlich eine Reliquie verehrte, die nicht von einem „anerkannten" Martyrer stammte[14]. Gewisse Kriterien hatte man im Altertum ohne Zweifel. Häretische und schismatische Martyrer erhielten grundsätzlich keinen Kult in der katholischen Kirche. Anderseits erklärt Cyprian, daß er auch solche, die nicht hingerichtet, sondern im Kerker gestorben seien, als wirkliche Martyrer betrachtet wissen wolle[15]. Bezüglich derer, die in der Verbannung gestorben waren, scheint man geschwankt zu haben. Von den Päpsten erhielt der in der Verbannung gestorbene Cornelius nachträglich den Martyrertitel, Eusebius damals noch nicht. Gerade die nachträglich auf den Papstinschriften eingetragenen Martyrertitel deuten auf eine gewisse offizielle Regelung hin, da sie sicher nicht von Privaten vorgenommen wurden.

## Die Gräber der Martyrer

Aber auf ein eigentliches Approbationsverfahren im Sinn des späteren Kanonisationsprozesses dürfen wir daraus nicht schließen. Die weitaus meisten Kulte werden „von selbst" entstanden sein, d. h. durch den Eifer des Volks und des örtlichen Klerus.

Gerade deshalb darf man sich das Entstehen und besonders das Fortbestehen eines Kultes nicht automatisch vorstellen. Ob ein Heiliger „populär" wurde oder nicht, hing wohl von mancherlei Umständen ab, ähnlich wie sich heutzutage keine Regeln aufstellen lassen, warum ein Wallfahrtsort mehr blüht, als ein anderer. Unter den Martyrergräbern gab es ohne Zweifel besonders „interessante" und andere, die weniger die Aufmerksamkeit auf sich zogen. Ein Grab wie das der Heiligen Chrysanthus und Daria, wo man durch ein Fenster in den Vorraum schauen konnte, in dem noch die Gebeine der vor dem Grab gesteinigten Christen unberührt lagen, zog die Aufmerksamkeit mehr an als irgendeine blanke Grabtafel. Später trugen dann die Legenden das meiste dazu bei, einzelne Kultstätten besonders anziehend zu machen. So kam es dann, daß von den Martyrern an der Via Ostiensis Largus und Smaragdus viel „populärer" waren als etwa Memmia und Juliana, obwohl diese ebenso Martyrer waren wie jene.

Wenn diese Erwägung richtig ist, dann dürfen wir aber auch zurückgehend vermuten, daß bereits das erste Entstehen eines Kultes an Zufälligkeiten geknüpft war.

Zunächst mußte ein Martyrium hinlänglich bekannt sein. Ein heutiger Dorfpfarrer, der alle Familien seiner kleinen Landgemeinde persönlich kennt, wird in einem Krieg genau wissen, wer aus seinem Dorf gefallen, verwundet, gefangen, vermißt ist. Ein Großstadtpfarrer, ein Pfarrer in einer

Industriegegend mit stark fluktuierender Bevölkerung, wird hier lange nicht mehr so sicher sein. Es wird zwar auch ihm mit der Zeit gelingen, etwa für ein Heldendenkmal in der Pfarrkirche, eine mehr oder minder vollständige Liste aller gefallenen Pfarrkinder zusammenzubringen, aber das ist vor allem dadurch möglich, daß vom Anfang an die Behörden mitarbeiten, die den einzelnen Familien die Todesfälle bekanntgeben, und nicht zum wenigsten dadurch, daß niemand einen Grund hat, einen Todesfall geheimzuhalten. Wenn wir diesen Vergleich auf eine mehrjährige Verfolgung wie die diokletianische und auf großstädtische Verhältnisse wie die römischen anwenden, so sehen wir sofort die Unterschiede. Von einer Mitarbeit der Behörden kann keine Rede sein; diese werden schwerlich den Bischof, den Klerus oder auch nur die Angehörigen eines hingerichteten Christen verständigt haben. Die Angehörigen selbst, mochten sie Heiden oder Christen sein, hatten allen Grund, auch wenn sie um die Hinrichtung wußten, davon möglichst wenig Aufsehen zu machen.

Es fehlte also während der Verfolgungsjahre ein gewissermaßen automatischer Registrierapparat, und bei dem später rückschauend erfolgten Registrieren spielte eben schon Auswahl und Zufall mit. Daraus folgt nicht, daß wir den Zeugnissen aus dem 4. Jahrhundert nicht trauen dürften, wenn auch einzelne Mißverständnisse vom Anfang an vielleicht nicht ausgeschlossen waren; es folgt nur, daß die Liste der Kulte, wie sie etwa das Martyrologium Hieronymianum um 400 bietet, nicht notwendig eine vollständige Liste aller tatsächlichen Martyrien ist. Es ist ein Kultverzeichnis, aber keine Kirchengeschichte. Wenn schon in der Blütezeit des ungestörten Martyrerkultes einzelne Martyrer anscheinend in Vergessenheit gerieten, z. B. ein Nicandrus,

## Die Gräber der Martyrer

den das Urmartyrologium im Cömeterium Ad septem Palumbas am 17. Juni anführt, dessen Grab aber in den Itinerarien nicht mehr auftritt, so kann das noch viel eher am Anfang geschehen sein, als alles noch im Fluß war. Wir haben ge= sehen, daß sich von Marcellinus und Petrus in Rom, von Gervasius und Protasius in Mailand, bei ein= zelnen Leuten eine Kunde erhalten hatte, aber ihr Kult wurde erst später eingeführt. Wir müssen damit rechnen, daß sich bei andern die Kunde nicht so lang erhielt, und daß sie überhaupt keinen Kult bekamen.

Damit haben wir einstweilen die bloße Mög= lichkeit. Es fragt sich nun, ob wir positive An= zeichen dafür haben, daß es ursprünglich mehr Martyrer waren als später Kulte.

Die Christen selbst hatten vom 4. Jahrhundert an die feste Überzeugung, daß die ihnen aus dem Kult bekannten Martyrernamen nur ein Bruchteil der wirklichen Martyrien darstellten. Das geht allein schon aus den Itinerarien hervor, die fast in jedem Cömeterium außer den namentlich genannten Martyrern noch Gruppen notieren, entweder mit allgemeinen Zusätzen wie „und unzählige andere", „viele Tausende", „und noch eine Menge andere Heilige", oder auch mit Zahlen: „365 Martyrer in einem Grab", wobei aber die Zahlen in den Hand= schriften, auch wo dieselbe Gruppe gemeint zu sein scheint, fast nirgends übereinstimmen. Dabei kommen so außerordentlich hohe Zahlen vor wie 979 oder 1222. Daß diese Zahlen für sich keinen Wert haben, ist klar. Man hat sogar die Vermutung ausgesprochen, daß diese angeblichen Massengräber einem krassen Mißverständnis ihren Ursprung ver= danken, entstanden aus der Sitte, die Gräber der gewöhnlichen Verstorbenen mit irgendeiner Erken= nungsmarke zu versehen, falls sie keine Inschrift tru=

gen. Jeder erinnert sich aus den Katakomben an jene Muscheln oder sonstigen kleinen Gegenstände, die in den noch weichen Mörtel eingedrückt wurden und die heute noch allenthalben zu sehen sind. Als solche Erkennungszeichen scheint man auch Ziffern verwendet zu haben. De Rossi fand in einem Loculus mit der Chiffre LIX die Reste eines einzelnen Kindes[16]. Man hat nun die Vermutung ausgesprochen, aus solchen Ziffern sei später die Ansicht von Massengräbern entstanden. Das ist jedoch schwer vorstellbar. Bei aller Kritiklosigkeit werden die römischen Christen doch nicht geglaubt haben, daß in einem Loculus von der Größe einer guten Kommodenschublade mehrere hundert Leichen beigesetzt seien. Auch müßten dann — und das ist das Entscheidende — die Zahlen in unserer Überlieferung konstanter sein; denn dann hätte ja immer wieder die gleiche Ziffer an dem gleichen Grab zu dem Mißverständnis Anlaß gegeben. Überdies kann man einen solchen Irrtum nicht einem Kenner wie Damasus zutrauen, und Damasus hat doch auch ein Epigramm geschrieben, nicht nur auf die 62 ungenannten Martyrer bei Chrysanthus und Daria, sondern noch auf eine zweite Gruppe in demselben Cömeterium Trasonis in einem einzigen Grab, von denen er weder die Namen noch die Zahl wußte[17].

An der Tatsache, daß Gruppengräber mit unbekannten Martyrern vorhanden waren, wird man kaum zweifeln können, mag man noch so viele spätere Mißverständnisse und Übertreibungen annehmen. Anderseits dürfen wir uns solche Gruppen nicht gar zu groß vorstellen. In den römischen Cömeterien deutet nichts auf förmliche Massengräber, in denen man Hunderte von Leichen auf einmal beigesetzt hätte. In den barbarischen Jahrhunderten des frühen Mittelalters, als man die gefährdeten und dem Verfall preisgegebenen Cömeterien auszuräumen begann und ganze Transporte von Gebeinen in die Stadtkirchen schaffte, kamen wohl solche Ossarien zustande; aber diese geben uns keinen Anhaltspunkt, weil man damals nicht nach irgendwelchen historischen Kriterien vorging. Was wir aus der historischen Martyrerzeit von Massenhinrichtungen wissen, geht nicht über Gruppen von vierzig bis fünfzig hinaus, die meisten sind kleiner. Dabei ist auch nicht ohne weiteres anzunehmen, daß gleichzeitig hingerichtete Martyrer immer in ein gemeinsames Grab kamen. Papst Xystus und seine Diakone kamen in getrennte Gräber, wahrscheinlich sogar in verschiedene Cömeterien. Tumultuarische Beisetzung in einem Massengrab setzt immer voraus, daß keine Zeit und keine Angehörigen vorhanden waren. Das kann nun gerade in den verwirrten Zeiten der diokletianischen Verfolgung öfters der Fall gewesen sein; aber gar zu exorbitante Zahlen dürfen wir auch hier nicht erwarten.

Alle diese Erwägungen führen uns also zu dem Schluß, daß die Zahl der wirklichen Martyrer bedeutend größer ist, als die Zahl der für uns nachweisbaren Kulte [18], und zwar auch und vielleicht sogar ganz besonders in der diokletianischen Verfolgung. Nur darf man sich dadurch nicht zu phantastischen Vorstellungen verleiten lassen. Zehntausende oder gar Hunderttausende von Martyrern waren es in Rom in der diokletianischen Verfolgung schon deshalb nicht, weil damals die römische Christengemeinde bei weitem keine hunderttausend Seelen zählte.

## V. KAPITEL

## DIE GRÄBER DER APOSTEL

## Die Gräber der Apostel

Über die Gräber der Apostel Petrus und Pau&shy;lus in Rom ist so viel geschrieben worden, daß man damit eine ganze Bibliothek füllen könnte. Dieser Umstand könnte die Vorstellung erwecken, als ob es sich hier um eine Sache handelte, über die sich nichts Bestimmtes ausmachen lasse; denn über eine einfache und ohne weiteres feststellbare Tatsache braucht man nicht so viel Gelehrsamkeit zu entwickeln und so viel zu streiten. Um das je&shy;doch gleich im voraus zu sagen: die Schwierigkeiten und die Probleme kommen hier nicht davon, daß wir zu wenig, sondern daß wir zu viel wissen, das heißt, die Fülle des historischen und des archäologischen Materials ist so groß, daß es schwer wird, alles in Übereinstimmung zu bringen. Die Grundtatsache, daß Petrus und Paulus in Rom begraben waren, wird aber durch diese Schwierig&shy;keiten nicht betroffen.

Ebenfalls im voraus sei bemerkt, daß die Frage, ob und wie Petrus in Rom begraben war, nicht dieselbe ist wie die Frage, ob er überhaupt in Rom gewesen ist, die dortige Kirche gegründet und ihr als erster Bischof vorgestanden hat. Die Zeugnisse, die wir darüber besitzen, sind von der Gräberfrage unabhängig und blieben auch dann bestehen, wenn wir über seine Grabstätte nichts Sicheres aus&shy;machen könnten.

In der Gräberfrage empfiehlt es sich, methodisch so voranzugehen, daß man vorerst alles Legen&shy;darische und Hypothetische aus alter und neuer

## Die Gräber der Apostel

Zeit sorgfältig ausscheidet und zunächst die sicheren geschichtlichen und archäologischen Gegebenheiten feststellt.

Sicher ist, daß Konstantin am vatikanischen Hügel die große Basilika erbaut hat, die bis ins 17. Jahrhundert stehenblieb. Aus einer Inschrift in dieser alten Basilika[19] ergibt sich, daß der Bau erst unter seinem Sohn (Constans 337—350?) vollendet worden ist. Ebenso ist sicher, daß der Bau nicht an einem beliebigen Platz errichtet wurde, sondern über einer ganz bestimmten Stelle, die schon vor dem Bau gegeben war. Das ergibt sich aus dem Baugelände. Es wurde nämlich nicht nur ein großer Friedhof mit ansehnlichen Mausoleen überbaut, sondern das ansteigende Gelände machte ungewöhnlich große Fundierungsarbeiten nötig. Das hätte man sich sparen können, wenn nicht die Aufgabe gewesen wäre, eine bestimmte Stelle der Basilika an eine bestimmte Stelle im Gelände zu bringen, mit anderen Worten, wenn nicht ein Grab vorhanden gewesen wäre, das in die Mitte der Basilika vor der Apsis zu liegen kommen mußte.

Bei andern Martyrergräbern geben wir uns zufrieden, wenn wir sie im Lauf des 4. Jahrhunderts oder selbst im Anfang des fünften erwähnt finden. Das sind aber Gräber, die aus der diokletianischen Verfolgung am Anfang des 4. Jahrhunderts oder höchstens aus einer der Verfolgungen des 3. Jahrhunderts stammen. Bei ihnen ist kein Grund, warum sich an den von den Christen behüteten und verehrten, allgemein bekannten Stätten etwas verändert haben sollte. Bei den Apostelgräbern handelt es sich aber um Gräber aus dem 1. Jahrhundert. Zwischen dem Tod der Apostel und dem Bau der Basilika liegen rund 250 Jahre, eine Zeitspanne wie zwischen unserer Zeit und der

## Die Gräber der Apostel

Belagerung Wiens durch die Türken. Wüßten wir aus der Zwischenzeit gar nichts über die Gräber, dann müßte man, wenn auch nicht mit der Wahrscheinlichkeit, so doch mit der Möglichkeit eines Irrtums rechnen.

Tatsächlich besitzen wir aber etwa aus dem Jahr 200 das Zeugnis des Caius über die Apostelgräber. Von diesem Caius wissen wir nur, was Eusebius von ihm berichtet, nämlich daß er in Rom in Gegenwart des Papstes Zephyrinus eine Disputation mit dem Montanisten Proclus gehalten und eine Streitschrift gegen ihn verfaßt hat. Diese Schrift hat Eusebius gekannt und einige Bruchstücke daraus in seine Kirchengeschichte aufgenommen, darunter eben jenes Zeugnis über die Apostelgräber. Eusebius nennt ihn einen Homo ecclesiasticus. Er war also wohl Presbyter. Das Zitat lautet: „Die Trophäen der Apostel kann ich zeigen. Denn wenn du auf den Vaticanus gehen willst oder an die Straße nach Ostia, so findest du (dort) die Trophäen derer, die diese Kirche gegründet haben."

Man hat freilich auch an diesem Zeugnis herumzudeuten versucht, weil Caius nicht „Gräber" sagt, sondern „Trophäen", Siegesdenkmäler. Aber Eusebius, der besser griechisch konnte als wir und der die Stelle im Zusammenhang las, hat darunter die Gräber verstanden. Und was sollten es auch für Siegesdenkmäler gewesen sein, wenn nicht die glorreichen Gräber?

Wenn wir weiter nichts wüßten, dann gäbe es für Petrus und Paulus überhaupt kein Gräberproblem. Wir würden dann einfach sagen: Konstantin hat seine Basilika an der Stelle errichtet, die damals ebenso wie hundert Jahre früher für das Grab des Apostels gehalten wurde, und es besteht nicht der mindeste Grund für die Annahme, daß es vielleicht nicht das richtige Grab gewesen sein könnte.

Die Schwierigkeit beginnt erst mit einem weiteren Befund, in S. Sebastiano an der Via Appia.

Der römische Festkalender vom Jahr 354 notiert für den Tag III Kal. Jul. (=29. Juni): Petri ad Catacumbas et Pauli Ostense Tusco et Basso cons. Das heißt: (Die Feier für) Petrus (findet statt) ad Catacumbas (wo heute die Kirche S. Sebastiano steht); die für Paulus an der Straße nach Ostia. Im Jahr 258.

Diese Notiz gibt zwei große Rätsel auf: Warum wurde Petrus im Jahre 354 in S. Sebastiano gefeiert und nicht in seiner Basilika am Vatikan? Was bedeutet die Jahreszahl 258, das Jahr der großen valerianischen Verfolgung?

Die Grabungen unter S. Sebastiano, die nicht nur zu den interessantesten, sondern auch zu den am besten ausgeführten im ganzen Bereich des christlichen Roms gehören, haben diese Rätsel nicht gelöst, sondern noch neue dazugebracht.

Wir wissen jetzt, wie die alte Basilika von S. Sebastiano ausgesehen hat, die Kardinal Borghese im 17. Jahrhundert vollständig umgestaltete. Sie war dreischiffig, unterschied sich aber von andern römischen Basiliken nicht nur dadurch, daß sie Pfeiler statt Säulen hatte, sondern außerdem waren die Seitenschiffe um die Apsis herumgeführt. Der Altar stand mitten im Hauptschiff, aber es war keine Konfessio vorhanden. Die Ausmaße der Kirche waren ziemlich bedeutend: Im Innern 53×28 m, der ganze Bau mit Narthex und Atrium über 70 m lang. Von den Cömeterialbasiliken des 4. Jahrhunderts war sie somit nach S. Pietro die größte.

Wann die Basilika erbaut wurde, wissen wir nicht genau. Nach einer Inschrift[20] läßt sich be-

## Die Gräber der Apostel

stimmen, daß sie im Jahre 356/7 im Gebrauch war. Der Bau kann aber schon unter Konstantin († 337) begonnen worden sein. Man könnte sogar erwägen, ob die Basilika nicht vorkonstantinisch ist. Der Charakter ihres Mauerwerks würde dem in keiner Weise entgegenstehen. Eusebius[21] bezeugt, daß in der Zeit vor 303 „in den einzelnen Städten große Kirchen von Grund auf errichtet wurden". Der Bau von Alt-S. Sebastiano weicht von den römischen Kirchenbauten des 4. Jahrhunderts bedeutend ab. Er könnte also schon unter Maxentius (306—312) entstanden sein.

Obwohl die Kirche von Anfang an das Grab des Martyrers Sebastianus umschloß, wurde sie im Altertum stets mit dem Namen der Apostel benannt. Als Basilika des hl. Sebastianus wird sie erst im frühen Mittelalter bezeichnet.

Bei den im Jahr 1915 durch Anton de Waal und Paul Styger unternommenen Grabungen wurde unter dem vorderen (östlichen) Teil des Kirchenschiffs eine höchst eigenartige Anlage aufgedeckt. Es bestand dort ein mäßig großer Raum von trapezförmigem Grundriß, der augenscheinlich ein auf Pfeilern ruhendes, in der Mitte offenes Dach trug, wie ein pompejanisches Peristyl. Die ganze Ostwand dieses Raumes ist bedeckt mit Kritzelinschriften, in denen in allen möglichen Wendungen die Namen der Apostel Petrus und Paulus wiederkehren. Die Inschriften sind lateinisch und griechisch, einige auch lateinisch mit griechischen Buchstaben.

„Paulus und Petrus, bittet für Victor!"
„Paulus, Petrus, bittet für Eratus!"
„Petrus und Paulus, beschützt eure Diener! Heilige Seelen, beschützt den Leser!"

Mehrere erwähnen die seltsame Sitte des Refrigeriums, einer Art von Totenmahl, das hier zur Ehre der Apostel gehalten wurde.

„Ich, Tomius Coelius, habe für Petrus und Paulus Refrigerium gehalten."

„Am 14. vor den Kalenden des April habe ich, Parthenius, Refrigerium gehalten. In Gott. Und wir alle in Gott."

„Dalmatius hat ein Refrigerium gelobt."

„Ich habe bei Petrus und Paulus Refrigerium gehalten."

Daß die Christen ebenso wie die Heiden an den Gräbern oder in der Nähe der Gräber ihrer Angehörigen Totenmahlzeiten hielten, wissen wir. Aber daß solche Mahlzeiten geradezu als Kultakt aufgefaßt wurden, erfahren wir nur hier. Dieser Raum, von dem eine Treppe in die Tiefe zu einem Brunnen führt, wurde von den Archäologen als „Triclia" (Speisesaal) getauft. Es wäre für uns höchst wichtig zu wissen, aus welcher Zeit diese Triclia stammt. Sicher hat sie mit der Erbauung der Basilika ihr Ende gefunden, also höchstens bis etwa 350 bestanden. Gerkan will ihre Entstehung erst ins 4. Jahrhundert setzen.[22] Demgegenüber ist auffallend, daß sich in den vielen Graffiti der Triclia das konstantinische Monogramm XP überhaupt nicht findet, während es auf Wandkritzeleien in andern dortigen unterirdischen Räumen vorkommt. In den Katakomben bedeutet das Fehlen des XP immer vorkonstantinische Datierung, und zwar muß man praktisch schon ins 3. Jahrhundert selber zurückgehen, weil das XP schon etwas vor Konstantin auftaucht. Die Triclia braucht nicht lange bestanden zu haben, aber wir kämen dann mit ihrer Entstehung doch ins 3. Jahrhundert. Man muß genauer sogar sagen, daß sie noch vor dem Gebrauch des XP zerstört wurde, also vielleicht auch noch im 3.

Jahrhundert. Da die Triclia aber wegen der darüber errichteten Basilika aufgegeben wurde, bildet das Fehlen des XP in der Triclia auch einen weiteren Anhaltspunkt für die Datierung dieser Basilika noch vor Konstantin.

Schließlich gehört zu den wichtigen Befunden noch die Damasusinschrift Hic habitasse prius. Leider wissen wir nicht, wo sie angebracht war. Ihr ganzer Text ist nur handschriftlich überliefert, aber in der Nähe der Sebastianskrypta wurde eine unvollständige Kopie aus dem 13. Jahrhundert gefunden. Sie lautet in Übersetzung:

„Der du nach den Namen des Petrus und Paulus fragst, wisse: hier haben die Heiligen früher gewohnt. Das Morgenland sandte die Apostel, das gestehen wir frei; aber um ihres blutigen Martyriums willen — sind sie doch Christus durch die Sterne nachgefolgt und zum himmlischen Schoß und dem Reich der Seligen gedrungen — hat Rom vielmehr das Recht gewonnen, sie als seine Bürger in Anspruch zu nehmen. Das will Damasus zu eurem Ruhm, ihr neuen Sterne, singen."

Der Satz, auf den es ankommt, ist: „Hier haben die Heiligen früher gewohnt." Das „Hier" verliert dadurch an Wert, daß wir den genauen Ort der Inschrift nicht kennen. Für uns heißt es also nur: Da, wo jetzt die Basilika steht. Was aber bedeutet, daß die Heiligen hier „früher gewohnt" haben?

Die Aufgabe des Historikers besteht darin, eine Theorie zu finden, die allen diesen Befunden gerecht wird. Um 200 sind die Gebeine der Apostel am Vatikan und an der Straße nach Ostia. Bald nach 313, als Konstantin dort zu bauen anfängt, ist dies auch der Fall. Es besteht aber auch ein Kult der beiden Apostel gemeinsam Ad Catacumbas, der höchstwahrscheinlich ins 3. Jahrhundert zurückreicht. Noch im Jahr 354, als die Petrusbasilika am Vatikan vielleicht schon vollendet ist, wird das Fest für Petrus Ad Catacumbas gefeiert, für Paulus gleichzeitig an der Via Ostiensis. In der ganzen Angelegenheit spielt das Jahr 258 eine entscheidende Rolle. — Das ist der Befund, alles weitere ist Theorie.

Schon im späteren Altertum wußte man nur, daß die Apostelleiber Ad Catacumbas beigesetzt waren. Wie das kam und wie lang sie dort geruht hatten, darüber gingen die Ansichten auseinander. Der Liber Pontificalis im 6. Jahrhundert erzählt von Papst Cornelius (251—253): „Dieser erhob die Leichname der Apostel, des seligen Petrus und Paulus, des Nachts von den Catacumbae, auf Bitten einer Matrone namens Lucina. Zuerst nahm die sel. Lucina den Leichnam des sel. Paulus und setzte ihn auf ihrem Landgut an der Straße nach Ostia bei, wo er enthauptet worden war. Den Leichnam des sel. Petrus nahm der sel. Bischof Cornelius und setzte ihn bei an dem Ort wo er gekreuzigt worden war, beim Tempel des Apollo, am Goldenen Berg, am Vaticanus beim Palast des Nero am 29. Juni.

Bei Gregor dem Großen findet sich in einem Brief aus dem Jahr 594 die Geschichte von dem Reliquienraub: „In der Zeit, als sie (die Apostel) das Martyrium erlitten hatten, kamen Gläubige aus dem Orient, um die Leichname ihrer Landsleute (nämlich der Apostel) abzuholen. Sie brachten sie bis zum zweiten Meilenstein vor der Stadt, an den Ort, der Catacumbas heißt, und stellten sie dort nieder. Als aber die ganze Menge sie von dort weitertragen wollte, wurden sie von Blitz und Donner erschreckt und in die Flucht getrieben, so daß keiner mehr derartiges zu versuchen wagte. Dann kamen die Römer, die das durch die Güte des Herrn verdient hatten, und erhoben die Leichname und setzten sie da bei, wo sie jetzt sind."

Die apokryphe Passio Petri et Pauli erzählt die Geschichte so: Die Männer aus dem Orient stahlen die Leichname; ein gewaltiges Erdbeben alarmierte die Römer, man setzte den Räubern nach und faßte sie „an einem Ort der Catacumbas heißt, beim dritten Meilenstein auf der Via Appia." Dort barg man die heiligen Leiber einstweilen und führte sie nach einem Jahr und sieben Monaten wieder in die ursprünglichen Gräber zurück.[23]

Heute ist man darüber einig, daß diese Geschichte einfach aus einem Mißverständnis der Damasusinschrift entstanden ist, wo es heißt: Discipulos Oriens misit, wo aber bei Damasus mit den Discipuli die Apostel selbst gemeint sind.

Das Salzburger Itinerar, später als Gregor, hat die Räubergeschichte nicht, zeigt aber Ad Catacumbas „die Gräber der Apostel Petrus und Paulus, in denen sie 40 Jahre lang geruht haben."

Später scheint man sich wieder mehr an die Erzählung des Liber Pontificalis gehalten zu haben, denn ein Privileg für die Kirche S. Sebastiano vom Jahr 1520, das Grisar entdeckt hat, sagt: „Hinter der Kirche sind die Katakomben; darin ist ein Schacht, in dem die Leiber der Apostel Petrus und Paulus 252 Jahre lang verborgen waren. Sie wurden dort herausgeholt durch den sel. Papst Cornelius auf Drängen der sel. Lucina".[24] Dasselbe Dokument redet von dem Grab des hl. Petrus daselbst „wo er von seinen Mitjüngern beigesetzt worden war" und mit denselben Worten von dem des hl. Paulus.

Daß alle diese Ansichten nicht auf einer wirklichen Überlieferung beruhen, sondern nur Erklärungsversuche sind, liegt auf der Hand. Sie schließen sich gegenseitig aus: Überhaupt keine Beisetzung Ad Catacumbas, sondern nur das Wun-

der im Anschluß an den Leichenraub; vorüber=
gehende Beisetzung Ad Catacumbas — ein Jahr
und sieben Monate — vierzig Jahre; ursprüngliche
Beisetzung Ad Catacumbas und Übertragung erst
durch Papst Cornelius.

Die heutigen Erklärungen gehen ebenso ausein=
ander. Man kann an folgende Möglichkeiten
denken:

1. Petrus war ursprünglich Ad Catacumbas bei=
gesetzt und wurde später an den Vatikan über=
tragen. Das müßte vor 200 geschehen sein, weil
damals nach dem Zeugnis des Caius das Grab
am Vatikan war. — Damit ist nicht erklärt, warum
im späten 3. Jahrhundert Ad Catacumbas ein Kult
bestand und im 4. Jahrhundert eine Basilika ge=
baut wurde, wenn dort längst kein Leichnam mehr
war. Außerdem ist für eine solche Übertragung
vor 200 kein Grund einzusehen. Daß man die
Leiche an der Stätte des Martyriums haben wollte,
ist kein solcher Grund. Denn erstens wissen wir
nicht, wo die Stätte des Martyriums war — das
wird ja erst aus dem Ort des Grabes erschlossen
— und zweitens wurden im frühen Altertum wohl
die Gräber verehrt, nicht aber die Hinrichtungs=
stätten. In Karthago hat man zwar später auch eine
Basilika zu Ehren Cyprians an der Stätte seines
Martyriums gebaut; aber man hat die Leiche nicht
dorthin übertragen. Ferner bringt diese Theorie das
Jahr 258 nicht unter, und in diesem Jahr muß auf
jeden Fall etwas Wichtiges geschehen sein.

2. Petrus war ursprünglich am Vatikan begraben.
Im Jahr 258 wurden seine Reliquien Ad Catacum=
bas übertragen, aber alsbald wieder an die alte
Stelle zurückgebracht, noch bevor die Basilika am
Vatikan gebaut wurde. Der Grund für die Über=
tragung war die valerianische Verfolgung 257—258,
in der die Cömeterien mit Enteignung bedroht

## Die Gräber der Apostel

waren. Nachdem die Verfolgung aufgehört und Gallienus die Cömeterien zurückerstattet hatte, wurden die Reliquien wieder zurückgebracht. — Diese Theorie scheint gegenwärtig die beliebteste zu sein. Sie hat den Vorteil, daß sie den Kult Ad Catacumbas in der zweiten Hälfte des 3. Jahrhunderts erklärt. Allerdings muß dieser Kult dann weiter bestanden haben, nachdem keine Reliquien mehr da waren. Sogar das offizielle Petrusfest wurde im Jahr 354 noch immer Ad Catacumbas gefeiert, ohne Reliquien.

Einen positiven Beweis, daß wirklich eine Übertragung stattfand, hat Lietzmann in der Notiz des Kalenders von 354 finden wollen. Derselbe Kalender gibt nämlich außer bei Petrus und Paulus noch an zwei andern Stellen Jahreszahlen an: am 19. Mai für Parthenius und Calocerus und am 22. September für Basilla, beidemale Diocletiano VIIII et Maximiano VIII = 304. Daß es sich hier um Translationen handelt, ist möglich, wenn es auch eine seltsame Art und Weise ist, eine Translation durch eine Jahreszahl auszudrücken. Die Notiz wäre dann zu lesen: „Das Fest für Parthenius und Calocerus wird am 19. Mai gefeiert"; das ist zwar nicht ihr Todestag oder der Tag ihrer ersten Beisetzung, sondern der Tag einer zweiten Beisetzung, die „im Jahre 304" stattfand. — Anderseits ist in diesem Kalender bei dem einzigen Fest, von dem wir sicher wissen, daß es eine Translation ist und nicht der Todestag, nämlich bei Pontianus und Hippolytus am 13. August, keine Jahreszahl beigefügt. Überdies, wenn das Jahr 258 bei Petrus und Paulus die Translation bedeutet, dann würde der Kalender damit sagen, daß Petrus in diesem Jahr nach S. Sebastiano übertragen wurde und Paulus in demselben Jahr an die Via Ostiensis. Das geht aber auf keinen Fall.

Eine Schwierigkeit, die gelegentlich geltend ge*
macht wird, daß man Leichen nicht exhumieren
durfte ohne Erlaubnis des Pontifex Maximus, läßt
sich leicht beantworten. Die Gräbergesetze wur*
den nämlich in der Praxis längst nicht so streng
beobachtet. Das wissen wir aus vielen Beispielen.
Außerdem handelt es sich auf jeden Fall um eine
heimliche Übertragung. Man muß aber dann an*
nehmen, daß damals in S. Sebastiano noch kein
eigentlicher christlicher Friedhof war, weil sonst
die Übertragung zwecklos war. Tatsächlich dürfte
der Anfang der Cömeteriums von S. Sebastiano
in seinem christlichen Teil nicht vor der zweiten
Hälfte des 3. Jahrhunderts anzusetzen sein. Ferner
müßte man annehmen, daß im Gegensatz dazu im
vatikanischen Friedhof eine christliche Anlage war,
die durch das Enteignungsgesetz bedroht war, weil
sonst wiederum die Übertragung unverständlich ist.
Man könnte sagen: auf dem heidnischen Friedhof
war das Grab der Verunehrung und Schändung
ausgesetzt. Das hat aber dann mit dem Ent*
eignungsgesetz von 257 nichts zu tun. Außerdem
hören wir aus der ganzen Verfolgungszeit nichts
von Gräberschändungen, wenigstens nicht aus
Rom. Das entsprach nicht der römischen Art. Die
Cömeterien konnten polizeilich geschlossen werden,
aber die Gräber blieben unangetastet.

3. Die Apostelleiber waren überhaupt nie Ad
Catacumbas. Der Kult wurde dort eingerichtet, und
zwar im Jahr 258, weil man damals auf den heid*
nischen Friedhöfen am Vatikan und an der Straße
nach Ostia keine Kultfeiern halten konnte. Es ist
das nämlich gerade die Zeit, in der in Rom der
Martyrerkult in Übung kommt. Es ist leicht einzu*
sehen, daß man da die Hauptmartyrer, die beiden
Apostel, nicht missen wollte. Als dann Konstantin
die beiden Basiliken gebaut hatte, zog der Kult

## Die Gräber der Apostel

selbstverständlich dorthin, an die wirklichen Gräber, aber der Platz Ad Catacumbas, an dem man ursprünglich die Feier gehalten hatte, blieb immer noch ehrwürdig, so daß man schließlich auch ihn durch eine Basilika auszeichnete.

Die Hauptschwierigkeit gegen diese Theorie ist die Damasusinschrift Hic habitasse prius, weil „wohnen" und „Wohnung" bei einem Verstorbenen schlechterdings nichts anderes bedeuten kann als den Ort, wo seine Gebeine ruhen. Aber es ist die Frage, ob das auch für den Heiligenkult gilt.

Der Heilige wohnt nicht eigentlich im Sarkophag oder im Loculus, sondern er wohnt, und zwar unsichtbar, in seinem Heiligtum, da wo er verehrt wird, wo er sich betätigt, wo er die Gebete erhört. Normalerweise fällt das Heiligtum mit der Grabstätte zusammen. Aber es kann auch anders sein. Wenn das heutige römische Brevier von dem Wallfahrtsort Lourdes sagt: „Hier wird die Unbefleckte Jungfrau gleichsam als an ihrem Wohnsitz beständig verehrt (in hac sua veluti sede Immaculata Virgo iugiter colitur)", so wird auch der kindlichste Gläubige das nicht mißverstehen, als ob Maria hier wirklich räumlich, nach Menschenart wohnte, und noch weniger wird er meinen, Maria sei hier begraben. Im Altertum wird man nicht anders gedacht haben. Wenn der Erzengel Michael dem Bischof von Siponto erscheint und ihm sagt, er habe beschlossen „diesen Ort auf Erden (Monte Gargano) zu bewohnen und zu beschützen",[25] so werden weder der Bischof noch der Berichterstatter noch die Gläubigen gemeint haben, der Erzengel sei dort begraben.

Habitare bei Damasus ließe sich also zur Not von einem bloßen Kult, ohne Grabstätte, verstehen. Schwieriger ist das prius. Als Damasus seine Verse schrieb, stand die Basilika Ad Catacumbas zu

Ehren der Apostel und sie wurden dort verehrt. In diesem Sinn konnte er also nicht sagen: früher, vor Zeiten einmal wurden hier die Apostel verehrt. Es muß vielmehr vor der Zeit des Damasus etwas geschehen sein, von dem man sagen konnte: damals, jetzt nicht mehr.

Ferner spricht die Anlage der Basilika gegen die Annahme eines bloß „imaginären" Kultes. Die Basilika ist auf einen ganz bestimmten, konkreten Platz hingebaut, in ganz ähnlicher Weise wie die große Basilika am Vatikan. Das Gelände, auf dem S. Sebastiano steht, ist sehr abschüssig. Die bedeutenden Stützmauern, die auf der Talseite nötig waren, kann man heute noch sehen, ebenso wie die tiefen Fundamente, die in den zerwühlten Katakombenuntergrund eingesenkt werden mußten. Das hätte man sich sparen können, wenn man nicht eine bestimmte Stelle im Auge gehabt hätte, die mitten in die Basilika zu liegen kommen mußte. Hätte es sich um einen imaginären Kult gehandelt, so hätte man die Basilika einfach anders gestellt.

4. Diese Erwägung führt auf eine weitere Theorie, die ebenfalls vertreten worden ist: Es handelt sich nicht um eine Grabstätte, sondern um ein wirkliches Wohnhaus, das Haus in dem die Apostel zu Lebzeiten gewohnt hätten. Dann kann Damasus natürlich sagen: Habitasse prius. Zur Stützung dieser Theorie führt man gern die Kritzelinschrift Domus Petri an, die sich in einer der alten Seitenkapellen der Basilika gefunden hat (entdeckt 1912). Diese Kapelle liegt bedeutend tiefer als die Basilika und schließt sich an ihre Fundamentmauern auf der Talseite an. Aber da sie nicht älter ist als die Basilika, kann auch der Graffito kaum älter sein als das 4. Jahrhundert, wohl aber viel jünger. Er kann von einem Besucher stammen, der die Damasusinschrift gelesen und das Habitasse wört-

lich genommen hat. Daher hat sie keinen selbständigen Traditionswert.

Der Haupteinwand ist, daß im Altertum eine bloße Erinnerungsstätte, ohne Martyrergebeine, nicht Anlaß zum Kult wurde. Darauf ist zu antworten, daß dieser Einwand gegen alle Theorien besteht, denn mindestens einen Kult am leeren Grab müssen alle annehmen. Überdies haben wir einen Konzilskanon aus Afrika, allerdings aus späterer Zeit, wo es heißt: „Ein Martyrerheiligtum darf nur da errichtet werden, wo der Leichnam oder Reliquien sind, oder wo eine zuverlässige Überlieferung über ein Wohnhaus oder einen Besitz oder die Hinrichtungsstätte besteht".[26]

Unerklärt bleibt in dieser Theorie wiederum das Jahr 258. Es bleibt nichts übrig als zu sagen, das ist das Jahr, in dem dieser Kult des Wohnhauses eingeführt worden ist.

So haben denn schließlich alle Theorien den einen oder andern schwachen Punkt, und wir müssen gestehen, daß es bei dem gegenwärtigen Stand der Frage nicht möglich ist, sich mit Bestimmtheit für die eine oder die andere zu entscheiden. Wir werden also die Notiz des Kalenders von 354, um die sich zuletzt alles dreht, so lesen müssen:

„29. Juni. Das Petrusfest" wird „in Catacumbas" gefeiert und nicht in seiner Basilika am Vatikan, „und das Paulusfest an der Ostiensischen Straße"; der Grund für diese seltsame Einrichtung ist „das Jahr 258".

Eine Theorie, die auch heute noch Vertreter hat, haben wir dabei allerdings unberücksichtigt gelassen: daß Petrus überhaupt nicht in Rom war, niemals dort das Martyrium erlitten hat und niemals dort begraben war. Denn das ist eine Theorie, die nichts erklärt, weder die literarischen Zeugnisse noch die archäologischen Befunde. Sie stammt denn auch nicht aus archäologischen Erwägungen, sondern anderswoher, und man kann daher nichts mit ihr anfangen. Cyprian hatte in Karthago drei Kultstätten. Zwei Basiliken lagen außerhalb der Mauern, davon eine über seinem Grab, die andere an der Stätte seines Martyriums. Die dritte lag innerhalb der Stadt, beim Hafen, an einer Stelle, die ebenfalls mit seinem Martyrium in Zusammenhang stand.[27] Wenn wir nun zufällig keinen authentischen Bericht über das Martyrium Cyprians besäßen, so würde aus den Umständen seines Kultes dennoch mit Sicherheit hervorgehen, daß er ein karthagischer Martyrer war. Man könnte vielleicht darüber disputieren, ob die einzelnen Gedächtnisstätten richtig lokalisiert waren, nicht aber über die Tatsache seines Martyriums überhaupt. Ganz denselben Fall haben wir bei Petrus in Rom, nur daß hier die Zeugnisse für den Kult sehr viel reicher sind.

Solchen aber, die niemals selbst Gelegenheit gehabt haben, sich mit Quellenstudium und Altertumswissenschaft zu befassen, und die sich daher leicht enttäuscht fühlen, daß man über eine Sache „nicht mehr weiß", sei verraten, daß es in der antiken Geschichte unbezweifelte Tatsachen in Menge gibt, wie daß Alexander der Große in Babylon oder daß Kaiser Augustus in Nola gestorben ist, die lang nicht so gut bezeugt sind wie der Tod und das Grab des hl. Petrus in Rom. Daß Trajans Asche in der Basis der Trajanssäule beigesetzt war, bezweifelt kein Mensch, obwohl dort keine Spuren mehr zu sehen sind. Wir haben dafür nur literarische Zeugnisse aus Eutrop, Eusebius, Aurelius Victor, Cassiodor, Jordanes — alles reichlich spät, das früheste bei Cassius Dio. So gut ist das Petrusgrab auch bezeugt.

Bezeichnend ist auch, daß jene eifrigen Kritiker, die das Petrusgrab bestreiten, das Paulusgrab ohne weiteres zugeben. Als ob in den Quellen irgend ein Unterschied wäre!

In der ersten Hälfte des 4. Jahrhunderts errichtete Konstantin die beiden Basiliken am Vatikan und an der Straße nach Ostia. Diese erste Paulusbasilika war recht bescheiden. Sie hatte die Front nach der Straße und die Apsis mit der Confessio davor gegen den Tiber zu, also nach Westen, wie das bei den Cömeterialbasiliken des 4. Jahrhunderts regelmäßig eingehalten wurde. Diese erste Basilika wurde jedoch bald durch eine viel größere ersetzt. Da man weder das Apostelgrab noch die Straße verlegen konnte, gab man ihr, um größeren Baugrund zu gewinnen, die umgekehrte Lage, mit der Apsis nach Osten. Der Bau wurde, wie die musivische Inschrift über dem Triumphbogen heute noch meldet, unter Kaiser Theodosius (379—395) begonnen und unter Honorius (395—423) vollendet, die Innendekoration jedoch erst durch die Schwester des Honorius, die Kaiserin Galla Placidia, und den Papst Leo den Großen (440—461). So stand die Basilika im wesentlichen unverändert bis zum Jahr 1823, als der große Brand das ganze Langhaus zerstörte und Querschiff und Apsis stark beschädigte. Der prunkvolle Neubau, den Pius IX. vollendete, gibt jedoch immer noch die Gesamtwirkung der alten Basilika wieder.

Bei S. Paolo ist es für den heutigen Beschauer fast noch deutlicher als bei S. Pietro, daß man bei der Errichtung des Baues keine freie Wahl des Ortes hatte; denn der Platz ist so ungünstig wie nur möglich. Die Basilika liegt weit vor der Stadt, ganz nahe am Tiber und so tief, daß das Hochwasser bis in die neueste Zeit nicht selten bis in die Kirche eingedrungen ist. Daß man an dieser

Stelle, die überdies noch durch den felsigen Ab=
sturz der Tuffhügel und die verkehrswichtige
Straße nach Ostia eingeengt ist, überhaupt gebaut
hat, läßt sich nur dadurch erklären, daß man eben
ein bestimmtes, unverlegbares Grab zu überbauen
hatte.

Die ganze Gegend ist voll von antiken Gräbern.
Ganz nahe bei der Basilika sieht man an den Tuff=
felsen Reste von Kolumbarien, desgleichen in der
Ebene eine ganze Gruppe von Gräbern, die jetzt
durch ein Dach geschützt sind. Ein solches eben=
erdiges Grab mitten auf einem heidnischen Fried=
hof muß das Grab des Apostels Paulus gewesen
sein. Es liegt in der heutigen Basilika höher als
das Pflaster des Langhauses, so daß man in keine
Konfessio hinunterzusteigen braucht.

Unter dem heutigen Altar, der innen hohl ist
und nach Osten und Westen je ein vergittertes
Fenster zeigt, liegt eine große Marmortafel mit
der Inschrift PAULO APOSTOLO MART(yri).
Sie ist von Hartmann Grisar sorgfältig untersucht
worden,[28] der sie nach Buchstaben und Stil in die
konstantinische Zeit setzen will. Heute nimmt man
an, daß sie aus der Zeit der zweiten Basilika stammt,
also vom Ende des 4. Jahrhunderts. Die Platte
ist an drei Stellen durchbohrt und diese Löcher
vereinigen sich zu einem kleinen Schacht, der
60 cm tief in das darunterliegende Mauerwerk hin=
abreicht. Die Löcher dienten dazu, kleine Gegen=
stände in möglichste Nähe des eigentlichen Grabes
hinunterzulassen. Die Tafel samt dem darunter=
liegenden Mauerwerk ist niemals entfernt worden.
Die ganze Stelle ist daher vielleicht noch heute
in dem Zustand, wie er bei dem Bau unter
Theodosius hergestellt wurde. Wir wissen daher
nicht, wie das Grab, das damals mit dem Mauer=
werk und der Tafel bedeckt wurde, ursprünglich

## Die Gräber der Apostel

ausgesehen hat. Wahrscheinlich war es eine einfache sogenannte Forma, ein gemauertes Bodengrab, ohne Sarkophag. Vielleicht war darüber eines jener kleinen Grabhäuser errichtet, wie wir sie aus der frühen Kaiserzeit aus zahlreichen Beispielen kennen.

Die Umgebung des Petrusgrabes ist viel reicher ausgestaltet als die bei Paulus an der Via Ostiensis. So sehr das Innere der Peterskirche mit dem Bronzebaldachin Berninis, dem Papstaltar darunter und der Confessio davor jedem Rompilger vertraut und auch jedem, der nicht in Rom war, durch zahllose Abbildungen bekannt ist, so wenig leicht ist es, sich von dem Neben- und Übereinander der einzelnen Bauteile ein genaues Bild zu machen.

Der Papstaltar ist ein großer, rechteckiger Block und liegt so hoch, daß er von überall her sichtbar bleibt, auch wenn die Kirche voll von Menschen ist. Davor, nach Osten gegen das Langhaus zu, ist tief in den Boden eingesenkt der Vorraum der Confessio, ein offener rechteckiger Raum mit halbkreisförmigem Abschluß nach Osten. Ringsum an der Balustrade brennen die berühmten hundert Ölflammen. Unten sieht man die Marmorstatue des knienden Papstes Pius VI. Von unten führt eine durchbrochene Bronzetür in einen kleinen leeren Raum, der unter dem Papstaltar liegt.

Der Boden der Confessio liegt auf dem Niveau der sogenannten Grotten, jener niedrigen, unter dem Pflaster des Langhauses sich hinziehenden Hallen, deren Boden ungefähr dem Niveau der alten Basilika entspricht. In derselben Ebene führt ein halbkreisförmiger Gang unterirdisch um die Stelle herum, über der der Papstaltar steht. Vom Scheitelpunkt dieses Halbkreises, der in der Längsachse der Kirche liegt, gelangt man in eine kreuzförmige Kapelle, die das Innere des Halbkreises

ausfüllt. Ihre östliche Wand, an der der Petrus=
altar steht, liegt wiederum beinahe unter dem
Papstaltar. Würde man hier durchbrechen, so käme
man unter dem Papstaltar durch zu der Bronzetür
und der Statue Pius VI.

Der Papstaltar steht also gewissermaßen auf
einem hohen Sockel oder Pfeiler, dessen Basis
das Niveau der alten Basilika bildet, und an den man
in der Kirchenachse von zwei Seiten, von Ost und
West, auf diesem Niveau gelangen kann. In oder
unter diesem „Pfeiler" ist das Apostelgrab zu
suchen.

Die älteste Nachricht über archäologische Ent=
deckungen an diesem Baukomplex haben wir aus
dem Jahr 1594, als Clemens VIII. den jetzigen
Papstaltar errichten ließ. Bis dahin bestand der von
Calixtus II. (1119—1124) aufgestellte Altar. Cle=
mens VIII. ließ die neue Mensa über den alten,
kleineren Altar bauen, ohne diesen zu entfernen.
Bei diesen Arbeiten zeigte sich durch Ritzen oder
Sprünge in dem Calixtusaltar, daß dieser wiederum
einen älteren umschloß, in dem man einen von
Papst Silvester (314—336) erbauten Altar ver=
mutete. Der Papst ließ diese Ritzen sogleich
schließen. So der zuverlässige Bericht bei Gri=
maldi.[29] Später wollte man wissen, der Papst habe
durch einen damals entdeckten Schacht das eigent=
liche Petrusgrab gesehen, mitsamt dem goldenen
Kreuz, das Konstantin dort angeblich angebracht
hätte.

Unter Paul V. wurde im Jahr 1615 der Vorraum
der Confessio in die jetzige Gestalt gebracht. Bei
diesen Arbeiten fand man unter dem Pflaster eine
Anzahl von Gräbern, die man sofort für Gräber
der ersten Päpste hielt. Man war damals von der
Zuverlässigkeit des Liber Pontificalis überzeugt
und nach diesem wären die ersten Päpste in der

Nähe des Petrusgrabes beigesetzt gewesen. Eine Bestätigung fand man in einer zerstörten Inschrift, von der nur die Buchstaben LINUS zu lesen waren. LINUS kann aber, wie de Rossi betont hat, der Bestandteil irgend eines römischen Namens sein (Catullinus, Anullinus, Marcellinus etc.), und außerdem wäre die Grabschrift des wirklichen Linus jedenfalls griechisch gewesen.[30] Was man damals an lesbaren Inschriften fand, Maesia Titiana c. f., Pomponia Fadiula c. f., deutet auf römische Aristokratie, aber nicht auf Päpste.

Im Jahr 1626 unter Urban VIII. grub man rechts und links vom Papstaltar in die Tiefe, um für die Bronzesäulen Berninis die Fundamente zu errichten. Über diese Grabung haben wir ausführliche Berichte. In einer Tiefe von über 4 m stieß man auf festen Boden, also etwas unterhalb vom Niveau der Grotten. Gefunden wurden wiederum heidnische Gräber, dazu Münzen bis zu Gallienus (260) und Maximianus (286). Auch frühmittelalterliche Gräber kamen zum Vorschein.[31]

Aus diesen Funden ergibt sich, daß das Petrusgrab in einem heidnischen Friedhof lag, der bis zum Ende des 3. Jahrhunderts, also kurz bevor Konstantin die Basilika errichtete, noch im Betrieb war.

Die neuesten, seit 1941 durchgeführten Grabungen sind einstweilen erst aus vorläufigen Publikationen bekannt.[32] Sie haben zunächst mit voller Deutlichkeit ergeben, daß für die alte Basilika auf abschüssigem Terrain eine künstliche Ebene geschaffen werden mußte. Der Fuß des vatikanischen Hügels bildet eine nach Süden und Osten, gegen den Tiber zu, geneigte schiefe Ebene. Die horizontale Baufläche ist so aufgeschüttet, daß sie genau an der Stelle des Petrusgrabes mit der schiefen Ebene zusammentrifft. Die ansteigende

Fläche war mit Grabhäusern besetzt, von denen die am tiefsten liegenden einfach zugeschüttet, die höher liegenden gewissermaßen „geköpft" wurden.

Bisher hatte man sich die Deutung des ganzen Komplexes immer wieder dadurch verschlossen, daß man, dem Irrlicht des Liber Pontificalis folgend, das Petrusgrab in irgend einer fabelhaften Tiefe vermutete, mit Bronzeplatten umschlossen und mit einem goldenen Kreuz geschmückt. In Wirklichkeit war das Petrusgrab oberirdisch, wie alle dortigen Gräber, und ist auch durch den Bau der Basilika kein Katakombengrab geworden. In der alten Basilika gelangte man, vom Langhaus kommend, ebenerdig an das Grab, so wie heute noch in S. Paolo. Der Unterschied gegenüber S. Paolo bestand darin, daß das Petrusgrab mehr in die Höhe ragte. Der Papstaltar oder vielmehr die übereinandergebauten Papstaltäre, die das Petrusgrab gewissermaßen als Sockel benutzen, überragen das alte Langhausniveau um mehr als 5 Meter, während zum Papstaltar in S. Paolo nur ein paar Stufen emporführen.

Der wissenschaftliche Laie pflegt von solchen Untersuchungen enttäuscht zu sein. Er bedauert, daß man nicht „mehr" weiß, nicht „mehr" findet. Das kommt davon, daß er das Petrusgrab losgelöst von allen wissenschaftlichen Erwägungen in einem besonderen Licht sieht und sich nicht klar macht, daß bei der archäologischen Untersuchung des Petrusgrabes nicht mehr und nicht weniger zu erwarten ist als bei andern archäologischen Untersuchungen.

Als die Christen unter Nero den Leichnam des Apostels begruben, richteten sie kein ägyptisches Königsgrab ein, sondern begruben ihn so, wie man damals in Rom Verstorbene zu begraben pflegte. Es kann wohl sein, daß irgend ein römischer Josef

## Die Gräber der Apostel

von Arimathäa seine Familiengruft zur Verfügung stellte. Aber auch dann kam der Leichnam in eine Wandnische oder in ein mit Ziegelplatten ausgelegtes Bodengrab. Man erinnere sich nur, wie noch in späterer Zeit, als der Martyrerkult längst blühte, vornehmste christliche Persönlichkeiten begraben wurden: Cornelius, Papst und Martyrer, erhielt in einer Zeit, wo alle Mittel zur Verfügung standen, und keine Verfolgung war, ein einfaches Wandgrab wie tausend andere Christen.

Wenn wir nun annehmen, was immerhin sehr wahrscheinlich ist, daß der Leichnam des hl. Petrus im Jahr 258 erhoben und Ad Catacumbas übertragen wurde, so waren damals, fast zweihundert Jahre nach dem Tod des Apostels, wohl nur mehr Reste von den Gebeinen übrig, die man in eine kleine Urne oder in ein Kästchen sammeln konnte. Später, nach 260, fand dann wieder die Rücküberschtragung statt. Ob dabei die Reste genau an die alte Stelle kamen und ob an dem alten Grabmal etwas verändert wurde, wissen wir nicht. Jedenfalls geschah dies jedoch, als am Anfang des 4. Jahrhunderts die Basilika gebaut wurde und man über dem Grab den Altar errichtete. Wie wenig man bei solchen Gelegenheiten das eigentliche Grab und seine nächste Umgebung schonte, wissen wir aus andern Cömeterialbasiliken.

Auch die folgenden stürmischen Jahrhunderte gingen an dem Apostelgrab nicht spurlos vorüber. Zwar die Goten im 6. Jahrhundert schonten nach dem Bericht des Procopius von Cäsarea die Apostelbasiliken, obwohl sie während der Belagerung der Stadt in ihrem Bereich lagen. Aber wir wissen nicht, ob die Vandalen bei der Plünderung Roms im Jahr 455 dieselbe Rücksicht betätigten. Von der Plünderung der beiden Apostelkirchen durch die Sarazenen im Jahr 846 haben wir ausdrückliche Nachricht. Die Mohammedaner werden zwar keine heiligen Gebeine weggeschleppt, wohl aber alles nach Kostbarkeiten durchsucht und verwüstet haben, und bei den nachher notwendigen Wiederherstellungsarbeiten mag sich wieder manches verändert haben. Schließlich muß man auch mit der Möglichkeit rechnen, daß dem Grab in früherer oder späterer Zeit wirkliche oder vermeintliche Reliquien entnommen wurden. Nicht nur die beiden im Lateran gezeigten Schädelreliquien, sondern auch andere mittelalterliche Traditionen deuten in dieser Richtung.[33]

Wenn wir daher heute von den Gräbern der Apostel sprechen, so dürfen wir uns nicht vorstellen, daß da irgendwo in der Tiefe ein Sarg stünde mit einer durch ein Wunder fast neunzehn Jahrhunderte lang unversehrt erhaltenen Leiche, sondern wie bei den meisten andern Gräbern von Heiligen und sonstigen historischen Persönlichkeiten aus alter Zeit können wir nur sagen: Hier ist der Ort, wo die Gebeine in Staub zerfallen sind, und wo der Fürst der Apostel dereinst seine glorreiche Auferstehung feiern wird. Für den gläubigen Christen ist ein solcher Ort im höchsten Grad verehrungswürdig.

## VI. KAPITEL

## DIE VERFOLGUNGEN

*Die Verfolgungen*


Bei den antiken Geschichtsschreibern hat stets der Kaiser Nero (54—68) als der Urheber der Christenverfolgungen gegolten, obwohl man wußte, daß schon vor ihm Christenblut geflossen war, zum mindesten das des Diakons Stephanus und des Apostels Jakobus, und obwohl er, wie es scheint, kein Gesetz gegen die Christen erlassen hat. Wahrscheinlich hat Nero nur eine sogenannte Rechtsbelehrung gegeben, d. h. erklärt, daß bestimmte Strafgesetze auf das Christsein anwendbar seien. Man kann dabei am ehesten an das überaus dehnbare Majestätsgesetz denken. Nur aus diesem Verhältnis erklärt es sich, daß der Statthalter Plinius, der natürlich Strafrecht und Strafprozeß genau kannte, von einer ihm unbekannten Gerichtspraxis redet und sich nach ihr bei seinem Vorgesetzten, dem Kaiser Trajan (98—117), erkundigt.

Die ersten Christen, die auf Grund dieses Institutum Neronis, wie es Tertullian nennt, hingerichtet wurden, waren jene „ungeheure Menge", von der Tacitus erzählt und auf die auch der Brief des Papstes Clemens anspielt. Da die römische Christengemeinde damals höchstens einige Tausend Mitglieder zählte, dürfen wir uns die „ungeheure Menge" nicht gar zu groß vorstellen. Jedenfalls fanden aber nach der ersten Massenhinrichtung, die vielleicht in das Jahr 65 fällt, weitere Einzelprozesse statt, wie sie seit jener „Rechtsbelehrung" möglich waren. Dabei brauchen wir uns den Kaiser nicht immer persönlich anwesend zu denken. Es steht daher nichts im Wege, daß wir die Hinrichtung der Apostel Petrus und Paulus in das Jahr 67 setzen, während Nero in Griechenland weilte (September 66 bis März 68). Ob damals auch außerhalb von Rom Hinrichtungen stattfanden, wissen wir nicht.

Von einer größeren Verfolgung unter Domitianus (81—96) wissen wir nur durch eine Notiz bei Eusebius, der sich dafür auf einen sonst nicht bekannten Historiker Brettius oder Bruttius beruft. Von Einzelmartyrien aus dieser Zeit kennen wir nur das des Flavius Clemens († 95), die Verbannung seiner Frau Domitilla und die Hinrichtung des Acilius Glabrio, wenn er wirklich Christ war.

Trajanus (98—117) gab den Christenprozessen, die bis dahin nur durch die Übung bestimmt waren, eine feste juristische Form. In seinem Reskript an Plinius, damals Statthalter von Bithynien (110—111), das aber, wie alle derartigen kaiserlichen Reskripte allgemeine Gesetzeskraft hatte, bestimmte er:

1. Die Christen sind nicht aufzusuchen. Das heißt, kein Beamter ist verpflichtet, einem deshalb den Prozeß zu machen, weil er weiß, daß er Christ ist. Wohl aber muß er den Prozeß einleiten, wenn eine Anklage vorliegt.

Das entsprach dem römischen Strafrecht. Der römische Strafprozeß unterschied sich von den heutigen vor allem dadurch, daß ihm die Funktion des Staatsanwaltes fehlte. Der Richter, der immer zugleich auch Verwaltungsbeamter war, konnte von sich aus einen Prozeß eröffnen, wenn es ihm gut schien; für gewöhnlich wurden aber die Verbrecher durch Privatankläger vor ihn gebracht.

2. Wird einer als Christ angeklagt, so muß der

Richter den Fall annehmen und den Angeklagten bestrafen.

3. Es soll aber eine Ausnahme gemacht werden mit solchen, die vor dem Richter erklären, den christlichen Glauben aufgeben zu wollen, und die zu diesem Zweck einen der gebräuchlichen Akte des Götterkults vornehmen. In diesem Fall ist das Verfahren niederzuschlagen.

Über die juristische Seite dieses Gesetzes kann man verschiedener Ansicht sein. Seine tatsächliche Wirkung war, daß dadurch für den einzelnen angeklagten Christen jene Lage geschaffen wurde, die man als die typische Martyrer-Situation bezeichnen kann. Denn der Schwerpunkt des Verfahrens lag hier nicht, wie bei andern Strafprozessen, in der Feststellung des Tatbestandes. Ob einer Christ war oder nicht, also schuldig oder nicht, war so leicht festzustellen, daß es dazu kaum eines eigenen Verfahrens bedurfte. Wir hören denn auch niemals, daß ein Angeklagter sich dadurch zu retten versuchte, daß er seine bisherige Zugehörigkeit zum Christentum in Abrede stellte. Das ganze Verfahren zielte vielmehr darauf ab, den Angeklagten zu jenem Kultakt zu veranlassen, der seine Freisprechung ermöglichte. Daher sehen alle die Fälle, die wir genauer kennen, gar nicht nach Strafprozessen aus, sondern nach einem Kampf zwischen dem Richter und dem Angeklagten, wer von beiden der Stärkere ist.

Dem Richter lag regelmäßig daran, den Freispruch zu erreichen. Nicht Blutdurst machte die Beamten zu Christenverfolgern, sondern Verbohrtheit. Überredung, Versprechung, Drohung, Folter in weitestem Maß wurden nicht angewendet, um ein Geständnis zu erpressen, wie bei andern Verbrechern, sondern um den Willen des Angeklagten zu beugen.

Insofern ist es nicht ganz genau, wenn wir gewöhnlich von „Glaubensverleugnung" oder „Abfall vom Glauben" sprechen. Was einer in seinem Herzen dachte oder glaubte, war dem römischen Richter gleichgültig. Der Präfekt von Ägypten Ämilianus sagte im Jahr 257 im Prozeß zu Bischof Dionysius von Alexandria: „Wer hindert euch denn, diesen (Christus), wenn er wirklich ein Gott ist, zugleich mit den wirklichen Göttern zu verehren?"[34] Es handelt sich nicht um das Credo, sondern um die *Zugehörigkeit zur Kirche*. Der Christ sollte zu einer Handlung gezwungen werden, mit der er seinen Austritt aus der Kirchengemeinschaft dokumentierte.

Für den Christen kam es darauf an, im entscheidenden Augenblick die Standhaftigkeit nicht zu verlieren. Es war dafür in gewissem Sinn ein größeres Heldentum erfordert als für den Soldaten, der auf dem Schlachtfeld dem Tod entgegensieht. Denn beim Soldaten hängt es nicht von ihm ab, ob er getroffen wird oder nicht. Er kann der Gefahr nicht ausweichen. Der Martyrer aber könnte es. Er braucht nur eine Handbewegung zu machen, ein Wort zu sprechen, und alle Gefahr ist vorüber.

Auch sonst wohlmeinende Heiden konnten schwer verstehen, warum die Martyrer so hartnäckig waren. Sie meinten, man mache es den Christen doch leicht genug. Den vornehmen Apollonius fragte der Richter, der Stadtpräfekt Perennis, ein alter Beamter und Ehrenmann, ganz verwundert, ob er denn lebensmüde sei. Der edle Kaiser Mark Aurel, der jede persönliche Neigung der Pflicht zum Opfer brachte, hat in seinen „Selbstgesprächen" für die Halsstarrigkeit der Martyrer nur Kopfschütteln und Tadel.

Nicht wenige Beamte fühlten es, daß sie bei

## Die Verfolgungen

den Christenprozessen eine wenig ehrenvolle Rolle spielten, weil eben das Ganze mehr eine rohe Kraftprobe war als ein Gerichtsverfahren. Tertullian ruft dem Verfolger Scapula zu: „Wie viele Statthalter, energischere und grausamere (als du), haben sich an dergleichen Prozessen vorbeigedrückt!" Und er führt Beispiele an: Cincius Severus legte bei einem Prozeß in Thystrus den angeklagten Christen die Antworten in den Mund, damit er sie freisprechen könne, offenbar ohne sie zum Opfern zu zwingen. Vespronius Candidus wies einen Christen als Aufrührer an das Ortsgericht, das ihn natürlich freisprechen mußte, weil ihm ja kein Aufruhr nachgewiesen werden konnte. Asper erklärte zu Beginn der Verhandlung vor den Advokaten und Assessoren, es sei ihm peinlich, sich mit einer solchen Sache befassen zu müssen. Als der angeklagte Christ sich nach kurzer Folterung schon zum Opfer bereit erklärte, ließ er ihn laufen, offenbar um vor aller Welt zu zeigen, daß ihm an einem derartigen Sieg nichts gelegen sei. Weniger feinfühlig war Arrius Antonius, Statthalter von Asia, der die Christen vor seinem Tribunal anherrschte: „Ihr Schurken, wenn ihr schon durchaus sterben wollt, dann nehmt Abgründe oder Stricke!"

Wir sehen daher in der auf Trajan folgenden Christengesetzgebung deutlich das Bestreben, die Prozesse in eine etwas anständigere Form zu bringen. Sowohl Hadrian (117—138) als Antoninus Pius (138—161) schärften in Reskripten ein, daß kein tumultuarisches Verfahren geduldet und auf Volksgeschrei keine Rücksicht genommen werden dürfe. Solche Fälle kamen immer wieder vor. Ein typisches Beispiel dieser Art ist das Martyrium des greisen Bischofs Polycarpus von Smyrna im Jahr 156, von dem wir die Schilderung von Augenzeugen besitzen.

Im ganzen blieb es aber bei dem Gesetz Trajans. Mark Aurel reskribierte im Jahr 177 an den Richter von Lyon, daß man sich daran zu halten habe.

Was die Zahl der Martyrien vor Decius betrifft, so muß sie viel größer gewesen sein, als die direkten Zeugnisse erraten lassen. Tertullian schreibt gegen die Gnostiker: Sollen denn bis zum Auftreten Marcions und Valentins (vor Mitte des 2. Jahrhunderts) alle die Tausende umsonst getauft sein und „so viele Martyrien für nichts gekrönt sein?"[35] Von den verschiedenen lokalen Verfolgungen, auf die Tertullian in seiner Schrift Ad Scapulam anspielt, haben wir sonst keine Kunde. Von den „einigen", die Plinius in Bithynien hinrichten ließ, erfahren wir nur aus seinem Brief an Trajan. Die theologischen Spekulationen der alexandrinischen Schule über den Martyrer als „wahren Gnostiker" setzen voraus, daß gegen Ende des 2. Jahrhunderts nicht nur ausnahmsweise Martyrien vorkamen. Daß um das Jahr 190 so viele römische Christen in Sardinien in der Verbannung waren, hören wir nur ganz zufällig. Tertullian spricht im Apologeticus als von einer gewöhnlichen Sache, daß der Pöbel Christen steinigte, ihre Häuser anzündete, selbst ihre Leichen schändete, ohne daß die Behörden etwas dafür oder dagegen taten — alles Dinge, von denen wir sonst nichts wissen. In Karthago bemerken wir bei den Christen längst vor Decius förmliche Gewohnheiten, die bei Verfolgungen eingehalten wurden. Cyprian schreibt: „Unter meinen Vorgängern ist es immer so gehalten worden, daß die Diakone in die Gefängnisse gingen, um dort den Wünschen der Martyrer mit ihrem Rat und nach den Anweisungen der Schrift entgegenzukommen"[36], und Tertullian macht sich nach seinem Abfall über die üppigen

## Die Verfolgungen

Mahlzeiten lustig, die bei den Katholiken die Bekenner im Kerker zu erhalten pflegten.[37] Für die Bildung ganzer Gewohnheiten genügen die wenigen Martyrien, die wir in Afrika aus der Zeit vor Decius kennen, in keiner Weise. Wir haben also im 2. Jahrhundert zwar noch nicht mit vielen Tausenden von Martyrern zu rechnen, besonders da ja die Christengemeinden selbst noch sehr klein waren, aber wir dürfen uns diese Zeit nicht gar zu friedlich und unblutig vorstellen.

Dagegen ist es für das 2. Jahrhundert charakteristisch, daß die Martyrien vereinzelt, sozusagen tropfenweise stattfanden, ohne daß wir bestimmte Verfolgungszeiten von Friedenszeiten unterscheiden können. Im 3. Jahrhundert kennen wir die Jahre 202, 235, 250, 258 als die eigentlichen Verfolgungsjahre. Im ganzen 2. Jahrhundert war dagegen die Lage der Christen so, daß jeder einzelne damit rechnen mußte, irgendwann einmal angezeigt und hingerichtet zu werden, besonders wenn er persönliche Feinde besaß, daß man aber vielleicht an manchen Orten alt werden konnte, ohne jemals Christenblut fließen zu sehen.

Bezeichnend ist in dieser Hinsicht das Martyrium des Justinus in Rom (c. 163). Justinus hatte alle die Jahre zuvor aus seinem christlichen Glauben kein Hehl gemacht. Seine Apologien hatte er dem Kaiser eingereicht und sie veröffentlicht. Seine Schule stand jedermann offen. Er forderte die Christenfeinde geradezu heraus. In seiner noch zu Lebzeiten des Kaisers Pius veröffentlichten zweiten Apologie hatte er geschrieben: „Ich warte darauf, daß ich auch einmal von diesen Leuten angeklagt und in den Block gelegt werde, zum Beispiel von diesem Lärmmacher (Philopsophos statt Philosophos) Crescens; einen Philosophen darf man diesen Mann nicht nennen, der von uns (Christen) Dinge behauptet, die er nicht weiß, daß die Christen Atheisten und Gottlose seien." Seine Erwartung erfüllte sich.

Im 3. Jahrhundert zeigen die Verfolgungen ein ganz anderes Bild. Die treibenden Kräfte sind nicht mehr das Publikum und die Privatankläger, sondern die Regierung. Nicht mehr auf einzelne Personen wird Jagd gemacht, sondern der Kampf gilt der Kirche.

Die erste Massenverfolgung ist die unter Kaiser Decius (249—251). Sie war nach einem einheitlichen Plan für das ganze Reich durchgeführt und zielte offensichtlich darauf ab, die Christen mit einem Schlag auszurotten. Wir besitzen über sie Nachrichten genug, um uns den Vorgang nach der technischen Seite einigermaßen rekonstruieren zu können.

Das Wertvollste dafür sind die aus den Papyrusfunden stammenden Libelli, die Opferscheine, Originaldokumente ersten Ranges und einziger Art. Bis jetzt sind 41 solcher Scheine bekannt. Davon stammen 34 aus dem fajumischen Dorf Theadelphia. Es lohnt die Mühe einen solchen Schein näher anzusehen.

„An die, die als Zeugen der Opfer aufgestellt sind im Dorf Alexandru Nesos (schreibt) Aurelius Diogenes, Sohn des Satabutis aus dem Dorf Alexandru Nesos, ungefähr 72 Jahre alt, Narbe über dem rechten Auge. Ich habe zwar allezeit den Göttern geopfert, jetzt aber habe ich in eurer Gegenwart der Verordnung entsprechend geopfert und Libation dargebracht und vom Opferfleisch verkostet, was ich euch zu bestätigen ersuche. Lebt wohl. Ich, Aurelius Diogenes habe geopfert. (Von anderer Hand:) Ich, Aurelius Syrus, bestätige, daß Diogenes (das Folgende ist unleserlich, bedeutet wahrscheinlich: in unserer Gegenwart) geopfert hat. Im 1. Jahr des Imperators Caesar Caius Messius Quintus Trajanus Decius Pius Felix Augustus, am 2. Tag (des Monats) Epiph (= 25. Juni 250)."

Aus diesem prächtigen Dokument, bei dem wir höchstens Lichtbild und Fingerabdruck vermissen, läßt sich folgendes entnehmen: Es waren bis in die kleinsten Ortschaften eigene Opferkommissionen aufgestellt, vor denen man opfern mußte, um diesen Schein zu bekommen. Und zwar geschah das auf Grund einer besonderen Verordnung. Es handelte sich um einen einmaligen, vor dieser Kommission zu leistenden Vollzug. Es genügte nicht, daß einer auch sonst Opferzeremonien erfüllt hatte. Verlangt wurde: ein Opfer, also wohl einige Weihrauch= körner auf ein Feuerbecken vor einer Statue, Liba= tion, d. h. Aussprengen einiger Tropfen Wein, und Verkosten vom Opferfleisch, also alles mehr an= deutungsweise. Das Schreiben und mehrfache Unterzeichnen des Scheines dauerte wahrscheinlich länger als die Opferzeremonie.

Das Opferdekret galt für alle. Höchstwahrschein= lich waren die Christen garnicht genannt. Gemeint waren trotzdem die Christen, und zwar ausschließ= lich. Denn daß sonst niemand Schwierigkeiten machen würde, war vorauszusehen. Für alle andern hätte es keines solchen Apparates bedurft.

Die Sache war nicht übel ausgedacht. Die Form, eine Aufforderung für alle, vermied die Gehässig= keit eines Ausnahmegesetzes. Die Klagen der Christen über ungleiche Behandlung vor dem Gesetz waren also hinfällig. Es war überhaupt kein Gesetz, es war nur ein einmaliger Akt. Wir haben keinen Grund anzunehmen, daß Decius einen Opferzwang eingeführt hätte, der sich zu bestimmten Terminen wiederholen sollte. Die Vorschrift Trajans, daß die Christen nicht aufzusuchen seien, blieb gewahrt.

Wer Christ war und wer nicht, mußte sich von selbst herausstellen.

Es scheint, daß es der Regierung gelungen war, die ganze Sache bis zur gleichzeitigen Veröffent≠lichung im ganzen Reich geheimzuhalten. Jedenfalls wurden die Christen vollständig überrascht. Die Bischöfe werden wohl gewußt haben, daß von dem neuen Herrscher nicht viel Gutes zu erwarten sei. Sie werden mit Drangsalierungen, vielleicht auch mit einzelnen Blutprozessen gerechnet haben, wie das bisher bei Verfolgungen üblich war. In diesem Sinn hatten sie ihre Gläubigen instruiert. Aber auf die neuartige Technik dieser Verfolgung waren auch die Bischöfe nicht gefaßt. So war denn die erste Wirkung der kaiserlichen Verordnung eine ungeheure Panik bei den Christen.

Über diese Panik besitzen wir mehrere Schilde≠rungen von Zeitgenossen: von Cyprian, dem Bischof von Karthago, von Dionysius, dem Bischof von Alexandrien, und auch aus Rom haben wir ein Bruchstück.[38]

Demnach war der Hergang überall derselbe. Zuerst kamen Gerüchte über eine bevorstehende Verfolgung und erzeugten eine Atmosphäre allge≠meiner Furcht. Dann kam das Edikt, in einer Form, die niemand erwartet hatte. Überall wurden sofort die Opferkommissionen gebildet. Wie die Erfas≠sung der Bevölkerung durchgeführt wurde, wissen wir nicht, da auch beim Census verschiedene Me≠thoden angewendet wurden. In Großstädten ging man wahrscheinlich straßenweise vor, indem man die Liste der Besitzer der einzelnen Häuserblocks zugrundelegte[39]. Wahrscheinlich waren bestimmte Tage für die einzelnen Stadtregionen oder die Straßenzüge festgesetzt. Auch dann war das Ganze eine Riesenarbeit.

## Die Verfolgungen

In Rom amtierten auf dem Kapitol mindestens drei Opferkommissionen gleichzeitig. Man hatte eigens eine Reserve-Götterstatue gegenüber dem Jupitertempel aufgestellt. Schreiber saßen bereit, um die Listen zu kontrollieren und die Einzelnen namentlich aufzurufen und nach vollzogenem Opfer den Vermerk — wir würden sagen: den Stempel — auf den Opferschein zu setzen. Für solche, die den Opferschein nicht schon ausgefüllt von Hause mitbrachten, war am Aufgang zum Kapitol ein eigenes Schreibebüro eingerichtet, wo man die offiziellen Formulare bekam. Bei den Kommissionen drängte sich nun alles heran, Heiden und Christen durcheinander, die Heiden, denen das ganze ein Sport war, lachend und höhnend, die Christen ihre Gewissensbisse unter großartigen Beteuerungen verbergend. Eine Weihrauchwolke nach der andern stieg zum Himmel und ein Opfertier nach dem andern ließ sein Blut über die Steinplatten rinnen, so daß man unten, wo die Kloaken in den Tiber münden, die rote Farbe des Wassers sehen konnte. Mancher prominente Christ[40] wurde wohl mit höhnischem Beifallsgeschrei begleitet, wenn er mit seinem abgestempelten Papier in der Menge verschwinden wollte. „Das umstehende Volk begleitete sie mit Gelächter, denn man sah zu deutlich, daß sie zum Sterben wie zum Opfern zu feig waren", sagt Dionysius. Cyprian fügt hinzu: Wenn es Abend wurde und die Beamten, müde von der einförmigen Arbeit, aufstehen wollten, drängten sich noch einzelne Christen heran und baten, daß man sie doch nicht zurückstelle, damit sie wenigstens ruhig schlafen könnten.

Am folgenden Tag begann dasselbe Spiel von neuem und so ging es tage- und wochenlang weiter. Die Stadt Rom hatte damals vielleicht noch eine halbe Million Einwohner. Wenn auch vielleicht nicht alle persönlich erscheinen mußten, so kann man sich doch vorstellen, was das für ein Gedränge war; denn es bestand ein Termin, bis zu dem jeder seinen Opferschein haben mußte, sonst wurde er automatisch als Christ betrachtet[41].

Es gab nun freilich unter den Christen auch Leute, die mehr praktisch gerichtet waren. Sie ließen sich von der allgemeinen Panik nicht anstecken und betrachteten sich die Sache erst einmal genauer. So bemerkten sie bald, daß in den verschiedenen Opferkommissionen mancher Beamte saß, der gerade kein unbestechlicher Cato war. Es gab solche, die Opferscheine ausstellten für Leute, die garnicht geopfert hatten, selbstverständlich gegen eine kleine Entschädigung für ihre Mühewaltung. Man mußte dazu wohl gar nicht aufs Kapitol steigen, sondern bekam solche fertige Scheine nach Schluß der Dienststunden in der Privatwohnung. Es war nicht einmal nötig, persönlich hinzugehen, denn es gab Vertrauensleute, die so freundlich waren, einem derartige Scheine zu verschaffen, natürlich auch gegen eine kleine Vergütung [42].

Außerdem waren manche so gefällig, recht summarisch zu verfahren und dabei ein Auge zuzudrücken. Sie stellten einem Hausvater den Libellus gleich für Frau und Kinder aus, oder auch mehreren Parteien gemeinsam. Solche Exemplare haben wir aus Ägypten. Nach Cyprian schrieben manche außer Frau und Kindern und allen Hausgenossen noch ihre Inquilini und Coloni darauf, also ihre Freigelassenen, Angestellten, Arbeiter und abhängigen Bauern. Das vereinfachte die Sache ganz bedeutend, sowohl für die Beamten als für die Christen.

Auf diese Weise werden die Opferkommissionen, als endlich der Termin abgelaufen war, ganz außer-

## Die Verfolgungen

ordentlich hohe Zahlen gemeldet haben. In der kaiserlichen Kanzlei lagen die Siegesberichte über die gänzliche Ausrottung des Christentums, und die Christen selbst standen ziemlich vollzählig vor ihren entrüsteten Bischöfen, den verfluchten Libellus in der Hand, von dem viele kaum wußten, wie sie dazu gekommen waren.

Von massenhaftem Abfall zu reden, wie das bei manchen heutigen Geschichtsdarstellern üblich ist, ist daher nur sehr bedingt richtig[43]. Freilich war das geistliche Elend groß, Tausende von Christen hatten gesündigt; aber sie hatten deshalb nicht aufgehört, Christen zu sein. Wenn man diese Verfolgung als einen großangelegten Kampf zwischen der römischen Regierung und der Kirche auffassen will, dann war die Siegerin jedenfalls nicht die Regierung. Denn statt die Kirche auszurotten, hatte sie ihr nur eine Menge bußfertiger Sünder eingebracht. Tatsächliche Siegerin war die Kirche, nur war es für sie kein Sieg, über den sie sich hätte freuen können.

Den Grund, warum sich die Christen damals nicht besser hielten, braucht man nicht in irgend einem allgemeinen Sittenverfall zu suchen, sondern vor allem in der neuartigen Technik dieser Verfolgung. Die Christen wurden überrumpelt. Es ging ihnen so, wie dem Apostel Petrus im Vorhof des Hohenpriesters. Petrus war wirklich bereit, für seinen Meister in den Tod zu gehen, aber er hatte sich alles ganz anders vorgestellt. Erst nachträglich kam ihm zum Bewußtsein, was er angerichtet hatte. So ähnlich ging es damals den von panischem Schrecken ergriffenen Christen. Selbst der strenge Cyprian faßt schließlich das Ergebnis der Verfolgung mit den Worten zusammen: „Wir hätten für unsere Sünden Schlimmeres verdient. Gott hat in seiner Milde alles so gelenkt, daß alles, was ge=

schehen ist, mehr eine Prüfung denn eine Verfol=
gung war"[44].

Damit ist nicht gesagt, daß nicht auch diese
Verfolgung eine ganze Reihe von standhaften
Christen traf, die sich nicht überrumpeln ließen,
sondern mit einfacher Selbstverständlichkeit ihre
Martyrerpflicht erfüllten. Zu diesen gehörte in
erster Linie der Papst Fabianus, der am 20. Januar
250, gleich zu Beginn der Verfolgung, hingerichtet
wurde. Auch die Bischöfe von Antiochia und
Jerusalem starben damals als Martyrer. Viele ent=
zogen sich dem Tod nur durch die Flucht.

Nach der ersten Opferschlacht dauerte die Ver=
folgung weiter. Nicht nur, daß die standhaften
Christen, soweit man sie nicht gleich anfangs hin=
richtete, lang im Gefängnis blieben — aus Rom
kennen wir von einer solchen Gruppe, die haupt=
sächlich aus Klerikern bestand, eine ganze Reihe
Namen — sondern es wurden auch neue Verhaf=
tungen vorgenommen. Es scheint, daß man sich
überzeugt hatte, daß die Christen nicht ausgerottet
waren, und nun Nachlese hielt. Auch da gab es
wieder Martyrien. Manche, die sich bei der ersten
Panik schwach gezeigt hatten, sühnten nun ihren
Fehltritt.

Mit dem Tod des Kaisers Decius im Frühjahr
251 trat zunächst Ruhe ein, aber im Jahr 253 ließ
der Kaiser Gallus den Papst Cornelius verhaften
und nach Civitavecchia bringen, wo er bald darauf
starb. Im Jahr 257 begann dann unter Kaiser
Valerianus wieder eine große Verfolgung.

Man hatte sich offenbar überzeugt, daß die von
Decius angewendete Methode nicht zum Ziel ge=
führt hatte, und ging daher nach einem neuen Plan
vor. Zunächst sollte noch kein Blut fließen. Die
Absicht war vielmehr, zuerst die Organisationen
der Christengemeinden zu sprengen. Es sollten

## Die Verfolgungen

also die Bischöfe entfernt und vor allem die Versammlungsorte der Christen, ihre Hauskirchen und Cömeterien gesperrt und weggenommen werden. Wir besitzen noch Bruchstücke aus den Gerichtsverhören, die damals die Bischöfe von Karthago und von Alexandria zu bestehen hatten, als sie in die Verbannung geschickt wurden.

Die Beschlagnahme des kirchlichen Besitzes war etwas Neues. Früher hatte man sich nur um die Personen gekümmert. Inzwischen hatte man eingesehen, daß die Widerstandskraft der Christen auf ihren gottesdienstlichen Versammlungen beruhte. Diese wollte man also zunächst unmöglich machen.

Merkwürdigerweise scheint dieses erste Edikt vom Jahr 257 in Rom gar nicht ausgeführt worden zu sein. Am 2. August 257 war Papst Stephanus gestorben und in demselben Monat wurde sein Nachfolger Xystus II. ordnungsgemäß gewählt, während anderswo bereits die Bischöfe in die Verbannung geschickt wurden. Xystus scheint auch weiterhin unbehelligt in Rom geblieben zu sein. Auch den römischen Cömeterien geschah zunächst nichts.

Im Sommer 258 kam das zweite Verfolgungsedikt, und nun begann Blut zu fließen. Das Edikt richtete sich hauptsächlich, entsprechend dem Grundgedanken der Verfolgung, gegen den Klerus. Wir besitzen mehrere Aktenstücke über Martyrien der damaligen Zeit, so besonders über die Hinrichtung des großen Bischofs Cyprian von Karthago am 14. September 258, des Bischofs von Tarragona Fructuosus mit zwei Diakonen am 21. Januar 259, der afrikanischen Martyrer Marianus und Jacobus im April 259. In Rom wurde Papst Xystus am 6. August 258 mit vier Diakonen hingerichtet und wahrscheinlich noch andere Kleriker. Bemerkenswert an dieser Verfolgung ist, daß sie ihren Höhepunkt erreichte, während der Kaiser Valerianus gegen die Perser jenen Verzweiflungskampf führte, der mit der Vernichtung des römischen Heeres und der Gefangennahme des Kaisers endete. Als der Sohn des gefangenen Kaisers, Gallienus, die Regierung übernahm, hörten die Bluturteile auf, und der neue Herrscher ließ sogar den Christen ihre beschlagnahmten Kirchen und Cömeterien zurückgeben.

Nun herrschte für einige Jahrzehnte Ruhe. Erst im Jahr 303 begann wieder die Verfolgung, und diese, die sich an den Namen des Kaisers Diokletian knüpft, wurde die blutigste von allen. Der ganze Verwaltungs= und Polizeiapparat, der unter diesem Kaiser zu beträchtlicher Vollendung entwickelt war, wurde aufgeboten. Eine Menge von Gesetzen und Verordnungen wurden erlassen, die so ziemlich alles wieder aufnahmen, was jemals gegen die Christen verordnet worden war. Stellenweise wurde wieder ein Opferzwang eingeführt. Kirchen wurden zerstört, Cömeterien und anderer kirchlicher Besitz beschlagnahmt. Neu war bei dieser Verfolgung, daß man anfing, den kirchlichen Bibliotheken und Archiven nachzuspüren und ungeheure Mengen von Schriften vernichtete. Für uns sind dabei unersetzliche Werte verloren gegangen. Die meisten Hinrichtungen fanden in der Osthälfte des Reiches statt, wo die Verfolgung fast ohne Unterbrechung bis zum Jahr 311 weiterging.

In der Westhälfte wurden die einzelnen Länder verschieden betroffen. In Gallien und Britannien geschah nicht viel, da sich der wohlmeinende Kaiser Constantius, der Vater des später berühmten Konstantin, nicht für verpflichtet hielt, die von der Zentralregierung erlassenen Christengesetze auszu=

## Die Verfolgungen

führen. Schlimm war dagegen die Verfolgung in Afrika und in Rom.

Aus Afrika hat sich eine ganze Reihe von Aktenstücken erhalten, die uns ein sehr anschauliches Bild davon geben, wie es am Anfang der Verfolgung zuging, als man hauptsächlich nach christlichen Schriften und anderen Besitztümern fahndete. Die Protokolle über die damaligen Hausdurchsuchungen wurden einige Jahre später bei den Donatistenprozessen kopiert und sind dadurch teilweise bis auf uns gekommen. Ein Stück aus Cirta in Numidien (heute Constantine) zeigt uns, wie die Gerichtskommission von Haus zu Haus ging, von der Bischofswohnung bis zum letzten Lektor, und alles mitnahm, was an Schriften und Armensachen gefunden wurde. Von den Armensachen wurde ein genaues Inventar aufgenommen, aus dem wir sehen können, wie viele Stiefel und Regenmäntel und Ölkrüge diese Kirche damals für ihre Armen bereitgehalten hatte. Manchmal gelang es, die Kommissionen zu täuschen, indem man ihnen Altpapier oder sonst wertlose Sachen in die Hände spielte und das Wertvolle versteckte. Solche, die sich weigerten etwas auszuliefern, wurden verhaftet und unter Umständen hingerichtet. Wir besitzen noch die Akten über das Martyrium des Bischofs von Tubyzaca in Afrika, der den Tod erlitt, weil er die Bücher nicht ausliefern wollte, ebenso die Akten des Diakons Euplius aus Catania († 12. August 304).

Auch in Rom fand eine große Hausdurchsuchung statt, der unter anderem das bischöfliche Archiv zum Opfer fiel. Wo das Archiv später, im 4. Jahrhundert, untergebracht war, wissen wir. Es war jenes Gebäude, das Papst Damasus erweiterte und zu dem er die Basilika baute, die später S. Lorenzo in Damaso genannt wurde. Das Archivgebäude

war also ungefähr an der Stelle, wo seit dem 15. Jahrhundert der Prachtbau der Cancelleria steht. Und zwar war es dort schon, bevor die Päpste den Lateranpalast bezogen, also vor 313. Wahrscheinlich fand die Vernichtung der Archiv=
bestände im Jahr 303 an dieser Stelle statt.

Das Ausliefern von christlichen Schriftstücken galt bei den Christen als Sünde, weil es von beiden Teilen, Verfolgern wie Verfolgten, als eine Art von Glaubensverleugnung aufgefaßt wurde. Ein angeklagter Christ konnte sich durch Auslie=
ferung von Schriften ebenso wie durch Opfer den Freispruch erkaufen [45]. Damit ist aber nicht gesagt, daß in jedem Fall ein Widerstand bis zum Äußer=
sten gefordert war, auch dann noch, wenn die Polizei schon im Haus war. Erst die Donatisten betrachteten später jeden, dem irgendetwas be=
schlagnahmt worden war, als Abtrünnigen, als Traditor. Sie behaupteten, Aktenstücke zu besitzen, aus denen hervorgehe, daß damals mehrere römi=
sche Kleriker, darunter auch der spätere Papst Melchiades, Schriften ausgeliefert hätten. Den Be=
weis dafür sind sie jedoch schuldig geblieben.

Die Donatisten sind ein typisches Beispiel für jene unerfreulichen Strömungen, die sich leicht nach überstandener Verfolgung einstellen: wenn die Gefahr vorüber ist, beginnt man im Vollbe=
wußtsein der eigenen Untadelhaftigkeit den schwä=
cheren Brüdern ihre Sünden nachzurechnen. Schon die Novatianer nach der decischen Verfolgung hatten es so gemacht. Bis heute gibt es Historiker, die sich gar nicht genugtun können in der Aus=
malung der vielen „Glaubensabfälle" in den Christenverfolgungen der ersten Jahrhunderte. Dabei hat von den vielgeschmähten „Lapsi" so mancher mehr für seinen Glauben erduldet und größere Standhaftigkeit bewiesen als seine nach=

träglichen strengen Zensoren. In der Katholischen Kirche hat man nie so gedacht. Man hat die Standhaften geehrt, aber den andern keine Steine nachgeworfen.

Daß im Jahr 303 außer den Büchern und Kirchensachen auch Immobilien konfisziert wurden, wissen wir aus dem Umstand, daß sie später, im Jahr 311, wieder zurückgegeben wurden. Wir wissen aber nicht, wie weit sich diese Beschlagnahme erstreckt hat. Aus dem bloßen Wortlaut der Dekrete dürfen wir hier wie bei andern Verfolgungen nicht ohne weiteres auf die Durchführung schließen. Im Liber Pontificalis wird die Besitzung einer frommen Frau namens Cyriaca erwähnt, die der Fiscus zur Zeit der Verfolgung beschlagnahmt hatte [46]. Diese Nachricht kann alt sein, ebenso an derselben Stelle die von einem Landgut in der Sabina. Die Besitzung der Cyriaca ist ohne Zweifel die Area mit dem Cömeterium der Cyriaca unter S. Lorenzo am Agro Verano. Ob dieses Schicksal alle Cömeterien betroffen hat, ist aber nicht sicher. In Callisto ist eine Inschrift mit dem Datum 307 gefunden worden. Daraus folgt jedoch wiederum nicht, daß dieses Cömeterium überhaupt der Beschlagnahme entgangen ist, denn es ist möglich, daß die Christen in den ruhigeren Zeiten unter Maxentius Teile ihrer alten Begräbnisstätten stillschweigend wieder in Betrieb nahmen, noch bevor sie ihnen offiziell zurückerstattet wurden.

De Rossi hat mit gewohntem Scharfsinn nachzuweisen versucht [47], daß die Papstgruft in Callisto und die umliegenden Teile dieses Cömeteriums eine Zeitlang absichtlich mit Sand zugeschüttet gewesen seien, und meint, das sei zu Anfang der diokletianischen Verfolgung geschehen, um bei der zu erwartenden Konfiskation diese Stätten vor Verwüstung zu schützen. Aber auch daraus würde nicht hervorgehen, daß die Beschlagnahme nachher tatsächlich erfolgt ist.

Wir können also annehmen, daß im Jahr 303 in Rom viel weggenommen und zerstört worden ist, ohne daß wir uns von den Einzelheiten ein klares Bild machen können. Darüber hinaus haben wir aber deutliche Anzeichen dafür, daß die Zeit von 303—305 und noch weiter für die römische Christengemeinde wahre Schreckensjahre gewesen sind.

Eines dieser Zeichen ist die Papstliste. Wir kennen von den Päpsten des 3. Jahrhunderts mit wenigen Ausnahmen nicht nur die Jahreszahlen ihrer Regierung, sondern auch ihre Ordinations- und Todestage. Man kann daraus errechnen [48], daß die Ordination regelmäßig an einem Sonntag stattfand, wie das vom 4. Jahrhundert an stehende Regel war, und zwar womöglich an dem Sonntag, der auf den Tod des vergangenen Papstes folgte. Beispielsweise starb Papst Anteros am 3. Januar 236 und am 10. Januar wurde sein Nachfolger Fabianus geweiht. Lucius starb am 5. März 254, die Weihe seines Nachfolgers Stephanus fand am 12. März statt. Für gewöhnlich dauerte also die Sedisvakanz nur wenige Tage. Nur an drei Stellen unserer Liste haben wir lange Sedisvakanzen: Zwischen dem Martyrium des Papstes Fabianus (20. Januar 250) und der Weihe seines Nachfolgers Cornelius (März 251) vergeht über ein Jahr; nach dem Martyrium von Xystus (6. August 268) dauert es fast zwei Jahre, bis der Nachfolger Dionysius gewählt wird. Das sind die beiden hochgehenden Verfolgungszeiten unter Decius und Valerianus. Die dritte lange Sedisvakanz ist nach dem Tod des Papstes Marcellinus († 15. Januar 304), also während der diokletianischen Verfolgung. Sie hat fast sieben Jahre gedauert.

Der Grund für diese Erscheinung dürfte wohl

## Die Verfolgungen

nicht in der Furcht vor der Gefahr gesucht werden. Jeder neugewählte Bischof wußte damals, daß er einen lebensgefährlichen Posten antrat. Nicht umsonst erzählte man eine Äußerung des Kaisers Decius, er wollte lieber von dem Auftreten eines neuen Thronprätendenten hören als von der Wahl eines neuen römischen Bischofs. Papst Xystus II. wurde anstandslos gewählt gerade in dem Augenblick, als der Ausbruch der valerianischen Verfolgung unmittelbar bevorstand. Der Grund für die langen Sedisvakanzen während der Verfolgung ist nicht darin zu suchen, daß sich kein Kandidat gefunden hätte, sondern darin, daß die Gemeinde nicht beisammen war. Zur Bischofswahl gehörte damals ein einmütiges Zusammenwirken des Klerus, des Volkes und der Nachbarbischöfe. Während einer hochgehenden Verfolgung stockte alles. Niemand wußte vom andern. Man wußte nicht, wer tot, eingesperrt, geflohen, abgefallen war. Die Wahl eines neuen Bischofs ist regelmäßig das Zeichen, daß wieder normale Zustände zurückgekehrt sind.

Die ausnahmsweise lange Sedisvakanz während der diokletianischen Verfolgung läßt also auf eine besondere Heftigkeit schließen. Papst Marcellinus starb am 15. Jänner 304, wie es scheint nicht als Martyrer, aber vielleicht nicht in Rom. Ein einziges der alten Papstverzeichnisse, der sogenannte liberianische Katalog, gibt ihm als Nachfolger den Papst Marcellus, von dem er aber weder Weihetag noch Todestag noch Amtsdauer angibt. Als die Verfolgung unter dem neuen Kaiser Maxentius abflaute, versuchte man es wieder mit einer Neuwahl. Damals waren aber schon mehrere Jahre seit dem Tod des Marcellinus verflossen. Der neue Papst Eusebius wurde sofort wieder in die Verbannung geschickt und starb nach einigen Monaten

in Sizilien. Erst als im April 311 der Kaiser Ga=
lerius sein allgemeines Toleranzedikt für die
Christen herausgegeben hatte, wurde am 2. Juli 311
Melchiades gewählt, und von da an beginnt wieder
die ungestörte Papstreihe.

Daß bei Ausbruch einer großen Verfolgung
zahlreiche Christen die Flucht ergriffen, ist uns
mehrfach bezeugt. Die Zeugenaussagen der Dona=
tistenprozesse erwähnen öfters als Selbstverständ=
lichkeit, daß Christen, Kleriker und Laien, „in die
Berge" gingen. Flucht vor der Verfolgung galt bei
den Katholiken als erlaubt und wurde nicht als
Feigheit betrachtet. Nur der zu den Montanisten
abgefallene Tertullian witzelt über die Katholiken,
die sich keine Stelle aus dem Evangelium besser
gemerkt hätten als die, wo es heißt, flieht von
einer Stadt in die andere. Er findet, es gebe
Bischöfe, die im Frieden mutig seien wie brüllende
Löwen, und bei der Verfolgung bekämen sie flinke
Beine wie Hirsche.[49] Die Katholiken dachten nicht
so. Die Bischöfe, die im Jahr 250 vor der decischen
Verfolgung flohen, Cyprian von Karthago, Dio=
nysius von Alexandria, Gregor der Wundertäter
von Neocäsarea, galten als Zierden der Kirche.

Nur darf man sich eine solche Flucht nicht zu
harmlos vorstellen. Haus und Vermögen mußte
man im Stich lassen. Eusebius erzählt aus der deci=
schen Verfolgung,[50] daß damals in Ägypten viele
Christen in die Wüste flohen und dort elend zu=
grunde gingen. Man konnte Räubern und Sklaven=
fängern in die Hände fallen. Gregor der Wunder=
täter erzählt von den Barbareneinfällen in Pontus,
wenige Jahrzehnte vor der diokletianischen Ver=
folgung, daß manche Christen in sichere Gegen=
den flohen, aber dort von ihren „Gastfreunden" in
die Sklaverei verkauft wurden. Selbst schlechte
Christen gaben sich zu solchem Handel her, wor=

## Die Verfolgungen

über sich der Bischof Gregor begreiflicherweise entsetzt.

So dürfen wir denn annehmen, daß von den römischen Christen, die während der diokletianischen Verfolgung die Flucht ergriffen, so mancher die Heimat erst nach langen Irrfahrten, mancher vielleicht gar nicht mehr wiedergesehen hat.

Es besteht aber auch kein Zweifel darüber, daß in den Schreckensjahren 304 und 305 in Rom sehr viel Christenblut geflossen ist. Die große Mehrzahl der später in Rom verehrten Martyrer dürfte aus dieser Zeit stammen.

Im Jahr 306 machte sich in Rom Maxentius, der Sohn des Christenverfolgers Maximianus Herculeus, durch einen Staatsstreich zum Kaiser. Er wurde zwar von den übrigen Kaisern nicht anerkannt, konnte sich aber in Rom und Italien bis zum Jahr 312 behaupten. Maxentius stellte sich anfangs christenfreundlich, wenigstens wenn wir dem Historiker Eusebius glauben dürfen, und in der Tat scheinen unter ihm die blutigen Martyrien in Rom aufgehört zu haben. Die Kirchengüter blieben jedoch beschlagnahmt, und die römische Kirche blieb praktisch ohne Bischof bis 311. In diesem Jahr erließ der Oberkaiser Galerius in Nicomedia sein Toleranzedikt, und Maxentius, der immer an der Fiktion festhielt ein rechtmäßiges Mitglied des Kaiserkollegiums zu sein, beeilte sich das Edikt auch in Rom auszuführen und begann mit der Rückerstattung der Kirchengüter. Am 28. Oktober 312 machte die Schlacht an der Milvischen Brücke seinem Leben ein Ende, und der neue Kaiser Konstantin schenkte der römischen Kirche den wirklichen und dauernden Frieden.

So sehr es übertrieben wäre, sich als Opfer der Christenverfolgungen viele Millionen von Martyrern vorzustellen — zu Diokletians Zeit dürfte es im ganzen Reich 6—10 Millionen Christen gegeben haben —, so falsch wäre es, wenn man die Schrecken der Verfolgungen lediglich nach der Zahl der Hingerichteten beurteilen wollte. Wenn einer mit dem Leben davonkam, besagt das nicht, daß er überhaupt nichts von der Verfolgung gespürt hätte. Gefängnis, peinliche Verhöre, Verbannung, Flucht, Güterkonfiskation oder wenigstens wirtschaftliche Schädigung, Zerreissung der Familie — irgend etwas von dieser Art bekamen sehr viele, wenn nicht die meisten zu fühlen. Zumindestens lastete auf allen, sowohl in der früheren Zeit der Einzelprozesse als später in den Massenverfolgungen die beständige Angst, das Gefühl der Unsicherheit und Rechtlosigkeit und die dauernde Gewissensnot. Man braucht nur Tertullians Schrift De Idololatria zu lesen, wo er die einzelnen Berufe und Lebenslagen mit ihren Gefahren und Konflikten bespricht, um sich eine Vorstellung davon zu machen, wie schwer es für die einzelnen Christen damals war, überall die rechte Linie zu finden zwischen ihren Pflichten als Staatsbürger, Familienerhalter und Christ, und zu welchen fortgesetzten Verzichten die Gläubigen bis ins Privatleben hinein genötigt waren durch den Druck, der auch in verhältnismäßig ruhigen Zeiten auf ihnen lastete. Insofern erforderte das bloße Christsein in jenen Jahrhunderten von jedem einzelnen ein beträchtliches Maß von Standhaftigkeit und Martyrermut, auch wenn er im ganzen Leben nie vor dem Richter stand oder auf die Folter gespannt wurde. Und so begreifen wir auch das Gefühl der ungeheuren Erleichterung und die Begeisterung, mit der die Christen dem Kaiser Konstantin entgegenkamen, als er ihnen endlich Gerechtigkeit verschaffte.

## VII. KAPITEL

# AUF DEM WEG ZUM MARTYRIUM

*Auf dem Weg zum Martyrium*

Die Gräber der Martyrer sind die Endstation, und in ihr gleichen sich alle Martyrer. Auch wenn wir alle Gräber hätten und alle Namen wüßten, könnten wir damit noch keine Geschichte der Martyrien schreiben, noch überhaupt uns vorstellen, wie es bei einer Christenverfolgung zugegangen ist. Dafür brauchen wir erzählende Berichte von Augenzeugen. Leider ist gerade aus Rom von derartigen Dokumenten nicht viel erhalten. So prächtige Stücke, wie die Akten der Lyoner Martyrer von 177 oder die Perpetuaakten aus Karthago vom Jahr 202 haben wir für Rom nicht. Gerichtsprotokolle oder wenigstens Stücke, die nach echten Gerichtsakten gearbeitet sind, haben wir aus Rom nur zwei: über Justinus († c. 163) und über Apollonius († c. 185). Man hat diesen Mangel schon im Altertum empfunden und hat versucht, allerlei Erzählungen über die Schicksale der einzelnen Martyrer zusammenzustellen, aber leider erst in einer Zeit, als die wirkliche Erinnerung an die Ereignisse längst geschwunden war. So kamen in den barbarischen Zeiten des 5. und 6. Jahrhunderts jene Stücke zustand, die wir als Legenden bezeichnen und die den Gläubigen der Folgezeit als Erbauungsschriften dienten, die aber unsere geschichtliche Erkenntnis nicht mehr bereichern als Wisemans „Fabiola" und andere moderne Martyrerromane.

Das Gerichtsgebäude, die Stadtpräfektur, lag am Rand des Colle Oppio, etwas unterhalb von der

Stelle, wo heute die Kirche S. Francesco da Paola steht. Das dort sichtbare Mauerwerk stammt aus dem Mittelalter, aber die schönen kannellierten Marmorsäulen in der nahen Kirche S. Pietro in Vincoli dürften vielleicht aus der alten Stadt≈ präfektur genommen sein. Wie das Gebäude aus≈ sah, wissen wir nicht mehr, auch nicht, ob die „blutigen Geißeln", von denen Martial spricht,[51] gewissermaßen als Firmenschild ausgehängt waren, oder ob der Dichter nur sagen will, daß sich im Haus die gefürchtete Folterkammer befand. Un≈ mittelbar gegen Nordosten anschließend lag das geräuschvolle Volksquartier der Suburra.

Hier haben wir uns also die gewöhnlichen Ge≈ richtsverhandlungen gegen die Christen vorzu≈ stellen, und hier dürfte auch das Gefängnis gewesen sein, in dem die meisten ihr Schicksal erwarteten.

Von römischen Gefängnissen wird eines er≈ wähnt, das sich im Castro Pretorio befand.[52] Dort werden solche Häftlinge gewesen sein, die von auswärts nach Rom geschickt wurden, um vom Praefectus Praetorio abgeurteilt zu werden, wie der Apostel Paulus im Jahr 61, dem der Präfekt allerdings gestattete, in der Nähe der Kaserne in einem Privathaus zu wohnen. Das Gefängnis am Tiber, von dem die Kirche S. Nicola in Carcere ihren Namen hat, dürfte erst der byzantinischen Zeit angehören.[53] Dagegen hat sich das uralte Staatsgefängnis am Aufgang zum Kapitol, das Tul≈ lianum, bis heute erhalten. Ob dieses Gefängnis, in dem der König Jugurtha verhungert war, und in dem noch Vercingetorix gesessen hatte, in der späteren Kaiserzeit noch benützt wurde, wissen wir nicht. Daß die Apostel Petrus und Paulus vor ihrer Hinrichtung dort verwahrt wurden, ist nicht un≈ wahrscheinlich, wenn wir darüber auch keine alten Nachrichten haben. Zur Zeit der großen Christen≈

## Auf dem Weg zum Martyrium

verfolgungen, als das Forum Romanum längst nicht mehr Gerichtszwecken diente, dürften die Häftlinge in der Stadtpräfektur untergebracht gewesen sein. Aber nach dem Tullianum können wir uns ein Bild machen, wie ein derartiges Gefängnis aussah.

Das römische Strafrecht kannte keine befristete Gefängnisstrafe. Der Kerker diente zur Verwahrung des Angeklagten während des Prozesses und zugleich als Folterstätte. Auch der Schuldhäftling saß im Gefängnis, um dort mürbe gemacht zu werden, damit er endlich bezahle. Die Christen wurden ins Gefängnis gesteckt nicht als Strafe, sondern damit sie gefügig würden und opferten.

Dementsprechend waren die Gefängnisse eingerichtet, möglichst ohne alles, was auch der Anspruchsloseste zum Leben braucht. Der squalor carceris, der Kerkerschmutz, ist bei den alten Schriftstellern eine stehende Redensart, wobei wir aber unter squalor nicht nur Unreinlichkeit zu verstehen haben, sondern überhaupt alles, was sich mit Unbequemlichkeit und menschenunwürdigem Dasein verbindet.

Das Tullianum bestand und besteht noch aus zwei übereinander liegenden gewölbten Räumen von mäßigem Durchmesser. In den untern Raum konnte man nur durch ein Loch im Gewölbe mit einer Leiter hinuntersteigen. Von Lüftung oder gar Kanalisation war keine Rede. Wenn kein Licht brannte, war es stockfinster. So ähnlich scheint auch das Gefängnis in Karthago gewesen zu sein, in dem im Jahr 202 Perpetua und ihre Gefährten das Martyrium erwarteten. Perpetua spricht in ihren Aufzeichnungen sehr anschaulich von der Finsternis, die sie anfangs sehr erschreckte, von dem Gedränge und der großen Hitze und den Stößen der Wachmannschaft. Als Felicitas, die

Gefährtin der hl. Perpetua, Mutter wurde, geschah das mitten im Kerker, und die Wachsoldaten machten ihre Witze dazu. Damals in Karthago gelang es, den Christen einige Erleichterung zu verschaffen. Sie durften sich wenigstens einige Stunden untertags in einem Hof oder Garten aufhalten, und Perpetua, die selbst eine junge Mutter war, durfte sogar ihren Säugling zu sich ins Gefängnis nehmen.

Todesfälle unter den Gefangenen waren häufig. Im Jahr 177 erlag der Bischof Pothinus von Lyon den Leiden der Haft, im Jahr 251 der Presbyter Musäus in Rom. Cyprian will solche als wahre Martyrer betrachtet wissen, auch wenn sie nicht mit dem Schwert des Henkers in Berührung gekommen waren.

Die letzte Freude, die dem Presbyter Musäus auf Erden zuteil wurde, war ein Trostbrief des Bischofs von Karthago. In feiner Weise schreibt Cyprian an die römischen Bekenner, sie säßen jetzt schon über ein Jahr im Gefängnis, länger als die Amtszeit der höchsten Beamten dauert, auf die sie so stolz sind. Alle vier Jahreszeiten hätten sie im Kerker gesehen oder vielmehr nicht gesehen. — Es gibt heute ein Sprichwort in Rom: Wo die Sonne nicht hinkommt, kommt der Arzt hin. Wer Rom kennt, kann sich vorstellen, was es dort heißt, ein ganzes Jahr lang keinen Sonnenstrahl zu erblicken.

Cyprian hatte sich von den römischen Bekennern durch einen jungen Afrikaner erzählen lassen, der eine Zeitlang mit ihnen die Haft geteilt hatte. Dieser Jüngling hieß Celerinus und dürfte noch kaum zwanzig Jahre alt gewesen sein. Er stammte aus einer Martyrerfamilie. Seine Großmutter Celerina war in einer früheren Verfolgung als Martyrin gestorben, ebenso zwei seiner Onkel, die

Soldaten gewesen waren. Der junge Celerinus hielt sich im Winter 249/50, als die Verfolgung aus≠ brach, gerade in Rom auf. Was er dort trieb, wis≠ sen wir nicht, nur daß es keine höheren Studien waren; denn sein Brief an den Bekenner Lucianus, den Cyprian in seine Briefsammlung aufgenommen hat, verrät mit seinem schlechten Latein keine Universitätsbildung. Celerinus war mit den römi≠ schen Christen zusammen gleich zu Beginn der Verfolgung verhaftet worden und hatte sich durch besondere Standhaftigkeit hervorgetan. Er war so≠ gar dem Kaiser Decius persönlich vorgeführt wor≠ den. Da man ihn in keiner Weise zum Opfern bringen konnte, hatte man ihn im Gefängnis in den „Block" gelegt. Man fesselte solche Gefangene mit möglichst weit auseinandergespreizten Beinen an den Boden und ließ sie so liegen. Celerinus hatte neunzehn Tage und Nächte so gelegen ohne sich rühren zu können. Er wurde dann aus der Haft entlassen, warum wissen wir nicht, vielleicht nur, weil er nicht nach Rom zuständig war. Er reiste nach Afrika und suchte den Bischof Cyprian in seinem Versteck auf. Dieser schreibt, wenn etwa ein ungläubiger Thomas zweifle, brauche er ihn nur anzuschauen um zu sehen, was er durchge≠ macht habe. Offenbar konnte der junge Mann nach Verlauf von mehreren Monaten noch kaum gehen. Cyprian weihte ihn zum Lektor und schrieb an seinen Klerus in Karthago, wenn Celerinus nicht gar so jung wäre, hätte er ihn gleich zum Priester geweiht. Seine Standhaftigkeit hätte es verdient. So aber solle er einstweilen nur die Einkünfte eines Presbyters beziehen und die Weihe später er≠ halten, wenn sein Alter es gestatte.

Ein Lichtblick für die gefangenen Christen war, daß man sie besuchen durfte. In diesem Punkt erscheinen uns die Aufsichtsorgane recht mensch≠

lich. Da die Häftlinge wohl meist gefesselt waren, an die Wand, an den Boden oder an einen Wärter angeschlossen, schien eine strenge Abschließung von der Außenwelt weniger notwendig. Man konnte die Gefangenen mit Lebensmitteln, Licht und andern kleinen Erleichterungen versehen, soweit es ihre Lage zuließ. Man konnte sie trösten und ihre Aufträge entgegennehmen. Diese Fürsorge für die gefangenen Bekenner war in Verfolgungszeiten eine der Hauptaufgaben des Klerus. Für diesen Zweck stand die Kirchenkasse in vollem Umfang zur Verfügung. „Es darf ihnen nichts fehlen", schreibt Cyprian an seinen Klerus. Aber auch die Laien drängten sich zu diesem Liebesdienst, und zwar so, daß Cyprian vor Übereifer warnen muß: es sollen nicht ganze Scharen auf einmal in den Kerker kommen; denn wenn man es gar zu auffallend treibe, werde am Ende die Erlaubnis überhaupt entzogen. Dem römischen Presbyter Novatianus, dem späteren Sektengründer, wurde es sehr übelgenommen, daß er sich eine Zeitlang weigerte, seine Brüder im Gefängnis zu besuchen. Später hat er es dann ebenfalls getan.

Besonders wichtig war natürlich die geistliche Fürsorge. Die Presbyter brachten bei den Gefangenen fleißig das Meßopfer dar. Auch hier mahnt Cyprian zur Vorsicht. Manche wollten ganze feierliche Hochämter halten. Cyprian ordnet an, daß im Gefängnis immer nur ein einzelner Presbyter mit nur einem Diakon zelebrieren solle, und nicht immer derselbe Priester. Dadurch werde der Verdacht vermindert.

Das alles spielte sich vor den Augen der Wärter ab, die natürlich genau wußten, daß die Besucher Christen und christliche Priester waren. Das schadete zunächst nichts. Solang keine förmliche Anzeige gegen einen vorlag, ließ man ihn in Ruhe, wenn man auch noch so sehr wußte, daß er Christ war, also genau desselben Verbrechens schuldig wie die Häftlinge. Das Gefängnispersonal hatte um so mehr Anlaß, ein Auge zuzudrücken, als gewiß dann und wann Trinkgelder abfielen. Gefährlich war es für die Kleriker trotzdem.

Unter diesen Umständen darf es uns nicht wundern, daß die Gefangenen von auswärts Briefe bekamen und ihrerseits umfangreiche Schriftstücke schrieben oder diktierten. Deswegen konnten die Gefängnisse immer noch Stätten des Schreckens und eines wahren Martyriums sein.

Was dachten und fühlten die Christen, wenn sie im Gefängnis auf die mögliche Hinrichtung warteten? — Perpetua erzählt in ihren Aufzeichnungen von einem Gespräch mit ihrem jüngeren Bruder, der mit ihr zusammen eingesperrt war. Der Jüngling meinte, in ihrer Lage dürfe sie es wagen, von Gott ein Zeichen zu erbitten, wie die Sache ausgehen werde. Tatsächlich hatte Perpetua in der folgenden Nacht einen Traum, in dem ihr vorkam, als werde ihr vom Herrn selbst die Wegzehrung gereicht. Am Morgen erzählte sie es ihrem Bruder, „und wir deuteten es auf das bevorstehende Martyrium. Und wir fingen an in der Welt keine Hoffnung mehr zu haben." In denselben Akten wird von einem späteren Gespräch erzählt, als die Gefangenen schon wußten, daß sie mit wilden Tieren würden „kämpfen" müssen. Einer sagte, er wünsche sich möglichst viele Bestien, um sich eine schönere Krone zu verdienen. Ein anderer meinte, einen Leoparden ließe er sich gefallen, aber vor Bären fürchte er sich.

Ihre Hauptsorge war, daß alle bis ans Ende aushielten. Darum beteten sie. Perpetua wurde erst wenige Tage vor ihrer Verhaftung getauft, als sie schon wußte, was kommen werde. Im Augenblick

der Taufe glaubte sie, sich eine besondere Gnade
erbitten zu dürfen, und betete „um nichts anderes
als um Standhaftigkeit". In dem Bericht, den die
überlebenden Bekenner von Lyon über das Mar=
tyrium ihrer Gefährten verfaßten, heißt es, daß
bei den ersten Folterungen zehn Christen sich
schwach zeigten. Das bereitete den übrigen „größ=
ten Schmerz und unbeschreibliche Trauer". Die
Unglücklichen besannen sich aber nachträglich
eines Besseren, bekannten sich abermals als Chri=
sten und wurden zur größten Freude der übrigen
wieder mit ihnen im Gefängnis vereinigt. — Unter
den Lyoner Bekennern befand sich auch ein junges
Mädchen, Blandina, eine Sklavin. „Wir alle waren
höchst besorgt um sie, besonders auch ihre eigene
Herrin", die selbst im Gefängnis war, „und fürch=
teten, daß sie wegen ihrer geringen Körperkräfte
kein standhaftes Bekenntnis ablegen werde". Die
Sorge war unbegründet: Blandina blieb bis zuletzt
die Standhafteste von allen.

Wie menschlich die Martyrer empfanden, zeigt
Perpetua, wo sie von den Besuchen ihres Vaters
erzählt. Der alte Herr war nicht Christ und gebär=
dete sich beim Anblick seiner Tochter im Gefäng=
nis ganz verzweifelt. Er warf sich vor ihr weinend
auf die Knie, küßte ihre Hände und beschwor sie,
ihm doch nicht diese Schande anzutun. Perpetua
verhehlt nicht, wie schwer ihr das wurde und wie
es ihr leid tat, daß gerade der Vater als einziger
aus der Familie sich nicht über ihr Martyrium
freuen könne. Sie suchte ihn zu trösten und zu
bereden, aber es gelang ihr nicht.

Verhältnismäßig selten finden wir in den Quel=
len eine fühlbare Sehnsucht nach dem Martyrium
ausgedrückt. Dafür war die Sache zu ernst und zu
schrecklich. Es gab wohl Fälle von jugendlicher
Begeisterung, wie bei dem sechzehnjährigen Ori=

genes, den die Mutter im Haus einsperrte und dem sie schließlich die Kleider versteckte, damit er nicht aufs Gericht laufe und sich als Christ bekenne. Die Bischöfe hatten übrigens solches freiwillige Hinzudrängen zum Martyrium ausdrücklich verboten. So weit durfte man gehen, wie der später so berühmt gewordene Antonius, der im Jahr 311 aus seiner Wüsteneinsiedelei in die Hauptstadt Alexandria eilte, als dort die Verfolgung ausbrach. Er stellte sich nicht freiwillig dem Richter, wohl aber erschien er unter dem Publikum, um den angeklagten Christen bei der Folterung durch Zeichen und Zurufe Mut zu machen. Dem Beamten fiel der Mann mit dem zottigen Pelz und dem wilden Bart auf, und er wies ihn vom Gerichtsplatz weg. Antonius rasierte sich, zog einen sauberen Mantel an und erschien wieder unter der Menge. Schließlich kehrte er in seine Klause zurück, betrübt, daß ihm die Gnade des Martyriums entgangen sei.

Der greise Ignatius, Bischof von Antiochia, der unter Trajan (98—117) nach Rom gebracht wurde, um dort mit den wilden Tieren zu „kämpfen", schickte einen Brief an die römischen Christen voraus, in dem er sie inständig bat, sie möchten nicht etwa daran denken, sein Martyrium zu verhindern. Es gab damals in Rom wohl Christen, die am Kaiserhof einigen Einfluß besaßen. Ignatius schreibt: „Möchte ich doch von den Zähnen der Tiere zermahlen werden, um als echter Weizen Christi erfunden zu werden!" Der Presbyter Musäus schreibt im Winter 250/51 aus dem römischen Gefängnis an Cyprian: „Niemand soll das Milde nennen, daß wir (d. h. unsere Hinrichtung) immer wieder hinausgeschoben werden. Diese Verzögerung schadet uns, läßt uns auf den Himmel warten, läßt uns noch nicht zur Anschauung Gottes gelangen."⁵⁴ Cyprian selbst hatte in seiner letzten Zeit eine große Sehnsucht nach dem Martyrium. Er hatte die Nachricht erhalten, daß in Rom Papst Xystus hingerichtet worden war, und zwar im Cömeterium, während er den versammelten Christen predigte. Das erschien dem Bischof von Karthago als das Ideal eines Bischofsmartyriums. Der Diakon Pontius schreibt über Cyprians letzte Tage: „Er hatte eine solche Sehnsucht zu predigen, daß er sich wünschte, seine ersehnte Passion möge so in Erfüllung gehen, daß er gerade während er von Gott spräche, mitten während einer Predigt, getötet würde."⁵⁵ Genau so ist sein Wunsch nicht in Erfüllung gegangen. Aber sein Martyrium am 14. September 258 glich einem Triumphzug.

Mit welcher innerlichen Ruhe und Seelenstärke die Martyrer ihrem Ende entgegensahen, kann man aus den Worten entnehmen, mit denen Perpetua ihre Aufzeichnungen schließt: „So ist es mir bis zum Vorabend des Tierkampfes ergangen. Den Verlauf des Tierkampfes soll dann ein anderer schreiben." Es ist beinahe scherzend gesagt: Man kann nicht von mir verlangen, daß ich meine eigene Hinrichtung erzähle. Und doch liegt darin nichts Übermütiges, Prahlerisches.

Während der Zeit der Haft wurden die Gefangenen öfters vor den Richter geführt, um verhört zu werden. „So oft ihr verhört werdet, so oft seid ihr siegreich", schreibt Cyprian an die gefangenen Christen in Rom. Diese Verhöre dienten jedoch nicht der Feststellung eines strafbaren Tatbestandes. Daß sie Christen waren, stand ja von Anfang an fest. Vielmehr sollten sie in diesen Verhören zum Opfern überredet und, wenn nötig, durch Anwendung der Folter gezwungen werden.

Wir besitzen noch Nachschriften von einzelnen solchen Verhören, einige von Ohrenzeugen aufge=

zeichnet, andere nachträglich von Christen aus den Gerichtsakten kopiert. Darin sind mehrere prächtige Antworten von Martyrern erhalten. Zu Polycarpus, dem greisen Bischof von Smyrna, sagte der Proconsul: „Schwöre (bei den Göttern), dann lasse ich dich frei. Verfluche Christus!" Polycarpus antwortete: „Sechsundachtzig Jahre diene ich ihm schon, und er hat mir nie etwas zuleide getan. Wie sollte ich meinem König fluchen, der mich erlöst hat?"

Den Martyrern von Scilli in Afrika sagte der Proconsul Saturninus nach vergeblichen Überredungsversuchen: „Ich gebe euch Bedenkzeit." Der Anführer der Gruppe, Speratus, antwortete: „In einer so gerechten Sache (wie die unsrige ist) braucht man keine Bedenkzeit."

In der valerianischen Verfolgung war es besonders auf die Geistlichen abgesehen. Der Proconsul von Karthago, Paternus, verlangte daher von dem Bischof Cyprian, daß er ihm die Namen und den Aufenthaltsort der andern Bischöfe und Presbyter angebe. Cyprian antwortete: „Sie werden sich in ihren Städten finden lassen". Der Richter sagte: „Ich frage jetzt hier danach". Cyprian antwortete: „Unsere Regel verbietet, daß sich jemand freiwillig dem Richter stellt, und das würde auch dir mißfallen. Daher können sich die Betreffenden nicht selbst angeben. Aber wenn du sie suchst, wirst du sie finden." Paternus entgegnete: „Ich werde sie zu finden wissen."

Für gewöhnlich ließen sich die Richter nicht auf religiöse Dispute ein und stellten nur ausnahmsweise Fragen nach der christlichen Lehre. Den Philosophen Justinus fragte der Stadtpräfekt Junius Rusticus, selbst ein philosophisch gebildeter Mann, der der Lehrer Mark Aurels gewesen war: „Du vermutest also, daß du in die Himmel aufsteigen wirst, um dort irgend welche Belohnungen zu erhalten?" Justinus antwortete ihm: „Ich ver‍mute es nicht, sondern ich weiß es."

Den neunzigjährigen Bischof von Lyon, Pothi‍nus, fragte der Richter, wie der Christengott heiße, und erhielt zur Antwort: „Das wirst du erfahren, wenn du dessen würdig bist."

Wenn die Überredung nichts fruchtete, wurde die Folter angewendet. Die junge Blandina in Lyon wurde einen ganzen Tag lang ununterbrochen ge‍foltert. Sie wiederholte dabei nur: „Ich bin eine Christin. Bei uns geschieht nichts Böses."

Der Diakon Euplius in Catania wurde gefoltert, während ihm der Richter immer weiter zuredete. Seine kurzen Stoßseufzer wurden gewissenhaft zu Protokoll genommen. „Ich danke dir, Christus. Beschütze mich. Ich leide für dich." Der Richter: „Laß diesen Wahnsinn, Euplius. Bete die Götter an, dann bist du frei!" Euplius: „Christus bete ich an, die Dämonen hasse ich. Tu, was du willst. Ich bin ein Christ. Ich habe das längst gewünscht. Tu, was du willst! Auch noch mehr! Ich bin ein Christ." Nach einer Pause ließ der Richter von neuem mit der Folterung beginnen und sagte: „Opfere, wenn du frei werden willst!" Euplius sagte: „Ich bin daran, mich Christus zu opfern. Weiter kann ich nichts tun. Du bemühst dich um‍sonst. Ich bin ein Christ." Der Richter ließ die Folter verschärfen. Euplius sagte währenddessen: „Ich danke dir, Christus. Hilf mir, Christus. Ich leide für dich, Christus." Dann heißt es weiter im Protokoll: „So sagte er öfters. Und als ihn die Kräfte verließen, redete er mit den Lippen, ohne Stimme, diese und andere Worte."

Nach der Folterung wurden die Martyrer wieder ins Gefängnis zurückgebracht um für weitere Ver‍

höre aufbewahrt zu werden, bis der Richter sich entschloß, das Urteil zu sprechen.

Der Urteilsspruch geschah mit einer gewissen Formalität. Die Angeklagten wurden ein letztesmal vorgeführt und gefragt, ob sie auf ihrer Weigerung beharrten. Dann zog sich der Richter mit seinen Beisitzern hinter einen Vorhang zurück und diktierte dort die Sentenz, die vom Schreiber mit großen Buchstaben auf eine Tafel geschrieben wurde. Dann trat der Richter wieder heraus, setzte sich auf seinen Richterstuhl und las von der Tafel die Sentenz vor. Zuweilen sprach er vorher einige Worte zur Begründung des Urteils. So der Proconsul Galerius Maximus bei der Verurteilung Cyprians: „Du hast lang in gotteslästerlichem Geist gelebt, hast viele Menschen in gleichem Sinn um dich gesammelt und bist als Feind der römischen Götter und der heiligen Zeremonien aufgetreten. Die frommen und heiligen Herrscher, die Augusti Valerianus und Gallienus und der erhabene Cäsar Valerianus (der Jüngere) konnten dich nicht zur Beobachtung ihrer Zeremonien zurückführen. Da du somit als Urheber größter Frevel und als Anführer erfunden worden bist, sollst du zum abschreckenden Beispiel dienen für die, die du in dein Verbrechen hineingezogen hast. Mit deinem Blut soll das Gesetz gesühnt werden."

Die eigentliche geschriebene Sentenz war dann ganz kurz: „Es ist beschlossen worden, den Thascius Cyprianus mit dem Schwert hinzurichten." Oder: „Speratus, Nartzalus, Cittinus, Donatus, Vestia, Secunda und die übrigen, die gestanden haben nach christlichem Ritus zu leben, werden, da sie trotz der ihnen angebotenen Möglichkeit zur Sitte der Römer zurückzukehren hartnäckig auf ihrem Standpunkt beharren, beschlußgemäß mit dem Schwert hingerichtet." Oder: „Ich befehle, den Christen Euplius, der die Befehle der Kaiser verachtet, die Götter lästert und sich nicht bessern will, mit dem Schwert hinzurichten."

Es ist eine verbreitete Ansicht, daß die meisten Martyrer durch wilde Tiere hingerichtet worden seien. Das kommt zum Teil davon, daß einige der besten und anschaulichsten Berichte, die wir aus dem Altertum haben, solche Tierkämpfe schildern, besonders die Akten von Lyon aus dem Jahr 177 und die von Karthago aus dem Jahr 202. Nun scheint der Fall tatsächlich nicht selten vorgekommen zu sein. Ignatius von Antiochia wurde unter Trajan dazu verurteilt, in Rom als „Tierkämpfer" aufzutreten. Auch für Polycarpus von Smyrna hätte das Volk wilde Tiere gewünscht, und die Bitte wurde nur deshalb nicht erfüllt, weil gerade vorher Tierkämpfe gegeben worden waren. Der Kampfruf, den Tertullian berichtet: „Die Christen dem Löwen!" zeigt, daß man das ganz natürlich fand. Tertullian witzelt darüber in seiner Weise: ein einziger Löwe würde doch nicht genügen, um alle Christen zu fressen. Noch aus der diokletianischen Verfolgung schildert Eusebius als Augenzeuge das Martyrium eines kaum zwanzigjährigen Jünglings durch wilde Tiere.[56]

Aus Rom wissen wir zuverlässig nur von einem einzigen Martyrer, daß er durch wilde Tiere hingerichtet wurde: Ignatius von Antiochia. Er wurde dazu eigens von Syrien in die Hauptstadt geschickt. Das entsprach der Übung. Ein Gesetz gestattete ausdrücklich, daß Verurteilte zu diesem Zweck in die Hauptstadt geschickt würden, „wenn sie kräftig und geschickt genug sind, um dem römischen Volk schicklicherweise vorgeführt zu werden".[57] Von dem greisen Bischof Ignatius dürfte man allerdings keine Sportleistungen in der Arena erwartet haben.

Danach möchte man sogar annehmen, daß Hinrichtungen durch Tiere in Rom häufiger waren als anderswo. Daß wir aus Rom sonst keine Nachrichten über derartige Martyrien besitzen, dürfte auf Zufall beruhen.

Im Altertum gab es drei Arten von Gebäuden für öffentliche Schaustellungen: die Theater, die Rennbahnen und die Amphitheater. Die Theater, von denen in Rom als eindruckvollstes Beispiel noch das Marcellustheater steht, kamen für Tierhetzen nicht in Betracht. Die Rennbahnen dagegen wurden auch zu Tierhetzen benützt. Im Circus Maximus in Rom war die Arena ursprünglich durch einen Graben von den Zuschauersitzen getrennt, um ein Ausbrechen der wilden Tiere zu verhindern. Später wurde dieser Graben jedoch ausgefüllt und es scheint, daß die Tierhetzen später nur mehr im Amphitheater stattfanden, das eigens dafür gebaut war. Außer dem Kolosseum gab es in Rom noch ein zweites, kleineres Amphitheater, das Amphitheatrum Castrense. Seine Außenmauer wurde von Aurelian in die Stadtmauer einbezogen und ist heute noch bei der Kirche S. Croce in Gerusalemme deutlich zu sehen. Das Martyrium der hl. Perpetua und ihrer Gefährten in Karthago fand in dem dortigen Amphitheatrum Castrense statt. In Rom dürfte jedoch der gewöhnliche Ort das Kolosseum gewesen sein.

Diese Vermutung stützt sich jedoch nur auf allgemeine Erwägungen. Wir haben kein einziges Zeugnis aus dem Altertum; nicht einmal in den Legenden wird das Kolosseum als Hinrichtungsstätte von Martyrern erwähnt. Auch im Mittelalter bestand in dieser Hinsicht keine Überlieferung. Erst vom 17. Jahrhundert an begann man die Arena des Kolosseums als einen durch das Blut der Martyrer geheiligten Boden zu betrachten.

Auf jeden Fall war die Hinrichtung durch wilde Tiere nicht das Gewöhnliche. Weitaus die meisten römischen Martyrer dürften mit dem Schwert hin= gerichtet worden sein. In den einzigen zwei Fällen, wo wir Prozeßakten besitzen, bei Justinus und Apollonius, ist das ausdrücklich bezeugt.

Bei Justinus heißt es, daß die Hinrichtung „am üblichen Ort" stattfand. Es wäre für uns wertvoll zu wissen, wo dieser Ort war. In alter Zeit fanden die gewöhnlichen Hinrichtungen auf dem Ager Esquilinus statt, vor der Porta Esquilina. Dieses Stadttor lag zwischen S. Maria Maggiore und der heutigen Piazza Vittorio Emmanuele, wo jetzt noch Reste der alten servianischen Stadtmauer zu sehen sind. Vor dem Tor war eine verrufene Gegend. Es befand sich dort ein großer Armenfriedhof, ferner waren dort zahlreiche Gruben, in die man gefallene Tiere und sonstigen Unrat warf, aber auch Leichen von Sklaven und hingerichteten Ver= brechern. Bei der Anlage der heutigen Via Napoleone III. sind über siebzig derartige pozzi zum Vorschein gekommen.[58] Die ganze Gegend war durch die Ausdünstungen verpestet, und der Name der Göttin Mephis, die dort in einem heili= gen Hain verehrt wurde, ist bis heute sprichwört= lich geblieben.

Auf diesem „Schindanger" war die alte Richt= stätte. Der Kaiser Augustus, der so viel für die Verbesserung und Verschönerung der Stadt unter= nahm, ließ, von Mäcenas beraten, auch diese Gegend sanieren und umgestalten. Er ließ Erde aufschütten, stellenweise bis zu acht Metern hoch, und auf dem so gewonnenen Boden entstanden zu beiden Seiten der verbreiterten Via Praenestina schöne Gartenanlagen. Horaz fand, man könne jetzt auf dem Esquilin, wo vor kurzem noch blei= chende Knochen herumgelegen hätten, nicht nur angenehm spazieren gehen, sondern dort auch gesund wohnen.[59]

Dennoch scheint der Richtplatz in dieser Gegend geblieben zu sein, denn Sueton erwähnt, daß unter Claudius die gewöhnlichen Hinrichtungen auf dem Esquilinischen Feld stattfanden.[60] Von der Stadtpräfektur dorthin war kein weiter Weg. Es ist wohl möglich, daß mancher römische Christ auf der heutigen Via Giovanni Lanza oder vielleicht richtiger auf der Via in Selci seine Via Crucis zurückgelegt hat.

Nur wissen wir nicht, ob das immer so geblieben ist. Für gewöhnlich wechseln zwar derartige Stätten nicht leicht ihren Ort, aber wir haben für die spätere Zeit keine wirklichen Anhaltspunkte. Wohl aber kam es vor, daß Christen anderswo als an der gewöhnlichen Stelle hingerichtet und verscharrt wurden, wie der von Damasus berichtete Fall von Marcellinus und Petrus beweist.

Jedenfalls waren die meisten Martyrien keine Triumphzüge, sondern unterschieden sich äußerlich durch nichts von der Hinrichtung eines beliebigen Verbrechers. An der sittlichen Größe des Martyrers ändert es jedoch nichts, ob er seine Standhaftigkeit bewahrt in der Arena vor einer tausendköpfigen tobenden Menge, oder von allen verlassen auf einem trostlosen Schindanger.

## VIII. KAPITEL

# DIE EUCHARISTIE

*Die Eucharistie*

Die Eucharistie war in der Martyrerzeit genau so wie heute der Mittelpunkt des kirchlichen Gottesdienstes ebenso wie der persönlichen Frömmigkeit des einzelnen. Über diese Tatsache besitzen wir reichliche Quellenzeugnisse bis in die allerälteste Zeit hinauf, und nicht wenige Spuren des eucharistischen Kultes finden wir auch in den Katakomben.

Schon die allerersten Christen der Pfingstgemeinde in Jerusalem „brachen das Brot in den Häusern", eingedenk des Auftrags des Herrn: „Tut dies zu meinem Andenken". Paulus „brach das Brot" in der Versammlung seiner Christen am frühen Morgen.[61] Und er schreibt an die Korinther: „Der Kelch der Segnungen, den wir segnen, ist er nicht die Mitteilung des Blutes Christi? Und das Brot, das wir brechen, ist es nicht die Teilnahme an dem Leibe des Herrn?"[62] Für den Apostelschüler und Martyrer Ignatius ist die Eucharistie in besonderer Weise das Zeichen der kirchlichen Einheit.[63]

Die älteste Beschreibung des Meßopferritus haben wir aus der Mitte des 2. Jahrhunderts von dem Philosophen und Martyrer Justinus. Die Feier findet am Sonntag statt. Zuerst werden Abschnitte aus dem Neuen und dem Alten Testament gelesen, worauf der „Vorsteher" eine Ansprache hält. Dann stehen alle auf zum Gebet und nach beendetem Gebet erteilen sie sich den Bruderkuß. Hierauf wird dem Vorsteher Brot und ein Becher mit

Wasser und Wein gebracht und er beginnt eine lange Danksagung (Eucharistia) zu sprechen. Am Schluß antwortet das ganze Volk: Amen. Nun teilen die Diakone von dem Brot und von dem mit Wasser gemischten Wein aus, über die die „Danksagung" gesprochen worden ist. „Diese Speise wird bei uns Eucharistia genannt, und niemand darf davon genießen, der unsere Lehre nicht glaubt und nicht so lebt, wie es Christus verordnet hat. Denn wir genießen das nicht wie ein gewöhnliches Brot und wie einen gewöhnlichen Trank, ... sondern es ist uns gelehrt worden, daß es das Fleisch und das Blut des fleischgewordenen Jesus ist".[64] Nach der Feier wird eine Kollekte für die Kirchenarmen gehalten.

Justinus schreibt für Heiden und gibt daher gewissermaßen eine äußere Beschreibung. Etwa 50 Jahre später ist die sogenannte Ägyptische Kirchenordnung verfaßt, die jetzt allgemein als Arbeit des Martyrers Hippolytus von Rom angesehen wird. Hier haben wir auch Gebetstexte. Nach der Darbringung der Opfergaben beginnt der Bischof jenen Dialog mit dem Volk, der heute noch in allen Liturgien die Einleitung zum Kanon bildet: Dominus cum omnibus vobis — Et cum spiritu tuo; Sursum corda vestra — Habemus ad Dominum; Gratias agamus Domino — Dignum et iustum. Dann folgt das eigentliche eucharistische Gebet, der Kanon, in den die Einsetzungsworte eingebettet sind. Nach „Tut dies zu meinem Andenken" fährt der Bischof fort: Recordantes igitur... (Heute: Unde et memores). Es ist jedoch noch kein feststehendes Textformular. Der Inhalt des langen Gebets ist bestimmt, aber die Formulierung ist der Improvisation des Zelebranten überlassen. Nur die Anfangs- und Schlußformeln stehen fest, wie das Sursum corda und die Entlassung der Gläubigen

## Die Eucharistie

am Ende: Abite in pace, (später: Ite missa est), ebenso die Überleitung zu den Konsekrations≠ worten.

Eine Ergänzung dazu bietet die dem frühen 3. Jahrhundert angehörende, wahrscheinlich in Syrien entstandene Didaskalie, die Anweisungen gibt für die Ordnung des Gottesdienstes. Der nach Osten zu gelegene Teil des Raumes ist für die Presbyter bestimmt. Sie sitzen zu beiden Seiten des bischöf≠ lichen Thrones. Bei den Laien sind Männer und Frauen getrennt, ebenso die Kinder, wenn sie nicht bei ihren Eltern sind. Einer der Diakone muß sich an der Eingangstür aufstellen, und später, wenn alle da sind, in dem Raum herumgehen und acht≠ geben, daß niemand an einem Platz ist, wo er nicht hingehört „und daß niemand flüstert oder schläft oder lacht oder Zeichen gibt".

An all das hat man für die ersten Jahrhunderte noch recht kleine Maßstäbe anzulegen. Der Gottes≠ dienst fand entweder in Privathäusern statt, oder wo schon eigene Kirchengebäude bestanden, waren sie noch recht bescheiden. Vor einigen Jahren ist in Dura Europos in Syrien eine christliche Kirche ausgegraben worden, die mit Sicherheit in die erste Hälfte des 3. Jahrhunderts datiert werden kann. Sie ist für uns jetzt das älteste Monument dieser Art. Dort sind mehrere Räume, darunter das Baptiste≠ rium, um einen kleinen Hof angeordnet. Der größte Raum, die eigentliche Kirche, ist knapp 5 Meter breit und 12 Meter lang. Im Jahr 303 wurde in einem Städtchen bei Karthago eine ganze Christen≠ gemeinde beim Gottesdienst überrascht und ver≠ haftet. Anwesend waren der Presbyter Saturninus, 3 Lektoren, 23 Männer und 15 Frauen. Die Ge≠ meinde hatte einen Bischof, der aber damals nicht zugegen war.

Natürlich waren in Rom viel größere Verhält≠

nisse. In Rom gab es im Jahr 251, wie wir aus jenem Brief des Papstes Cornelius wissen, außer dem Bischof 46 Presbyter, 7 Diakone, 7 Subdiakone und 94 niedere Kleriker, die genügten, um eine auch im heutigen Sinn recht ansehnliche liturgische Feierlichkeit zu entfalten. Wir wissen freilich nicht, ob diese vielen Kleriker jemals beim Gottesdienst gemeinsam auftraten, denn in Rom hatte sich das Hauskirchenwesen der apostolischen Zeit erhalten: Kleriker und Gläubige waren in verschiedene liturgische Gruppen in den sog. Titelkirchen verteilt.

Auf jeden Fall war alles noch viel einfacher als später. Es fehlte noch fast aller liturgische Prunk. Bischof und Klerus trugen beim Gottesdienst die gewöhnliche bürgerliche Kleidung. Es gab noch keine brennenden Altarkerzen, keinen Weihrauch, keinen eigentlichen Kirchengesang. Nur in der Ausschmückung des gottesdienstlichen Raumes scheint man schon früh eine gewisse Pracht entfaltet zu haben. Schon in der Apostelgeschichte werden die vielen brennenden Lampen erwähnt, in dem Raum, in dem Paulus das „Brotbrechen" feiert. In der diokletianischen Verfolgung ist öfters die Rede von kostbaren Gefäßen und andern wertvollen Kirchensachen.

Ein Kirchengesetz, daß alle Gläubigen am Sonntag der Messe beizuwohnen hätten, gab es in den ersten Jahrhunderten noch nicht; es war vielmehr eine Selbstverständlichkeit. Als im Jahr 303 der Priester Saturninus mit seiner kleinen Gemeinde verhaftet worden war, fragte der Proconsul von Karthago den Lektor Emeritus, in dessen Haus die Meßfeier gehalten worden war: „In deinem Haus hat gegen das kaiserliche Verbot die Versammlung stattgefunden?" Emeritus antwortete: „In meinem Haus haben wir die Feier des Herrn gehalten." — „Warum hast du die Leute hereingelassen?" —

„Weil es meine Brüder sind, und ich sie nicht ausschließen konnte." — „Du mußtest sie ausschließen." — „Ich konnte nicht, denn wir können nicht sein ohne Feier des Herrn."

Wer beim Gottesdienst anwesend war, empfing die Kommunion, mit Ausnahme der im Büßerstand befindlichen. Den Abwesenden wurde die Kommunion durch die Diakone ins Haus gebracht, was schon Justinus erwähnt. Die Gläubigen durften aber auch konsekrierte Hostien bei sich im Haus aufbewahren und an Tagen, wo keine Meßfeier stattfand, oder wo sie am Kirchgang verhindert waren, sich selbst die Kommunion reichen.

Wer schwer gesündigt hatte, wurde von der Kommunion ausgeschlossen, unter Umständen auf Jahre. Er hatte bestimmte Bußwerke zu verrichten und bekam beim Gottesdienst einen eigenen Platz angewiesen. Insofern war die Buße öffentlich, weil die ganze Gemeinde sah, daß der Betreffende von der Kommunion ausgeschlossen war. Die kirchliche Lossprechung fiel zusammen mit der Wiederzulassung zur eucharistischen Kommunion. Wenn ein Büßer vor der Zeit gefährlich erkrankte, wurde ihm jedoch die Kommunion als Viaticum gegeben, und damit war er losgesprochen, auch wenn er wieder genas. Manche wollten das nicht gelten lassen, aber Cyprian schreibt ganz trocken: „Wir können einen solchen doch nicht erwürgen", d. h. zum Sterben zwingen; wenn er losgesprochen ist, bleibt er losgesprochen.[65]

Im 3. Jahrhundert wollten einzelne Bischöfe den Sterbenden nur dann Lossprechung und Wegzehrung erteilen, wenn sie vorher lang und ausgiebig Buße geleistet hätten. Diese übertriebene Strenge wurde jedoch von den führenden Seelenhirten wie Papst Cornelius, Cyprian von Karthago und Dionysius von Alexandria eifrig bekämpft.

In einem Brief an den Bischof von Antiochia, der der strengeren Richtung zuneigte, erzählt Dionysius einen Fall, der sich vor kurzem in Alexandria zugetragen hatte. Ein alter Mann namens Serapion, der bis dahin stets ein braver Christ gewesen war, hatte sich in der decischen Verfolgung schwach gezeigt und war daher von den Sakramenten ausgeschlossen worden. Er erkrankte und lag tagelang ohne Bewußtsein. Als er endlich zu sich kam, schickte er seinen kleinen Enkel mitten in der Nacht, um einen Presbyter zu rufen. Der Presbyter lag selbst krank darnieder. Da aber der Bischof verordnet hatte, auf keinen Fall jemand ohne Wegzehrung sterben zu lassen, gab der Presbyter „ein wenig von der Eucharistie" dem Knaben, damit er es dem Großvater bringe. Der Knabe eilte nach Hause und reichte dem Alten, der ihn freudig begrüßte, die Kommunion. Wenige Augenblicke später war der alte Mann tot.[66]

Der Bischof von Alexandria findet darin, daß Gott diesen Mann gerade noch am Leben erhalten hatte, bis er die Wegzehrung empfangen konnte, eine Bestätigung für die mildere Praxis. Für uns aber ist die Geschichte dieses nächtlichen Versehganges ein höchst anschaulicher Zug aus dem eucharistischen Leben der Christen der Martyrerzeit.

Die langen Wartezeiten, die auch die mildesten Bischöfe über die Büßer verhängten, hatten den einen Nachteil, daß die Gläubigen oft gerade dann der Seelenspeise beraubt wurden, wenn sie sie am notwendigsten brauchten. Einem so einsichtigen Seelsorger wie Cyprian entging das keineswegs. Er hatte nach der decischen Verfolgung alle Gefallenen, und in Karthago zählten sie nach Tausenden, der überlieferten Kirchenzucht entsprechend von den Sakramenten ausgeschlossen und sich auch

## Die Eucharistie

durch ungestüme Bitten nicht bewegen lassen, sie vorzeitig loszusprechen, außer im Krankheitsfall. Im Winter 252/53 war zwar seit der Verfolgung kaum ein Jahr vergangen, und Cyprian hatte die Absicht gehabt, die Gefallenen noch länger Buße tun zu lassen. Aber nun mehrten sich die Anzeichen, daß auch der neue Kaiser Gallus wieder eine Verfolgung beginnen werde. Cyprian schrieb daher an Papst Cornelius, es scheine ihm an der Zeit „alle Soldaten Christi, die Waffen begehren und in den Kampf ziehen wollen, im Lager des Herrn zu versammeln". Er habe daher beschlossen, alle die bisher wirklich Buße getan hätten, jetzt zu den Sakramenten zuzulassen, und gibt dafür die schöne Begründung: „Denn dazu ist die Eucharistie da, daß sie den Empfangenden zum Schutz gereiche. Der Mut muß unterliegen, wenn ihn nicht der Empfang der Eucharistie aufrichtet und entzündet." [67]

Da die Eucharistie im Leben der alten Christen eine so große Rolle spielte, ist von vornherein anzunehmen, daß sich auch in den Katakomben Spuren davon finden, wenn wir auch ihrem Charakter als Begräbnisstätten entsprechend nicht zu viel erwarten dürfen.

In erster Linie steht hier der berühmte Martyrer der Eucharistie, Tarsicius.

Sein Grab im Zephyrinusmausoleum ist durch den Kult hinlänglich bezeugt. Für die näheren Umstände seines Martyriums haben wir das Epigramm des Damasus, dessen Erzählung so charakteristisch ist und so sehr von den später üblichen Legendenmotiven abweicht, daß wir sie getrost für ein historisches Faktum halten dürfen. Damasus erzählt hier, daß Tarsicius „die Sakramente Christi" getragen habe. „Der wütende Pöbel drängte ihn, sie den Unheiligen zu zeigen. Er aber wollte lieber unter den Schlägen sein Leben verlieren, als die himmlischen Glieder den wütenden Hunden überliefern."

Wir wüßten gern, wer Tarsicius war. Damasus vergleicht ihn mit dem Erzmartyrer Stephanus, der ebenfalls von einem wütenden Haufen getötet wurde, und spricht beiden „gleiches Verdienst" zu. Die sonstigen Umstände sind verschieden: Stephanus wurde von den Juden getötet; der Anlaß war, daß er ihnen den Glauben gepredigt hatte; er wurde gesteinigt, so daß ihm die Feinde gewissermaßen selbst das Grabdenkmal errichteten; er war der erste aller Martyrer; er war ein „treuer Levit". Dem stellt nun Damasus die Erzählung von Tarsicius gegenüber, bei dessen Martyrium die Einzelheiten anders sind, aber das Verdienst dasselbe. So ist das Epigramm aufgebaut.

Daraus möchte man schließen, daß Tarsicius kein „Levit" war, sondern ein Laie. Bei einem solchen ist das Tragen der heiligen Geheimnisse zwar etwas Ungewöhnliches, aber es ist nicht unmöglich, wie der Fall beweist, den Dionysius von Alexandria erzählt. Gewöhnlich trugen die Diakone die Eucharistie zu den Kranken. Das Fermentum, die konsekrierten Partikeln, die beim Gottesdienst in den Titelkirchen verwendet wurden, trugen, wenigstens zur Zeit des Papstes Innozenz I. (401—417), die Akolythen. Beide, Diakone und Akolythen waren erwachsene Männer. Knaben wurden nur zum Lektorat zugelassen, aber wir haben keine Nachricht, daß man Lektoren die heiligen Geheimnisse anvertraute.

Die spätere Legende, die aber augenscheinlich nichts weiter ist als eine Ausschmückung der Damasusinschrift, hat Tarsicius tatsächlich zu einem Knaben gemacht, und in dieser Gestalt ist er dann durch Wisemans „Fabiola" berühmt geworden, als der heilige Ministrant, der martire chierichetto. Es ist durchaus möglich, daß das der Wirklichkeit entspricht. Auf jeden Fall ist an der Tatsache dieses außergewöhnlichen Martyriums nicht zu zweifeln.

Die Damasusinschrift zeigt uns aber auch mit voller Klarheit, daß die alten Christen an die wirkliche Gegenwart Christi im Sakrament glaubten, nicht nur im Augenblick der Darbringung des Opfers oder der Kommunion. Sie waren der Überzeugung, daß die „himmlischen Glieder" Christi, wie sich Damasus ausdrückt, jederzeit unter den konsekrierten Gestalten verborgen sind.

Eine Frage, die den heutigen Besuchern der Katakomben besonders am Herzen zu liegen pflegt, ist die, ob und wann und wie in den Katakomben das Meßopfer gefeiert wurde. Die Frage ist für unsere Kenntnis des alten Christentums von untergeordneter Bedeutung, da wir wissen, daß die regelmäßige eucharistische Feier in den ersten Jahrhunderten in der Stadt, in den später sogenannten Titelkirchen, gehalten wurde. In den Cömeterien handelt es sich also nicht um den eigentlichen Gemeindegottesdienst, sondern um die Totenliturgie, vom Ende des 3. Jahrhunderts an um Martyrergedächtnisse und schließlich um die Möglichkeit eines geheimen Gottesdienstes während der Verfolgungszeiten.

Vom 4. Jahrhundert an, als die großen oberirdischen Cömeterialbasiliken entstanden, wurde von den dort eigens angestellten Presbytern das hl. Opfer regelmäßig dargebracht.[68] In einzelnen Cömeterien sind jedoch auch Räume, die man gern als „unterirdische Basiliken" bezeichnet. Eine solche besteht im Cömeterium Maius an der Nomentana. Nahe bei der Eingangstreppe sind zu beiden Seiten des Ganges je zwei Cubicula miteinander verbunden. Ihre Wände enthalten Gräber. An die Längsachse des so entstandenen vierteiligen Raumes schließt sich noch ein fünftes Cubiculum an, ohne Gräber. In diesem ist eine Cathedra und rechts und links davon an der Wand entlanglaufende Bänke im Tuff ausgehauen. Daß es sich hier um einen Raum handelt, in dem das eucharistische Opfer gefeiert wurde, ist sehr wahrscheinlich; nur stammt die ganze Anlage erst aus dem 4. Jahrhundert.[69] Ebenso gehört der Altar in der Krypta des hl. Pamfilus an der Salaria Vetus erst dem 5. oder 6. Jahrhundert an.[70]

Daß sich in den Krypten nirgends Altäre finden, ist noch kein Beweis dafür, daß dort niemals Messe gefeiert worden wäre. Man hat lange Zeit in den Arkosolgräbern, den sogenannten Sepolcri a mensa, solche Altäre sehen wollen und sich vorgestellt, das Meßopfer sei auf der waagrecht liegenden Grabplatte unter dem Arkosolbogen gefeiert worden. Aber viele dieser Gräber scheinen für einen solchen Zweck gänzlich ungeeignet, weil sie viel zu hoch oder zu tief liegen und mitunter in ganz schmalen Gängen angebracht sind. Es ist aber vielleicht nicht notwendig, nach Altären zu suchen, da in der älteren Zeit ein stehender Altar für die Darbringung der Eucharistie nicht wesentlich war.

Zwar redet schon Paulus vom „Tisch des Herrn"[71] im Gegensatz zum „Tisch der Dämonen"; Cyprian von dem „andern Altar", den der Schismatiker aufrichtet; Ignatius gebraucht sogar den Ausdruck „Opferaltar" (Thysiasterion). Aber damit ist nur der eucharistische Opfer- und Speiseritus überhaupt bezeichnet, nicht ein bestimmtes liturgisches Gerät. Das war gerade einer der Gründe, warum man die Christen für „Gottlose" hielt, daß sie keine Tempel und keine Altäre hatten.⁷² Irgend eine Unterlage brauchte man wohl, um das Linnentuch darauf zu breiten und den Kelch darauf zu stellen. Aber es gab noch kein Meßbuch, das von einer Seite zur andern getragen wurde, und keine Altarkerzen. Daher genügte eine kleine Fläche, wie sie ein beliebiger Tisch oder Ständer oder Steinsockel bot. In der Darstellung in den sogenannten Sakramentskapellen in Callisto liegt der Ichthys mit den Broten auf einem runden, dreifüßigen Tisch, jener Tischform, die uns im altrömischen Hausrat so oft begegnet.⁷³ In den gnostischen Thomasakten wird eine Geschichte erzählt, wo zur eucharistischen Feier eine gewöhnliche Hausbank benützt wird.⁷⁴ Im Notfall konnte man sich auch ganz ohne stützende Fläche behelfen. Der Bischof Theodoret von Cyrus († 458) erzählt, er habe einmal in der Zelle eines Einsiedlers die Eucharistie gefeiert, wo es an allen Einrichtungsgegenständen fehlte. Er ließ daher einfach die heiligen Gefäße von seinen Diakonen in den Händen halten.⁷⁵ Der Presbyter Lucianus in Antiochia war im Gefängnis an den Boden gefesselt und brachte das Meßopfer liegend dar, indem er die heiligen Gefäße auf seine eigene Brust stellte.⁷⁶ Es ist daher denkbar, daß man auch in den Katakomben die Eucharistie feierte, ohne daß wir heute auf Spuren von dauernd aufgestellten, steinernen Altären zu stoßen brauchen.

Allerdings ist die bloße Möglichkeit noch kein Beweis dafür, daß es wirklich geschehen ist. Positive Zeugnisse für Eucharistiefeiern in den Katakomben vor Errichtung der oberirdischen Basiliken haben wir nicht.

Am ehesten käme die Totenliturgie in Betracht, die jedenfalls in möglichster Nähe des Grabes gefeiert wurde. Aber wir kennen den Ritus nicht und wissen nicht, welche Stelle die Eucharistie dabei einnahm. Es ist wahrscheinlich, daß bestimmte Gedenktage auch mit Darbringung der Eucharistie gefeiert wurden. In den apokryphen Johannesakten, die vielleicht noch dem 2. Jahrhundert angehören, wird erzählt, daß Johannes „am dritten Tag" an das Grab der Drusianna kam, „damit wir dort das Brot brächen". Tertullian erwähnt in seiner Schrift de Oratione[77] von einem seltsamen Bedenken mancher Gläubigen: an Fasttagen dürfe man nicht zum hl. Opfer kommen, da durch den Empfang der Kommunion das Fasten verletzt werde. Da sonst an Fasttagen keine Messe gefeiert wurde, kann es sich nur um ein zufälliges Zusammentreffen handeln, und das war am ehesten möglich, wenn ein Totengedächtnis auf einen Fasttag fiel.

Daß die Regierung die Cömeterien seit der Mitte des 3. Jahrhunderts mit Argwohn betrachtete, hing ohne Zweifel zusammen mit dem damals aufkommenden Martyrerkult, den man als Demonstration gegen die Verfolgungsgesetze auffassen konnte. Diese Meinung konnte besonders dann entstehen, wenn an den Gräbern der Martyrer wirkliche gottesdienstliche Feiern stattfanden, und diese waren dann wahrscheinlich mit der Eucharistiefeier verbunden.

Es besteht also eine gewisse Wahrscheinlichkeit, daß in den Katakomben die Eucharistie für die Verstorbenen und später auch zu Ehren der Martyrer gefeiert wurde. Dagegen ist die früher so beliebte Vorstellung, daß in Verfolgungszeiten der regelmäßige Gemeindegottesdienst in den unterirdischen Cömeterien gehalten worden sei, heute allgemein aufgegeben. In den Cömeterien sind nirgends Räume vorhanden, die für eine einigermaßen zahlreiche Gemeinde Platz boten. Die Sicherheit war in den Cömeterien nicht größer

## Die Eucharistie

als in den Stadtkirchen, eher geringer. Die Cömeterien waren der Polizei bekannt, bei den Stadtkirchen war das nicht notwendig der Fall. Es waren Räume in Privathäusern, die sich äußerlich durch nichts unterschieden. In den Cömeterien konnte sich wohl ein einzelner Mann verstecken, nicht aber ganze Scharen von Gläubigen, die den Weg durch die Stadttore und auf der offenen Landstraße hin und zurück machen mußten. In einem Privathaus ließ sich eine heimliche Versammlung viel leichter bewerkstelligen. Wenn die Polizei einem solchen Haus auf die Spur kam, konnte man den Gottesdienst in ein anderes verlegen.

Wir haben denn auch kein zuverlässiges Zeugnis aus dem Altertum dafür, daß in den Cömeterien Gemeindegottesdienst gehalten worden wäre. Der einzige Fall, der vielleicht in dieser Richtung deutet, ist das Martyrium des Papstes Xystus. Die Verhaftung fand im Cömeterium statt, während der Papst predigte. Der Bischof predigte jedenfalls in Verbindung mit dem eucharistischen Gottesdienst und schwerlich auf freiem Feld. Den Anlaß zu diesem von den Verfolgern gestörten Gottesdienst kennen wir nicht, aber nach den ganzen Umständen handelte es sich um einen Ausnahmefall.

## IX. KAPITEL

## DIE TAUFE

*Die Taufe*

Man wird nicht eigentlich behaupten dürfen, daß die Taufe im christlichen Altertum eine wichtigere Rolle gespielt hätte als heute. Die theologische Wertschätzung der Taufe als des Sakraments der Wiedergeburt und der Eingliederung in die Kirche ist heute so lebendig wie zur Zeit Tertullians und Cyprians. In den Familien wird die Taufe eines Kindes als Fest gefeiert und mit liebevoll umhüteten Bräuchen umgeben. Das christliche Volk betrachtet es als den Höhepunkt der Religionsfeindlichkeit und Gottlosigkeit, wenn einer seine Kinder nicht taufen läßt.

Ein Unterschied besteht darin, daß im Altertum die Taufen von Erwachsenen verhältnismäßig häufiger waren als heute. Wir dürfen uns jedoch nicht vorstellen, daß die alten Christengemeinden lediglich aus Konvertiten bestanden hätten. Überall gab es zahlreiche Christen, die in christlichen Familien geboren und bald nach der Geburt getauft worden waren. Wenn der Bischof Polycarpus von Smyrna im Jahr 156 vor dem Richter sagt, daß er schon sechsundachtzig Jahre lang dem Herrn diene, so heißt das, daß er so lang Christ war, also die Taufe in frühester Jugend empfangen hatte. Die ältesten uns erhaltenen Gottesdienstordnungen, wie die Didaskalie aus dem Anfang des 3. Jahrhunderts, reden von den Kindern, die in der Kirche ihre eigenen Plätze haben und beim ganzen Gottesdienst anwesend, also getauft sind. Im Altertum wurde auch den ganz kleinen Kindern sogleich nach der Taufe die Eucharistie gereicht. Cyprian redet[78] von einer puella parvula, die „noch nicht zum Gebrauch der Vernunft gelangt war" und die Kommunion empfing. Derselbe Cyprian wendet sich gegen die seltsame Auffassung einiger, daß man die Taufe erst am achten Tag nach der Geburt spenden solle, weil das der Termin der alttestamentlichen Circumcisio gewesen sei: der Bischof von Karthago sieht darin keinen Grund, warum man nicht die Taufe am zweiten oder dritten Tag nach der Geburt erteilen soll.[79]

Unter diesen Umständen möchte man sich wundern, daß die Taufe auf den Katakombeninschriften so oft erwähnt wird. Diese Inschriften stammen nämlich größtenteils aus dem 4. Jahrhundert, als es auch in christlichen Familien Brauch wurde, die Taufe möglichst lang hinauszuschieben. Da finden wir dann nicht nur Grabschriften wie die des kleinen Aristo, der im Jahr 389 im Alter von acht Monaten als Neofitus starb,[80] sondern solche von viel älteren Kindern, wie die des neunjährigen Romanus, der im Jahr 371 als Neugetaufter starb.[81]

Auf den Katakombeninschriften kommt übrigens selten das Wort baptismus oder baptisma vor. Gewöhnlich werden Ausdrücke verwendet wie fidem accepit, accepta gratia Dei, oder kurz accepit, consecutus est. Noch häufiger ist die Bezeichnung Neophytus, wörtlich „der Neugepflanzte" oder Neophotistus, „der Neuerleuchtete".

Die Gläubigen der Pfingstgemeinde in Jerusalem wurden natürlich sofort getauft. Aber schon der Apostel Paulus scheint seine Neubekehrten erst eine Wartezeit haben durchmachen lassen.[82] Justinus im 2. Jahrhundert erwähnt eine längere Vorbereitung auf die Taufe[83], und bei Tertullian erscheint zum erstenmal der Name Katechumenen.[84]

## Die Taufe

Derselbe Tertullian[85] spricht auch von den beiden Terminen Ostern und Pfingsten für die feierliche Taufe, fügt aber hinzu, für den Empfang der Gnade sei jeder Tag und jede Stunde gleich.

Im 4. Jahrhundert erreicht die feierliche Taufvorbereitung ihren Höhepunkt. Man unterschied jetzt zwischen den Katechumenen im allgemeinen und den Competentes oder Photizomenoi, die sich zum Empfang der Taufe am nächsten Ostertermin gemeldet hatten. Für diese begann die eigentliche Vorbereitung mit der Quadragesima. Wenn die Liste der Competentes zusammengestellt war, begannen vor dem Bischof die Skrutinien. Diese finden sich schon bei Hippolyt im 3. Jahrhundert. Bei jedem einzelnen wurde geprüft, ob er geeignet sei, vor allem hinsichtlich seiner Berufstätigkeit. Wahrsager, Tempeldiener, überhaupt alle, die irgendwie mit dem heidnischen Kult in Beziehung standen, wurden ausgeschlossen, ebenso alle, die bei den öffentlichen Spielen auftraten, Schauspieler, Gladiatoren und Berufs-Sportleute. Mit diesen scheint man jedoch im 4. Jahrhundert milder geworden zu sein. Von den Schullehrern sagt schon Hippolyt in seiner Kirchenordnung, man könne sie zur Taufe zulassen, wenn sie sonst keinen Unterhalt besäßen. Bei allen Verheirateten mußten die Eheverhältnisse in Ordnung gebracht werden.

Dann begann der eigentliche Unterricht. Täglich mußten alle zur Katechese des Bischofs erscheinen. Das Glaubensbekenntnis wurde auswendig gelernt und abgehört. An diesen Katechesen durften die schon früher Getauften als Zuhörer teilnehmen, und sie taten es, wie die Pilgerin Aetheria aus Jerusalem berichtet, mit großem Eifer. Während dieser Zeit fanden auch wiederholte Segnungen und Exorzismen und andere liturgische Zeremonien für die Taufbewerber statt.

In der Nacht vom Karsamstag auf den Ostersonntag wurde dann vom Bischof im Baptisterium die Taufe gespendet, und am Ostermorgen empfingen die Neugetauften zum erstenmal die eucharistische Kommunion. In der ganzen Osterwoche mußten sie noch beisammen bleiben. Angetan mit dem weißen Gewand, das sie nach der Taufe erhalten hatten, erhielten sie vom Bischof die letzten Katechesen, die sogenannten mystagogischen, das heißt, einen eingehenden Unterricht in den eigentlichen Mysterien, besonders der Lehre von der Eucharistie, über die man den Katechumenen nur vorläufige Andeutungen gemacht hatte.

Dieser feierliche Unterricht setzt natürlich Erwachsene voraus. Tatsächlich brachte das Aufhören der blutigen Verfolgungen im 4. Jahrhundert einen gewaltigen Zustrom von Neuchristen. Aber gleichzeitig kam auch in christlichen Familien die Unsitte auf, die Taufe der Kinder möglichst hinauszuschieben. Das hing zum Teil zusammen mit der immer strenger werdenden Bußpraxis. Das Bußsakrament wurde in ähnlich feierlicher Weise ausgestaltet wie die Taufe, so daß es geradezu als einmaliger Abschluß der ganzen Lebensbuße erschien. Es entstand die Auffassung, daß man die Lossprechung, wenigstens die feierliche, überhaupt nur einmal im Leben erhalten könne, und das wollte man dann möglichst gegen Ende des Lebens haben. Noch zu Cyprians Zeit bemerkt man davon nichts. Bei den vielen Lapsi aus der decischen Verfolgung machte es für ihre Lossprechung keine Schwierigkeit, ob sie vorher schon einmal Kirchenbuße geleistet hatten. Nun aber, als man mit dem Bußsakrament so viel zurückhaltender geworden war, entstand der Wunsch, die Taufe bis ins reifere Alter hinauszuschieben, um so wenigstens die Sünden der Jugend der Notwendigkeit einer Los-

sprechung im Bußsakrament zu entziehen. So ent≠
stand die Unsitte der Dauer≠Katechumenen, die
sich als Christen betrachteten, aber von Jahr zu
Jahr zögerten, sich zum Empfang der Taufe zu
melden. Mit Staunen hören wir, wie selbst eifrige
christliche Eltern diesem Mißbrauch huldigten. Der
hl. Augustinus erzählt, daß er als Knabe in eine
schwere Krankheit fiel und nach der Taufe ver≠
langte. Aber seine Mutter, die hl. Monika, fand
es geratener, mit dem Empfang der Taufe bis zum
äußersten zu warten. Vielleicht hätte er sich all
die Irrwege seines späteren Lebens erspart, wenn
er damals getauft worden wäre. Auch andere Hei≠
lige jener Zeit, wie Basilius und Chrysostomus,
die beide heilige Mütter hatten, empfingen die
Taufe erst als Erwachsene. Ambrosius wurde über≠
haupt erst getauft, als er schon zum Bischof ge≠
wählt war.

Von diesem Hinausschieben der Taufe bis ins
reifere Alter, wenn nicht gar bis aufs Sterbe≠
bett, haben wir viele Beispiele, besonders bei
hochgestellten Persönlichkeiten. Kaiser Konstantin
empfing die Taufe erst wenige Tage vor seinem
Tod, ebenso sein Sohn Konstantius. Auch jener
Stadtpräfekt Junius Bassus, dessen schöner Sarko≠
phag in den vatikanischen Grotten steht, starb im
Alter von 42 Jahren im Jahr 359 als Neophytus,
wie seine Inschrift meldet. Es konnte nicht aus≠
bleiben, daß manche dieser Dauer≠Katechumenen
vom Tod überrascht wurden, ehe sie die Taufe
empfangen konnten. Auch davon liefern die Kata≠
kombeninschriften traurige Beispiele, einen Bonifas,
der im Jahr 397 mit vierzig Jahren als Kate≠
chumene starb,[86] einen Griechen Andragathoes,
Katechumene mit 35 Jahren,[87] eine Sozomena, die
als Audiens, d. h. Katechumene ohne Vorbereitung
auf die Taufe vom Tode ereilt wurde[88] und andere.

Sicher war dieses ungebührliche Hinausschieben der Taufe ein schwerer Mißbrauch, und wir wundern uns, daß selbst einsichtige und eifrige Seelsorger nicht energischer dagegen auftraten. Anderseits ist nicht zu leugnen, daß dieser Mißbrauch auch heilsame Folgen hatte. Es hat wohl kaum eine Zeit gegeben, in der die Vorbereitung auf die Taufe so ernst und nachdrücklich betrieben und das Sakrament selbst so eindrucksvoll erteilt wurde, wie gerade im 4. Jahrhundert. Einige der kostbarsten Väterschriften, wie die Katechesen von Cyrillus von Jerusalem, Ambrosius, Gregor von Nyssa, wären vielleicht nie geschrieben worden, wenn damals die meisten Christen im Kindesalter getauft worden wären. Wir haben hier einen ähnlichen Fall wie bei dem ungebührlich langen Hinausschieben der Erstkommunion im 19. Jahrhundert, das ebenfalls eine außergewöhnlich ernste und tief wirkende Vorbereitung auf dieses Sakrament mit sich brachte.

Wie die Taufzeremonie in Rom in der „großen Nacht" im Lateran gehalten wurde, läßt sich aus den liturgischen Quellen, besonders dem Ordo Romanus VII und dem Gelasianischen Sacramentarium vollständig rekonstruieren. Allerdings bekommen wir damit die Feier des 5. und 6. Jahrhunderts, also der Zeit der höchsten liturgischen Entfaltung. In der vorausgehenden Zeit hat man sich manches entsprechend einfacher zu denken.

Die Ostertaufe zog einen Volksstrom aus dem ganzen christlichen Rom zum Lateran, in dem zugleich päpstliche Station gehalten wurde. An keinem Tag und in keiner Nacht schloß die lateranensische Basilika so viel Volk in ihre Hallen wie bei der ehrwürdigen Handlung der Vigil, der Taufe und der Meßliturgie an jener Feier. Der christliche Dichter Prudentius, der in den ersten Jahren des

5. Jahrhunderts Rom besuchte, schildert die „langen Züge der Gläubigen, die an den ehemaligen Göttertempeln vorbei zu den lateranischen Bauten eilen, um das heilige Zeichen durch königliches Chrisma zu erhalten". Mit dem Ausdruck Chrisma weist er auf das Sakrament der Firmung hin, das den Neophyten unmittelbar nach der Taufe erteilt wurde.

Am Karsamstag Abend zogen der Papst, der ganze Klerus und die Täuflinge mit ihren Paten in die Basilika ein. In Konstantinopel wurden an Ostern 404 gegen dreitausend Katechumenen getauft.[89] Für Rom dürfen wir um diese Zeit eine ähnliche Zahl annehmen. Nach dem Einzug bestieg ein Diakon den Ambon und begann das Praeconium paschale, das heutige Exultet. Das Licht Christi war bereits im 6. Jahrhundert durch die Osterkerze versinnbildlicht. Nun wurden sämtliche Lichter in der menschengefüllten Kirche entzündet. Es war eine dramatische Vorführung des von Christus in die Welt gebrachten Lichtes, und sie war in der glänzenden Lateranbasilika um so wirkungsvoller, als die reichen Marmorsäulen, die mit polierten Steintafeln belegten Wände, die vergoldete Flachdecke des Raumes, die goldenen und silbernen Weihegegenstände des Hauptaltars und die für den Tag eigens angebrachten Zierden der sieben Hilfsaltäre in dem hellen Schein, der die Räume durchfloß, gleichsam im Wetteifer widerleuchteten. Bei der dann folgenden Weihe des Taufwassers wurde die brennende Osterkerze in das Wasser eingetaucht. So zog man die symbolische Bedeutung des Lichtes in die Riten der Taufe hinein, ein Beispiel, wie in dieser „großen Nacht" überhaupt die Feier des Auferstandenen und die des Taufsakraments in den Einzelheiten der Handlungen ineinandergriff.

Nach den langen Lesungen aus dem Alten Testament zogen die Täuflinge mit dem Papst und seinem Klerus aus der Basilika zu der anstoßenden Taufkirche, wahrscheinlich durch einen eigenen Ausgang in der Apsis der Basilika. Im Baptisterium wurde die Weihe des Taufwassers vorgenommen, und nun begann der eigentliche Taufakt.

Der Archidiakon führte die Täuflinge, einen nach dem andern, zum Papst, dem jeder noch einmal durch bejahende Antwort kurzer Fragen seinen Glauben bekannte. Dann stieg der Betreffende in das Taufwasser, das aber nur so hoch war, daß es die Füße bedeckte. Dreimal wurde er mit Wasser übergossen, wobei die Tauformel gesprochen wurde. An der Hand seines Paten stieg er dann aus dem Wasser und legte das weiße Gewand an, das er bis zur Dominica in Albis behielt. Es folgte die Firmung, und zwar seit der Zeit des Papstes Hilarus (461—468) in dem anstoßenden eigens dafür errichteten Oratorium des Hl. Kreuzes.

Inzwischen war es früher Morgen geworden, und man zog in Prozession zur Basilika zurück, wo das Meßopfer gefeiert wurde, und die Neugetauften zum erstenmal die Kommunion empfingen. Damit war die Feier im Lateran zu Ende, die der heutigen Karsamstagsliturgie entspricht. Die eigentliche Ostersonntagsmesse wurde in S. Maria Maggiore gehalten.[90]

Das lateranensische Baptisterium steht im ganzen noch so, wie es von Papst Xystus III. (432—440) errichtet wurde. Oberbau und Kuppel sind von den Renaissancepäpsten erneuert worden, aber die schönen acht Porphyrsäulen über dem Taufbecken sind ursprünglich. Das Oktogon Xystus des Dritten steht aber auf älteren Grundmauern, nämlich denen des Baptisteriums aus der konstantinischen Zeit, das ein Rundbau war mit demselben Durchmesser der späteren achteckigen Anlage. Die neuesten von J. B. Giovenale durchgeführten Ausgrabungen haben ferner festgestellt, daß auch dieses unter Papst Silvester (314—336) errichtete Baptisterium nicht das älteste an dieser Stelle ist. Darunter kamen nämlich noch Fundamente eines älteren Rundbaues von viel kleinerem Durchmesser zum Vorschein. Dieses vorkonstantinische Baptisterium war in einen Thermensaal des lateranensischen Palastes eingebaut.[91] Wann ist dieses vorkonstantinische Baptisterium entstanden?

Wir wissen, daß Papst Melchiades (311—314) im Jahr 313 im Lateranpalast ein Konzil gehalten hat. Es ist anzunehmen, daß Konstantin damals schon den Palast dem Papst geschenkt hatte. Konstantins Gattin Fausta hatte ihn von ihrem Vater, dem Kaiser Maximianus Herculeus, geerbt. Es ist möglich, daß Melchiades dort das erste Baptisterium eingerichtet hat, das allerdings bereits sein Nachfolger Silvester durch einen größeren Bau ersetzte. Es wäre jedoch auch denkbar, daß das vorkonstantinische Baptisterium schon früher bestanden hätte. Die alten Aedes Lateranorum waren nämlich ein weitläufiger, aus verschiedenen Bestandteilen zusammengesetzter Gebäudekomplex geworden. Septimius Severus (193—211) hatte dort eine Kaserne für die berittene kaiserliche Leibgarde, die Equites singulares, errichtet. Konstantin löste nach der Schlacht an der Milvischen Brücke dieses Korps auf und errichtete gerade auf dem Territorium der Kaserne die große Lateranbasilika, wie Josi festgestellt hat.[92] In der langen Friedenszeit vor 303 und bei ihren damaligen guten Beziehungen zum Kaiserhof könnten die Christen in einem Teil des vielgestaltigen Gebäudes einen Kultraum besessen haben. Damit wäre auch erklärt, warum Konstantin später den ganzen Palast den Christen schenkte und gerade an dieser Stelle die große Basilika erbaute. Wie immer dem sein mag, so viel ist sicher, daß spätestens seit 313 sich an dieser Stelle das päpstliche Baptisterium befand und daß diese Tradition seitdem nicht mehr unterbrochen wurde. Auch heute noch wird dort getauft.

Ob jemals in den unterirdischen Katakomben getauft wurde, wissen wir nicht. Es bestehen an mehreren Stellen in den Cömeterien Brunnen= schächte, aus denen Grundwasser geschöpft werden konnte, aber es deutet nichts darauf hin, daß dieses Wasser zum Taufen verwendet worden wäre. Die einzige unterirdische Taufkapelle besteht im Cöme= terium Pontiani an der Via Portuensis, aber sie wurde im 5. oder 6. Jahrhundert in einem schon vorhandenen Raum eingerichtet, zum Gebrauch der Campagna=Bevölkerung, und stand wahrscheinlich in Beziehung zu der Cömeterialkirche.[93]

X. KAPITEL

## DAS VOLK GOTTES

*Das Volk Gottes*

Bei einer gewöhnlichen Katakombenführung bekommt der Rompilger kaum einige Dutzend altchristlicher Inschriften zu sehen. Er erhält daher keine rechte Vorstellung von der Menge und der Bedeutung des erhaltenen inschriftlichen Materials. De Rossi hatte seinerzeit die aus dem römischen Boden stammenden christlichen Inschriften auf 15.000 geschätzt. Heute dürfte die Zahl 20.000 längst überschritten sein. Weitaus die meisten davon stammen aus den Cömeterien, aber heute befindet sich dort nur mehr ein geringer Teil. Die übrigen sind in Museen gewandert, in Rom und anderen Städten Italiens, auch ins Ausland. In Rom sind viele Inschriften in den Vorhallen der alten Basiliken eingemauert und daher leicht zu sehen, wie in S. Maria in Trastevere, S. Silvestro, und in den Kreuzgängen von S. Paolo, S. Lorenzo, S. Quattro Coronati, die förmliche altchristliche Museen sind. Viele Inschriften sind aber auch seit der Auffindung wieder verloren gegangen und nur in Abschriften erhalten.

Leider existiert noch immer keine Gesamtausgabe der christlichen Inschriften. Von den neueren Publikationen ist grundlegend die Sammlung von De Rossi Inscriptiones christianae Urbis Romae, 1857 begonnen, fortgesetzt von Gatti und von Silvagni. Die bequemste Ausgabe ist die von Diehl: Inscriptiones latinae christianae veteres 3 Bände 1925—1931, die auch die außerrömischen Inschriften heranzieht, aber die griechischen ausschließt.

Daneben ist man auf Einzelpublikationen angewiesen.

Die meisten christlichen Inschriften sind leicht lesbar. Sie werden zwar im allgemeinen vom 4. Jahrhundert an schlechter, sowohl was Orthographie und Grammatik angeht, als auch in der Schriftform. Aber auch die späteren sind noch so, daß selbst der Laie sie gewöhnlich entziffern kann. Eine Ausnahme machen die in Kursive geschriebenen Graffiti, die ein eigenes Studium erfordern.

Bei den römischen christlichen Inschriften herrscht die lateinische Sprache bei weitem vor. Merkwürdigerweise findet man nicht selten lateinische Inschriften mit griechischen Buchstaben geschrieben, wie jene aus dem Jahr 269: Λευκες φελειε Σεβηρε καρεσσεμε ποσουετε etc. (= Lucius filiae Severae carissimae posuit etc.)[94] Solche Inschriften sind philologisch wichtig, weil sie die veränderte Aussprache des Lateins zeigen. Der Grund für diesen seltsamen Brauch dürfte weniger darin zu suchen sein, daß die betreffenden Leute Griechen waren, als daß ihnen die in der Schule gelernte griechische Schrift geläufiger war. Mitunter lernten die römischen Kinder zuerst die griechischen Buchstaben schreiben und dann erst die lateinischen. Bei den ganz in griechischer Sprache abgefaßten Inschriften kann der Grund natürlich griechische Nationalität sein; es scheint aber, daß gerade bei den Christen die griechische Sprache auf Inschriften gern verwendet wurde, weil es die alte liturgische Sprache war. Die Papstinschriften sind bis gegen Ende des 3. Jahrhunderts griechisch abgefaßt, obwohl diese Päpste sicher nicht alle Griechen waren.

Die Eigennamen der Christen unterscheiden sich im Altertum nicht von denen ihrer heidnischen Volksgenossen. Biblische Namen sind selten und spät, ebenso jene merkwürdigen religiösen Eigennamen wie Quodvultdeus oder Habetdeus. An Namen mythologischen Ursprungs nahm man keinen Anstoß. Christliche Eltern nannten ihre Kinder getrost Aphrodisia und Dionysius und Apollonius.

Aus der großen Zahl der griechischen Eigennamen bei Christen wie Heiden darf man nicht schließen, wie es zuweilen geschieht, daß die Stadt Rom zeitweise eine griechisch redende Bevölkerung gehabt hätte. Natürlich wohnten in Rom zu allen Zeiten zahlreiche Griechen, ebenso wie Leute aus allen andern Teilen des Reiches. Aber die große Masse der Bevölkerung war immer lateinisch. Wenn Eltern ihren Kindern griechische Namen gaben, so folgten sie damit teils der Mode, teils empfanden sie wohl manche Namen nicht als fremdsprachig, wie Dionysius oder Agapitus oder Sebastianus. Wir finden denn auch sehr häufig in derselben Familie lateinische oder griechische Namen nebeneinander.

„Barbarische" Namen sind selten, obwohl sich spätestens vom 4. Jahrhundert an immer mehr „Barbaren", besonders aus dem Norden, in Rom niederließen. Sie nahmen aber schnell römische Sitten und römische Namen an. Wenn man eine Inschrift mit einem Adabrandus findet, so kann man sie ins 6. Jahrhundert oder noch später setzen.[95]

Die Stadt Rom war wie die modernen Großstädte durch Zuzug von außen gewachsen. In der späteren Kaiserzeit wird es nur mehr sehr wenige Familien gegeben haben, die seit Generationen in Rom ansässig waren. Aber ebenso wie die modernen Großstädte war das alte Rom ein „Schmelztiegel", in dem die verschiedenen Elemente mit der Zeit eine gewisse gleichmäßige Latinität und Romanität annahmen.

Die von allen diesen Alt= und Neulateinern

gesprochene Volkssprache war allerdings längst nicht mehr die Sprache Ciceros. Das läßt sich gerade an den Inschriften beobachten. Spätestens seit dem 2. Jahrhundert n. Ch. hatte sich die Aussprache sehr verändert. Die vollen Kasusendungen wurden nicht mehr gesprochen. Dadurch kam die ganze Grammatik in Verwirrung. Ungebildete schrieben einfach phonetisch: in aeternu dolore,[96] ohne zu wissen, ob das in aeternum dolorem oder in aeterno dolore heißen sollte. Viele Konsonanten wurden erweicht gesprochen, und man wußte nicht mehr, wie man sie schreiben sollte. So kamen Formen zustande wie quesquet für quiescit, baptidiare für baptizare, Zesus für Jesus. B und V, E und I wurden fortgesetzt verwechselt. Man schrieb staviles statt stabilis, bibet statt vivit. Daneben gab es aber immer Leute mit Schulbildung. In allen Jahrhunderten treffen wir christliche Inschriften, die in mehr oder minder guten Hexametern abgefaßt sind.

Rom dürfte um das Jahr 300, gegen Ende der Verfolgungszeit, noch etwa eine halbe Million Einwohner gehabt haben, von denen nur ein Teil, kaum ein Fünftel, christlich waren. In der Friedenszeit verschob sich dieses Verhältnis immer mehr zu Gunsten der Christen. Aus dem 4. und 5. Jahrhundert haben wir daher die meisten christlichen Inschriften. Im 6. Jahrhundert war Rom längst eine christliche Stadt, aber die Bevölkerung hatte so abgenommen, daß wir für die Zeit Gregors des Großen um 600 höchstens noch einige Zehntausende von Einwohnern annehmen dürfen. Von da an hören die Inschriften überhaupt beinahe auf.

Auch in der Zeit, als die Christen noch eine kleine Minorität bildeten, lebten sie in der Stadt zerstreut mitten unter der übrigen Bevölkerung, durchaus öffentlich, weder in einem Ghetto noch in unterirdischen Höhlen. Schon Tertullian hatte sich gegen Ende des 2. Jahrhunderts gegen den Vorwurf verwahrt, daß die Christen eine unsoziale Sonderkaste bildeten. Er schreibt[97]: „Wir sind doch Menschen, die mitten unter euch leben, mit derselben Lebenshaltung, denselben Kleidern, demselben Hausrat, denselben Bedürfnissen. Wir sind keine Brachmanen oder Einsiedler nach indischer Art, keine Waldbewohner und Ausgestoßenen. Wir leben in dieser Welt mit euch zusammen, wir benützen dasselbe Forum, das Schlachthaus, die Badeanstalten, die Gasthäuser, die Werkstätten, die Stallungen, die Märkte und alle übrigen Geschäfte. Wir fahren mit euch auf denselben Schiffen, dienen beim Militär, gehen zur Erholung aufs Land und reisen in Geschäften."

Das alles bestätigen uns die Inschriften in reichstem Maß. Alle möglichen bürgerlichen Berufe erscheinen dort. Da finden wir unter den Christen einen Bäcker aus der 12. Region Piscina Publica (Gegend von S. Saba und Karakallathermen), der im Jahr 401 im Alter von 45 Jahren starb[98]; einen Schmied aus der Suburra[99]; einen Leinenweber ebenfalls aus der Suburra[100]; einen Lohgerber, in Comodilla begraben[101]; eine Schneiderin (sarcinatrix) in Callisto begraben[102]; einen Maler[103]; einen Marmorarbeiter[104] und einen Quadratarius, der die Inschriften einmeißelte[105]; einen Montanarius[106], also Bergarbeiter von Beruf, der wie es scheint, nicht zu der kirchlichen Zunft der Fossores gehörte, aber doch, wie es auf seiner Inschrift heißt „in allen Cömeterien gearbeitet hat".

In Comodilla ist ein Elefantarius begraben[107], also ein Elfenbeinschnitzer oder Elfenbeinhändler. Aus Ermete stammt eine Inschrift von einem Pastillarius[108], also ein Drogist oder einer, der Parfümerien verfertigt. Diese Pastillarii bildeten wie andere

Handwerker eine Innung, und wir kennen die Inschrift eines Marcellus, der Patronus corporis pastillariorum war und im Jahr 435 starb [109]. Auch ein Dulciarius (Feinbäcker, Konditor) kommt vor [110], ein Friseur [111] und ein Roßarzt (Mulomedicus) [112] um nur einige Beispiele zu nennen.

Auch landwirtschaftliche Berufe gibt es in der Stadt, einen Gärtner (hortulanus) [113], einen Obstgärtner (Pomararius) [114] und sogar einen Schweinehirten (Porcinarius) [115].

Andere waren Angestellte oder kleine Beamte. Cucumio, der für sich und seine Frau Victoria bei Lebzeiten die große Inschrift machen ließ, die heute die Besucher von Domitilla bewundern, war als Kleiderbewahrer (Capsarius) in den Karakallathermen angestellt. Ein anderer war Exceptor (Schreiber) beim Praefectus vigilum [116]. Die Vigiles waren die städtische Feuerwehr, aber gleichzeitig eine Art von Polizeitruppe. Sallustius Severianus [117] war Exceptor beim höchsten Beamten der Stadt, dem Praefectus Urbi. Das war eine Stellung, in der er es wohl hätte weiter bringen können, wenn er nicht im Jahre 402 mit 22 Jahren gestorben wäre. Zu den Beamten gehört wohl auch ein Horrearius [118], der wahrscheinlich Verwalter von städtischen Getreidemagazinen war. In der kaiserlichen Burg auf dem Palatin gab es immer noch Hofbeamte, obwohl dort selten mehr ein Kaiser residierte. So finden wir einen christlichen Vestitor Imperatoris aus dem Jahr 404. [119]

Häufig erscheint auf christlichen Inschriften der Beruf des Notarius, des Magisters und des Arztes. Aus dem Cömeterium Ad Catacumbas stammt der Sarkophag eines Arztes, der nicht nur als ingeniosus gerühmt wird, sondern auch als wohltätig und den Armen gegenüber nicht habsüchtig. [120] Bei Ärzten scheint ausländische Herkunft besonders vertrau-

enerweckend gewesen zu sein. Wir finden unter
den christlichen Ärzten einen Spanier mit dem bar=
barischen Namen Rapetiga aus dem Jahr 388 [121],
einen andern mit dem echt afrikanischen Namen
Miggin [122]. Auch der Beruf des Rechtsanwalts
(Iuris consultor, scholasticus) fehlt nicht.
Sehr häufig sind christliche Soldaten in den ver=
schiedensten Stellungen im Heer. Ein Aurelianus,
dessen Inschrift jetzt im Lateranmuseum ist [123],
war dreißig Jahre lang Centurio. Wie wenig man
aus den Namen auf die Herkunft schließen kann,
zeigt die Inschrift eines höheren christlichen Offi=
ziers im Lateranmuseum [124]: Sein Vater trug den
lateinischen Namen Lupicinus, er selbst den grie=
chischen Heraclius, und dabei stammte er aus
Raetia Secunda, dem heutigen Niederbayern.
Wenn man durch den berühmten Friedhof
von Staglieno in Genua wandert und die vie=
len kostbaren Monumente reicher Familien be=
wundert, wird man sicher auch vor der fein ge=
arbeiteten Marmorstatue einer Blumenhändlerin
verweilen, die ihr Leben lang sparte, um sich ein so
kostbares Grabmonument verschaffen zu können;
Diesen Ehrgeiz einer Genueser Blumenhändlerin hat
schon mehr als tausend Jahre früher eine römische
Gemüsehändlerin besessen, deren Grab aus der
Mitte des 4. Jahrhunderts stammt und heute
noch in der Callistuskatakombe erhalten ist. Bis
zu einer Marmorstatue hat sie es allerdings nicht
gebracht, aber sie hat sich doch das geleistet, was
sich sonst nur die Christen wohlhabenderer Stände
erlauben konnten, nämlich ein eigenes Arkosolgrab.
Auf der Rückwand finden wir ihr Bildnis gemalt,
wie sie zwischen zwei Tischen steht, die mit ver=
schiedenen Gemüsen beladen sind und vor sich
noch einen Korb mit Gemüse. Leider ist der obere
Teil der Gestalt zerstört. In der Bogenwölbung

sind Blumen und Vögel, eine leicht verständliche Anspielung auf das Paradies.

Von dem schlichten Dasein einer Gemüsehändlerin weg führt uns ein anderes Grabfresko mitten hinein in das lärmende Treiben der antiken Zirkuskünstler. Das Grab ist in einer Katakombe unter der Vigna Massimo an der Via Salaria Nova. Wegen des profanen Charakters der dortigen Gräber hatte man diese Katakombe lange für heidnisch gehalten. Den unermüdlichen Forschungen Wilperts gelang es aber durch die Auffindung neuer Teile derselben Katakombe deren christlichen Charakter einwandfrei nachzuweisen.

Unser Arkosolgrab ist aus dem 4. Jahrhundert und in seinen Malereien sehr zerstört. Mit Hilfe alter Kopien der Malereien läßt sich aber das, was heute noch erhalten ist, in sicherer Weise ergänzen. Die hintere Lunette zeigt in einem Kreis das Brustbild eines jungen Mannes, in dem wir den Verstorbenen vor uns haben. Seinen Beruf erfahren wir durch die übrigen Darstellungen. An der Stirnwand des Grabes sind zwei Viktorien mit Kranz und Palme. In der Bogenwölbung ist zweimal ein Wagenlenker mit seinem Viergespann dargestellt, der in der rechten Hand einen Kranz und in der linken eine Palme hält. Palme und Kranz sind die Siegeszeichen, die dem Sieger im Wagenrennen zuteil wurden. Wir haben also hier das Grab eines jungen Wagenlenkers, der sich im Wettkampfe Siegeskränze und Siegespalmen errungen hat. Aus der grünen Kopffeder eines der Pferde ist mit Recht zu schließen, daß der Verstorbene im Dienst der Grünen Partei gestanden hat oder doch für sie seine besten Siege errungen hat.

Die antiken Wagenlenker können in vielen mit unseren heutigen Jockeis verglichen werden. Oft aus niederem Stande konnten sie durch ihren Beruf zu Ruhm und Reichtum gelangen. Im alten Rom bestanden vier Parteien von Wagenlenkern, die sich gegenseitig bekämpften. Ähnlich wie sich heute bei Fußballspielen oder auch bei Fahrradrennen die Gruppen gerne durch besondere Farben unterscheiden, so hatten auch die vier Parteien der Wagenlenker ihre verschiedenen Farben, und man unterschied die Weißen, Roten, Blauen und Grünen. Die Begeisterung für diesen Sport und die allgemeine Anteilnahme des römischen Publikums war so groß, daß diese Parteien nicht nur die sportbegeisterte Jugend, sondern geradezu das Reich teilten. Der Einfluß der Parteien und ihr Zusammenhalt war außerordentlich und wuchs tief in die Politik hinein. Auch die Kaiser schlossen sich nicht selten einer dieser Parteien an und bekämpften dann die andern. Mächtig waren vor allem die Blaue und die Grüne Partei, die sich später vereinigten. Kaiser Caligula, fanatischer Anhänger der Grünen Partei, ließ Pferde und Wagenlenker der Gegenpartei umbringen. Nero trat selbst in den Farben der Grünen im Zirkus auf. Kaiser Vitellius hingegen rechnete sich zu den Blauen und soll dieser Partei seinen Aufstieg zu verdanken haben. Der Fanatismus der Menge ging so weit, daß einmal, wie uns Plinius erzählt, bei der Einäscherung eines Helden der Roten sich ein Verehrer in die Flammen stürzte, um mit ihm zu verbrennen. Die Statuen der berühmtesten Sieger konnte man überall in Rom finden und selbst berühmte Dichter verschmähten es nicht, diese Zirkushelden zu besingen. Das Einkommen der berühmtesten Wagenlenker kann wohl nur mit den Gagen unserer großen Filmstars verglichen werden. Juvenal schätzt das Einkommen eines Stars der Roten dem Einkommen von hundert Rechtsan=

wälten gleich. Mag diese Schätzung auch übertrieben sein, so muß es sich doch um phantastische Summen gehandelt haben.

Daß es auch christliche Wagenlenker gab, wissen wir nicht nur aus unserem Grab unter der Vigna Massimo. Das Rom des 4. und 5. Jahrhunderts war wesentlich christlich, genau wie seine mächtige Nebenbuhlerin am Bosporus. Und doch dauerten die Wagenlenker-Wettkämpfe mit ihrer Parteileidenschaft unvermindert fort, und noch im 6. Jahrhundert entstand durch sie der berühmte Nika-Aufstand in Konstantinopel.

Man kann sich leicht vorstellen, daß die Kirche die Zirkusspiele mit ihren Ausschreitungen und ihrer maßlosen Parteileidenschaft nicht gerne sah und Papst Leo der Große klagte bitter, daß die Schauspiele mehr Menschen anzogen, als die Stätten der Martyrer. Aber die zirkusbesessenen Christen wollten nicht davon ablassen und führten zu ihrer Verteidigung das Beispiel des Elias an, der auch mit einem Wagen in den Himmel gefahren sei.

Wir tun also unserem christlichen Rennfahrer vielleicht kein allzu großes Unrecht, wenn wir ihn nicht gerade zu den eifrigsten Christen rechnen. Oder ist es Zufall, daß sich an diesem christlichen Grab kein einziges Zeichen des christlichen Glaubens, sondern nur die Abzeichen eines sehr weltlichen Berufes finden?

In der Nähe unseres Zirkushelden befindet sich das Grab einer Soldatenfamilie. Auch hier fehlt jedes Zeichen des christlichen Glaubens. In der Lunette des Arkosolgrabes finden wir einen Soldaten dargestellt mit Lanze und Rundschild in langer Tunika und Chlamys. Neben ihm steht ein Knabe, wohl der Sohn des Kriegers. In der Wölbung ist das Brustbild des Soldaten und an der rechten Seite erscheint er ein drittes Mal, diesmal aber in kurzer Tunica (tunica succincta) mit bloßem Schwert. Diesem Bild entspricht auf der linken Seite das Bildnis einer Frau mit einem Knaben, ohne Zweifel Mutter und Sohn.

In der Priscilla-Katakombe finden wir gleich eingangs eine hübsche kleine Grabkammer mit einem sonderbaren, roh ausgeführten Gemälde, das zu sehr verschiedenen Erklärungen Anlaß gab. So hat man darin acht Martyrer dargestellt gesehen, die verurteilt waren, Wasser zu schleppen. Sehen wir uns das Bild selber näher an. In der linken Bildhälfte sehen wir zwei große Fässer, die eines hinter dem andern auf dem Boden liegen. Auf der rechten Seite sind zwei Gruppen von je vier Männern, von denen sich die meisten auf Stöcke stützen, bemüht, ein drittes großes Faß voranzuschleppen. Mit Recht hat Wilpert in diesem Bilde kein religiöses Thema anerkannt, sondern es als Grabbild einer kleinen Böttcherinnung bezeichnet. Genau, wie die Gemüsehändlerin und der Rennfahrer sich in ihrem Beruf darstellen ließen, so auch diese kleine Gruppe von Handwerkern, die, wie es häufiger vorkam, eine gemeinsame Begräbnisstätte besaßen.

Wie die Böttcher in Priscilla, so besaß eine Gruppe der römischen Bäckerinnung eine Grabkammer in der Domitillakatakombe. Diese ist weit besser und reichhaltiger ausgemalt als die vorige. Im Zentrum steht die Gestalt eines Bäckermeisters, der in Arbeitskleidung hinter einem mit Korn gefüllten Scheffel steht. Darunter läuft ein Fries, der in interessanter Weise die Einfuhr und den Transport des Getreides darstellt. Die Bäcker hatten nämlich damals nicht nur die Zubereitung des Brotes zu besorgen, sondern sie mußten auch das Getreide mahlen.

Aus den großen Getreidekammern Roms, wie

Sizilien, Sardinien, Ägypten usw. kam das Getreide zuerst nach Ostia, dem antiken Hafen Roms. Hier wurde es auf leichtere Schiffe verladen und den Tiber hinaufgebracht bis in die Nähe des Aventin, wo es ausgeladen und in die Getreidespeicher der Annona gebracht wurde. Von hier wurde es dann weiter zu den Bäckern transportiert. In unserem Katakombenzyklus finden wir zur Linken den Transport des Getreides von den Schiffen in die öffentlichen Getreidespeicher dargestellt. Drei vollbeladene Getreideschiffe liegen am Tiberufer. Zehn Arbeiter, die von zwei Beamten der Annona überwacht werden, schleppen die Säcke vom Schiff in die Speicher. Die einen tragen schon die Säcke auf der Schulter, andere kommen gerade hinzu und sind daran, die Säcke aufzuladen. Auf der rechten Seite des Bildes sehen wir vier Arbeiter, die mühsam auf Stöcke gestützt, wie die Böttcher in der Priscilla-Katakombe, eine schwer mit Getreide beladene Bahre zu den Bäckern tragen. Diese sind in einer Gruppe von sieben Männern wiedergegeben, die im Gespräch miteinander begriffen sind.

Die Bäcker, die sich diese Grabkammer ausschmücken ließen, haben es nicht unterlassen, sich in recht sinnvoller Weise als christliche Bäcker zu kennzeichnen, indem sie rechts neben dem Hauptbild die wunderbare Brotvermehrung darstellen ließen.

Aus diesem Kreis der Handelsleute und Handwerker sind noch zwei Grabstätten zu erwähnen. In der Nähe der vorigen Grabkammer ist ein Arkosolgrab mit der Darstellung eines Kolonialwarenhändlers, der mit seinen sechs Gehilfen im Laden arbeitet. Auf den Handel mit Öl und Wein bezieht sich das Lunettenfresko eines Arkosolgrabes in der Pontianuskatakombe. Dort ist ein Segelboot dargestellt, das mit Amphoren voll beladen ist. Ein Schiffsmann ist am Rudern, während ein anderer das Steuer hält. Der Besitzer des Grabes kann also aus dem Kreis der Öl- oder Weinhändler kommen, oder zu den Schiffern gehören, die den Transport auf dem Tiber besorgten.

Wir haben keinen Grund anzunehmen, daß die Berufe und Beschäftigungen der Christen in der Verfolgungszeit wesentlich anders gewesen wären als im 4. und 5. Jahrhundert. Wenn wir dafür auch keine datierten Inschriften besitzen, so zeigen doch die sonstigen Quellen das gleiche Bild. Der Christ Minucius Felix, der um 200 sein apologetisches Werk „Octavius" schrieb, war in Rom Rechtsanwalt. Sextus Julius Africanus war Bibliothekar am Pantheon, von Kaiser Alexander Severus (222—235) angestellt. Er scheint allerdings einem mehr weltlich gerichteten Christentum gehuldigt zu haben. Einen christlichen Arzt aus der Frühzeit kennen wir zufällig aus Rom nicht, aber unter den Lyoner Martyrern von 177 ist ein solcher. Christen in hohen und niederen Stellungen am kaiserlichen Hoflager sind häufig bezeugt, besonders am Hof Valerians, bevor dieser im Jahre 257 die große Verfolgung begann. Mit Justinus zusammen wurden im Jahr 163 sechs Christen hingerichtet, von denen zwei kaiserliche Sklaven waren. Aus Hippolyts Erzählung erinnern wir uns an den kaiserlichen Freigelassenen Carpophorus, den Patron des späteren Papstes Callistus, und an Callistus selbst und an sein Bankgeschäft bei der Piscina publica. Daß es zu allen Zeiten christliche Soldaten gab, beweisen die zahlreichen Soldatenmartyrien.

Tertullian bespricht in seiner Schrift „De Idololatria" eine ganze Reihe von Berufen und die Schwierigkeiten, die nach seiner Ansicht für einen Christen bestünden, sich darin von jedem Schein von Götzendienst freizuhalten. Solche Schwierigkeiten waren ohne Zweifel vorhanden, weil das ganze öffentliche und private Leben von religiösen Zeremonien durchzogen war. Nur geht Tertullian in seiner Furcht vor „Götzendienst" viel zu weit. Er will zum Beispiel christliche Künstler oder Kunsthandwerker nicht gelten lassen, weil sie allzu leicht in die Lage kämen, heidnische Kultobjekte zu verfertigen. Christliche Schüler dürfen nach ihm eine heidnische Schule besuchen, aber einen christ= lichen Lehrer, der sich ganz vom Götzendienst freihält, kann er sich nicht vorstellen. Selbst den Beruf eines Kaufmannes findet er bedenklich, nicht nur wegen der Gefahr der Habsucht und Betrü= gerei, sondern auch wegen mancher Handelswaren, die wiederum dem heidnischen Kult dienten, wie der Weihrauch. Unterbeamte, die nur im Gefolge ihrer Vorgesetzten den heidnischen Kulthandlun= gen anwohnen, entschuldigt er, ebenso christliche Sklaven heidnischer Patrone; aber einen Christen in leitender Beamtenstelle findet er schwer mög= lich, „es sei denn, daß es ihm gelingt, sich durch irgend eine gratia (vielleicht Dispens) oder auch durch besondere Schlauheit von allem Schein des Götzendienstes freizuhalten". Den Militärdienst lehnt er einfach ab.

Die Schrift Tertullians stammt aus seiner Mon= tanistenzeit, wo er sich einem unerträglichen Rigo= rismus ergeben hatte, und gibt keineswegs die Ansicht der damaligen Kirche wieder. Sie ist je= doch sehr lehrreich, weil sie zeigt, daß für die Christen im bürgerlichen Leben tatsächlich große Schwierigkeiten bestanden, aber anderseits auch, daß es viele Christen gab, die dieser Schwierig= keiten Herr zu werden trachteten.

Eine höchst merkwürdige Inschrift besitzen wir aus dem Jahr 217. Sie steht auf einem großen

Sarkophag aus einem Grab an der Via Labicana (jetzt im Park der Villa Borghese):

„Dem M. Aurelius Prosenes, Freigelassenen zweier Kaiser (d. h. Marcus und L. Verus oder Marcus und Commodus), a cubiculo des Kaisers (etwa: im Privathaushalt), Schatzmeister, in der Privatvermögensverwaltung, bei den öffentlichen Spenden, vom göttlichen Commodus der Lagerverwaltung zugeteilt; dem vortrefflichen Patron, dem wohlverdienten, haben seine Freigelassenen diesen Sarkophag aus eigenen Mitteln gewidmet."

Nichts würde an dieser Inschrift eines hohen kaiserlichen Beamten, wie es deren viele gab, unser besonderes Interesse erregen. Aber auf der Seite des Sarkophags steht mit kleinerer Schrift, gleichsam als verschämter Nachtrag, eingegraben:

„Prosenes wurde zu Gott aufgenommen (Monatstag und wahrscheinlich ein Ortsname unleserlich) unter dem Konsulat des Praesens und Extricatus II. (217), während er von einer Dienstreise nach Rom zurückkehrte. Dies hat der Freigelassene Ampelius geschrieben."

Das eine Wörtchen receptus ad Deum beweist mit voller Sicherheit, daß Prosenes Christ war. Er war ein alter Mann, denn er hatte die Freilassung vor 180, wenn nicht vor 169 erhalten. Er hatte unter fünf Kaisern, Marcus, Commodus, Pertinax, Severus, Caracalla, gedient und lauter Vertrauensposten ersten Ranges innegehabt, die ihn mit dem Kaiser in beständige Verbindung brachten. Er war jedenfalls sehr wohlhabend, hatte aber beim Tod keine lebenden Angehörigen mehr. Wahrscheinlich hatte er den Kaiser Caracalla nach Mesopotamien begleitet, und als dieser am 8. April 217 ermordet wurde, reiste er heim und wurde unterwegs selbst vom Tod überrascht. Seine Leiche wurde nach Rom gebracht und von seinem Haus-

personal in der üblichen heidnischen Weise feier=
lich bestattet. Seine Freigelassenen wußten viel=
leicht nicht einmal, daß er Christ war. Nur einer
von ihnen, Ampelius, jedenfalls selbst Christ,
konnte es nicht ertragen, daß auf dem Grab seines
verehrten Patrons kein Zeichen an den christlichen
Glauben erinnerte. So schrieb er den Nachtrag auf
den Stein.[125]

Was für eine schwierige Stellung muß dieser
hochangesehene Mann am Kaiserhof gehabt haben,
in täglicher Gefahr eines Konfliktes zwischen sei=
nem Glauben und den Pflichten gegen seinen
Kaiser! Prosenes war Procurator Munerum, es ob=
lag ihm also auch die Veranstaltung der kaiser=
lichen Festspiele, der Tierhetzen im Amphitheater
und der Gladiatorenkämpfe. Während seiner gan=
zen Zeit war zwar in Rom keine größere Christen=
verfolgung. Aber er wird wohl gewußt haben, daß
im Jahr 202 sein Kollege in Karthago die wilden
Tiere auf Perpetua und Felicitas loslassen mußte.
Anderseits war Prosenes vielleicht in der Lage,
der Kirche manchen Dienst zu erweisen, nicht nur
mit seinen reichlichen Geldmitteln, sondern auch
durch seinen Einfluß bei Hof. Bei der Begnadi=
gungsaktion, die Papst Victor unter Commodus
für die verbannten Christen auf Sardinien durch=
führte, mag Prosenes eine hilfreiche Hand ge=
liehen haben.

Und doch muß dieser Mann sich zeitlebens ein=
sam gefühlt haben. Selbst sein Sterben in der
Fremde war einsam. Keiner seiner heimlichen Mit=
brüder konnte ihn trösten. Wäre er in Rom ge=
storben, so hätte ihn vielleicht der Presbyter Hip=
polyt mit gelehrten Bibelsprüchen erbaut, der Dia=
kon Callistus hätte ihm die Wegzehrung gebracht,
der Bischof Zephyrinus hätte ihn mit dem heiligen
Öl gesalbt. So mußte er sich auf einsamem Sterbe=

lager mit dem Gedanken trösten, den später sein getreuer Ampelius auf den Grabstein schrieb: Prosenes receptus ad Deum.

Im Altertum war es Sitte, auf dem Grabstein nicht nur den Namen des Verstorbenen zu verewigen, sondern häufig auch seine Angehörigen zu nennen, die den Grabstein gesetzt hatten. Dadurch bekommen wir zuweilen einen gewissen Einblick in die Familienverhältnisse.

Die Lobsprüche, die man den Angehörigen auf den Grabsteinen spendete, haben meist etwas Formelhaftes, angefangen von dem ungemein häufigen „Dem Wohlverdienten" (benemerenti), das auch auf Gräbern von Säuglingen erscheint. Ähnliches gilt von der beständig wiederkehrenden Versicherung der Ehegatten, daß sie „ohne Zwistigkeit" (sine querela) miteinander gelebt hatten. Anderseits machen diese ehrenden Formeln, die sich ebenso auf nichtchristlichen Gräbern finden, den Eindruck einer gewissen Wohlanständigkeit und Wohlerzogenheit, die oft seltsam absticht von der barbarischen Orthographie und Grammatik.

Sicher mehr als eine bloße Formel ist es, wenn ein christlicher Mann von seiner verstorbenen Gattin versichert: „Einer Frau von ungewöhnlicher Züchtigkeit, die stets mit besonderer Liebe ihren Gatten umgab".[126] Oder wenn ein anderer schreibt: „Einer Frau von wunderbarer Güte und unnachahmlicher Heiligkeit und vorbildlicher Keuschheit. Ihr Leben war voll Güte, Anstand, Frömmigkeit und in allem lobenswert. Sie hat dreiundreißig Jahre gelebt, davon fünfzehn mit mir, ohne mich jemals zu betrüben. Sie hat sieben Kinder geboren, von denen sie vier bei sich hat, beim Herrn."[127]

Wenn es von einem vierjährigen Kind heißt, es sei „von wunderbarer Unschuld und Weisheit" gewesen,[128] so scheint uns das fast übertrieben. Aber sicher echt ist es, wenn ein Vater schreibt: „Meinem süßen Sohn Dalmatius, einem Knaben von großer Begabung und Weisheit. Der unglückliche Vater durfte sich keine vollen sieben Jahre an ihm erfreuen. Er hatte griechisch schreiben gelernt und sich die lateinische Schrift, die man ihm noch nicht gezeigt hatte, selbst angeeignet."[129]

Das alles ist es aber nicht eigentlich, was wir in den Katakombeninschriften suchen und was sie uns so anziehend macht. Wohl bringt es uns die alten Christen menschlich näher, wenn wir ihre bürgerlichen Lebensverhältnisse kennen, ihre Berufe, ihren Familiensinn. Es wird uns dabei anschaulich, daß sie mitten in einer Welt lebten, die bei aller Verschiedenheit doch dieselbe war wie die unsere, daß sie des Lebens Freude und Leid verkosteten wie wir. Aber das, was aus diesen Steinen am meisten zu unserem Herzen spricht, das ist der gemeinsame Glaube, die gemeinsame Jenseitshoffnung, die bewirken, daß wir all diesen vergessenen kleinen Leuten, Männern, Frauen und Kindern, über die Jahrhunderte hinweg unsere Hand reichen können als wahren Brüdern und Schwestern.

Da ist vor allem die tausendfältig wiederkehrende Formel In Pace. Sie ist viel mehr als eine bloße Formel, denn sie ist zumindestens jedesmal ein Bekenntnis des christlichen Glaubens, so gut wie das Monogramm Christi auf den Grabsteinen. In pace ist für uns das gewöhnliche Merkmal, an dem wir christliche Inschriften mit Sicherheit von heidnischen unterscheiden, und auch im Altertum war das nicht anders: wer auf einem Grabstein In pace las, der wußte, daß hier ein Christ begraben lag.

Aber von den alten Christen wurde auch der

tiefe Inhalt dieser Formel lebhaft gefühlt. Das zeigen die vielen Wendungen, in der die Formel wiederkehrt: In pace Domini, in pace Dei, in pace Christi, in pace aeterna.

Dieser „Friede" ist viel mehr als die bloße Ruhe, das Fernsein von Streit und Leid. Es ist recht eigentlich die Vereinigung mit Gott, die Gottesgemeinschaft. Die Seelen der Verstorbenen führen ein wirkliches Leben in diesem „Frieden". So gut es heißt: Dormi in pace, in pace dormias,[130] ebenso heißt es: semper vive in pace,[131] semper in pace gaude,[132] vivas in pace Dei.[133] Dabei ist dieser „Friede Gottes", in dem die Seele lebt, nicht etwas, das erst mit dem Tod beginnt. Seine Vollendung kommt freilich erst im Jenseits; aber schon auf Erden lebt der Christ in pace. Überaus häufig ist die Formel: „Er starb als Gläubiger in Frieden" (Recessit in pace fidelis), „Er lebte gläubig im Frieden" (vixit in pace fidelis). Pax kann demnach geradezu die Kirchengemeinschaft bedeuten. Eine römische Inschrift aus dem Jahr 357[134] sagt von einem Quintianus, daß er in pace legitima beigesetzt worden sei. Damals bestand in Rom das Schisma zwischen Liberius und Felix. In pace legitima heißt also hier: in Gemeinschaft mit der rechtmäßigen Kirche.

Das entspricht ganz dem Sprachgebrauch bei den alten Kirchenschriftstellern, bei denen Pax et Communio eine häufige Verbindung ist,[135] wie auch heute noch die Formel in den feierlichen päpstlichen Rundschreiben heißt: Pacem et Communionem cum Apostolica Sede habentes. Das bedeutet nicht: keinen Streit haben, sondern: in übernatürlicher Gemeinschaft mit dem Papst verbunden sein. Augustinus nennt in einem Brief an Hieronymus einen jungen Mann Catholica pace frater.[136] Er will damit sagen: er gehört zur katholischen Kirche, er ist kein Schismatiker. Bei den Griechen steht für Pax et Communio nicht selten Koinonia kai Agape.[137] Ebenso finden wir auf lateinischen Inschriften statt In pace: In agape.[138]

Der Friede, den die Verstorbenen Gläubigen in Gott finden, ist ein wirkliches Leben. Sehr häufig steht anstatt Vivas in pace Dei einfach: Vivas in Deo. Auf einer Inschrift im Lateranmuseum[139] heißt es: Semper in Deo vivas, dulcis anima! Ähnliche Wendungen sind: Vivas in Domino, vivas in nomine Christi, Vivas in Christo, vivas in Domino Jesu, Vivas in Spiritu Sancto, aber auch: Vivatis inter Sanctos,[140] Spiritum tuum inter Sanctos.[141]

Es ist ein Leben der Seligkeit. In pace et paradisu heißt es in einer Inschrift aus Karthago,[142] In pace et in refrigerium in einer aus dem Cömeterium Hermetis.[143] Häufig erscheint es als ein Leben des Lichtes im Gegensatz zu der Finsternis auf Erden. In einer Inschrift in S. Prassede[144] aus dem Jahr 397 heißt es: „Hier schläft Severianus im Schlaf des Friedens. Sein Geist ist in das Licht des Herrn aufgenommen worden." In einer andern aus dem Lateranmuseum:[145] „Hermaiske, du lebst im Licht in Gott dem Herrn Jesus Christus".

In diesem ihrem jenseitigen Leben sind aber die Seligen sehr wohl imstand, sich ihrer zurückgebliebenen Brüder auf Erden zu erinnern und anzunehmen.

Ein Vater schreibt auf das Grab seines siebenjährigen Sohnes: „Dein Geist ruhe in Gott. Bitte für deine Schwester!"[146] Offenbar war der Mann Witwer und von seinen Kindern war nur ein Mädchen übriggeblieben, dem jetzt seine ganze Sorge galt. Ein anderer schreibt: „Januaria, genieße deine Seligkeit und bitte für uns!"[147] Auf einer langen, ziemlich zerstörten Inschrift aus Callisti[148] heißt es: „Ich verdiene nicht mit dem Herrn vereinigt zu werden. Erlange mir durch deine Fürbitte, daß er meine Sünden verzeihe." Eine jetzt im Kapitol aufbewahrte Inschrift lautet:[149] „Atticus, schlafe in Frieden. Dein Heil ist in Sicherheit; aber sei besorgt (um uns) und bete für unsere Sünden!"

Aber ebenso beteten auch die Hinterbliebenen für ihre Verstorbenen, in der Überzeugung, daß diese Gebete ihnen noch nützen könnten. Sie glaubten an ein Fegefeuer. Alle die frommen Wünsche auf den Grabsteinen, selbst das einfache „Mögest du in Frieden ruhen" oder „Mögen dich alle Geister der Heiligen in Frieden aufnehmen"[150] sind Gebete für das Seelenheil, ebenso wenn es heißt: „Herr Jesus, gedenke unseres Kindes".[151] Einer schreibt auf den Grabstein seiner Frau: „Jeder von den Brüdern, der dies liest, möge Gott bitten, daß ihre Seele heilig und unschuldig bei Gott aufgenommen werde".[152]

Wir dürfen nicht erwarten, auf den Katakomben=inschriften, die eben Grabsteine waren und nichts anderes, alle christlichen Glaubenslehren und alle Seiten des christlichen Lebens erwähnt und be= sprochen zu finden. Das leisten uns in reichem Maß die mit den Inschriften gleichzeitigen Bücher der Kirchenväter. Aber das was in den Inschriften deutlicher zum Ausdruck kommt als in jenen klas= sischen theologischen Werken, ist das tiefe Ein= dringen des christlichen Glaubens in das Volk. Für alle diese Menschen, Gebildete und solche, die kaum lesen und schreiben konnten, war die Welt des christlichen Glaubens vollste Realität. Gott, Christus, Unsterblichkeit, ewige Seligkeit, Gemein= schaft der Heiligen, war für sie so real und wirk= lich, wie das tägliche Leben, das sie umgab. Aber bei aller Realität ist es ein reiner Glaube, durchaus frei von aller jener krassen Materialität, die ge=

rade dem Jenseitsglauben und der Jenseitshoff=
nung nichtchristlicher Volksreligionen immer mehr
oder minder anhaftet.

XI. KAPITEL

DIE KUNST DER KATAKOMBEN

*Die Kunst der Katakomben*

Was uns an Kunstdenkmälern aus der christ=
lichen Frühzeit erhalten ist, entstammt fast aus=
schließlich den Katakomben. Unsere Kenntnis ist
daher auf die Sepulkralkunst beschränkt. Daraus
folgt nicht, daß es vor Konstantin keine außersepu=
krale christliche Kunst gegeben hätte, sondern nur,
daß unsere Kenntnis entsprechend den zufällig er=
haltenen Denkmälern einseitig ist.

Eigentlich könnte man sich wundern, daß es so
früh überhaupt schon eine christliche Kunst gibt.
Denn es ist nicht zu leugnen, daß in den ersten
Jahrhunderten bei vielen geistig führenden Per=
sönlichkeiten eine Abneigung gegen die Kunst vor=
handen war. Das kommt zum Teil von der im
Alten Testament herrschenden Ablehnung jeder
bildhaften Darstellung, zum Teil war es aber auch
eine nicht unbegründete Furcht vor Mißbrauch
und Rückfall in Götzendienerei. Noch um 300 er=
ließ das Konzil von Elvira in Spanien einen kunst=
feindlichen Kanon.

Diese geistige Strömung kann jedoch nicht allzu
stark gewesen sein, denn von einer hemmenden
Auswirkung in der Kunst ist kaum etwas zu be=
merken. Das Volk verlangte nach dem Bild, so wie
es von früher her gewohnt war. Und diese Ein=
stellung des schlichten Volkes hat über alle Be=
denken gesiegt. Wir wissen heute, daß sogar im
Judentum, wo ein strenges Bilderverbot bestand,
dieses in der Diaspora nicht aufrechtzuerhalten
war. In Dura Europos wurde außer der früher er=

wähnten christlichen Kirche auch eine Synagoge ausgegraben, deren Wände voll von Bildern waren.

Materiell gesehen setzt sich die Katakomben=
kunst fast nur aus Fresken und Sarkophagreliefs zusammen. An Kleinkunst haben wir vor allem die sogenannten Goldgläser, bildliche Darstellun=
gen auf einer feinen Goldlamelle, die zwischen zwei Glasscheiben liegt. Die größte Sammlung solcher aus den Katakomben stammender Fondi d'oro besitzt das Museo cristiano im Vatikan. Ferner sind einzelne Terrakotten und Bronzen er=
halten und schließlich die nach Tausenden zählen=
den Tonlampen aus den Katakomben, die meist mit dekorativen, seltener mit figürlichen Motiven ver=
sehen sind.

Wir haben in der Kunst der Katakomben die ersten Anfänge der christlichen Kunst vor uns. Älteres besitzen wir nicht. Da verlohnt sich die Frage, wo denn diese Kunst herkommt, ob sie in ihrer Form eine Neuschöpfung des Christentums ist oder ob sie nur eine Weiterführung der be=
stehenden antiken Kunstübung bedeutet. Für beide Ansichten haben sich Verteidiger gefunden. Uns scheint, daß zwar die Inhalte zum größten Teil neu waren, daß aber die Form zunächst nicht von dem abweicht, was damals in der heidnischen Kunst in Übung war. Man hat in den Bildern der Katakomben eine Auflösung der klassischen Form sehen wollen, die ganz der neuen spiritualistischen Tendenz des christlichen Geistes entspreche. In Wirklichkeit war in dieser Zeit in der römischen Kunst selber eine stark impressionistische Auf=
lösung vorhanden, die sich von selber für den Ausdruck des neuen Geistes anbot. Allerdings wandelte sich dabei mit der Zeit unter dem Ein=
fluß dieses neuen christlichen Geistes und seiner jenseitsbetonten Bildinhalte der in impressionisti=

scher Weise aufgelöste klassische Stil zum expressionistisch betonten byzantinischen Idealismus. Aber diese Entwicklung war erst im sechsten Jahrhundert abgeschlossen. Um die Mitte des vierten Jahrhunderts gab es in der christlichen Kunst eine kurze rückläufige Bewegung die zu einer Art Renaissance führte, deren schönstes Erzeugnis der berühmte Sarkophag des Stadtpräfekten Junius Bassus aus den Grotten von St. Peter ist. Irgendwie spürt man diese Welle noch im Apsismosaik von S. Pudenziana, und es gibt nichts Lehrreicheres und Eindrucksvolleres als die Gegenüberstellung des jupiterhaften Christuskopfes von S. Pudenziana mit dem schon wesentlich byzantinisch transcendenten Christus von S. Cosma e Damiano.

Eine zweite noch weit mehr umstrittene These über die Herkunft der altchristlichen Kunst lautet: Orient oder Rom? Man kann als Hauptvertreter dieser beiden entgegengesetzten Ansichten Strzygowski und Wilpert nennen. Wir möchten aber gleich bemerken, daß wir diese These schon in ihrer Fragestellung nicht annehmen. Das römische Reich mit seiner hellenistischen Mischkultur hat auf dem Boden Roms orientalische Religion, Sitten und Kunst gekannt, wie der Orient römische Religion, Sitten und Kunst kannte. Die Verschmelzung war so groß, daß die Fragestellung dadurch hinfällig wird. Wenn man allerdings nur sagen will, daß dieses oder jenes in der römischen Kunst orientalischem Geiste entspricht, und irgendwie entspringt, ohne gleich von orientalischem Import zu reden und umgekehrt, dann behält die These ihren Sinn, denn ursprünglich sind natürlich orientalischer Geist und römischer Geist reichlich verschieden und dementsprechend auch ihre künstlerische Ausdrucksform.

Wenn wir also behaupten, daß die frühe christ=
liche Kunst eine Fortsetzung der Antike bedeutete,
dann soll damit die gesamte hellenistische Antike
in der ihr eigentümlichen Verschmelzung von
Griechisch=Römischem und Orientalischem gemeint
sein. Da hier von den Ursprüngen der altchrist=
lichen Kunst die Rede ist, wird es kaum befremden,
wenn wir in den orientalischen Einfluß auch das
jüdische Element miteinbegreifen. Seit der Ent=
deckung der Synagogenmalereien, die man früher
für unmöglich hielt, wird man vernünftigerweise
auch dort Vorbilder für gewisse Typen alttesta=
mentlicher Bilder suchen. Viele dieser Bilder ver=
raten nämlich eine Stetigkeit und Sicherheit in
der Gestaltung, die ein schon früher ausgebildetes
Vorbild nahelegen.

Mit dieser Tatsache wäre eine gewisse inhaltliche
und formale Beziehung zur jüdischen Kunst ge=
geben. Wie weit diese im einzelnen geht, ist nicht
festzustellen. Wenn wir uns nur auf Wesentliches
beschränken wollen, können wir etwa so sagen: die
Katakombenkunst ist formal von der zeitgenössi=
schen antiken Kunst abhängig, ihrem Inhalt nach
hingegen ist sie wesentlich unabhängig und selbst=
ständig. Denn abgesehen von den rein dekorativen
Motiven übernimmt das Christentum nur wenige
Bildinhalte der damaligen heidnischen Kunst, und
diesen gibt sie von Anfang an einen neuen christ=
lichen Sinn. Der bekannteste Fall ist die Über=
nahme der Gestalt des Orpheus für Christus. Ein
weiteres derartiges Motiv ist das Märchen von
Amor und Psyche. Wieder andere Darstellungen
drücken allgemein menschliche Vorstellungen aus,
die sowohl heidnisch wie christlich unmittelbar
verständlich sind, wie alles, was an ein seliges
Leben im Jenseits erinnert. Zuweilen bleibt bei
einem Motiv auch mit Recht der Zweifel offen,

ob es nicht etwa einfach als bedeutungsleeres Zier=
motiv gebraucht ist.

Der wesentliche Inhalt der jungen christlichen
Kunst stammt aber aus der Heiligen Schrift und
aus dem durch die lebendige Tradition überlieferten
Glaubensgut. Die Erzählungen des Alten Testa=
mentes und vor allem die des Neuen Testamentes
mit dem Leben und den Wundertaten Christi sind
es, die die Marmorflächen der Sarkophage und die
bemalten Wände der Katakomben beleben. Da
finden wir die Geschichte des Propheten Jonas in
allen ihren Phasen immer wieder erzählt, wie er ins
Meer geworfen und vom Meerungeheuer verschlun=
gen wird, wie dieses ihn wieder ausspeit, und wie
er schließlich unter der Kürbislaube am Lande
ausruht, Susanna, die von den beiden Alten ver=
leumdet und von Daniel errettet wird, Daniel
zwischen den beiden Löwen in der Grube, Noe in
der Arche, Abraham, der seinen Sohn Isaak opfert,
Moses, der Wasser aus dem Felsen schlägt. Das
sind einige der Themen aus der Geschichte des
Alten Testamentes, die immer wiederkehren. Aus
dem Neuen Testament sind vor allem beliebt die
wunderbare Brotvermehrung, die Auferweckung
des Lazarus, die Heilung des Gichtbrüchigen, die
Anbetung der Heiligen Drei Könige, die Heilung
des Blinden, die Heilung der blutflüssigen Frau,
die Hochzeit von Kana, die Taufe Jesu.

Außer der Heiligen Schrift finden wir auch Dar=
stellungen, die der Welt des Glaubens entnommen
sind, wie die Eucharistie, die Taufe, die Ehe, die
christliche Katechese. Zu dieser Art von Darstellun=
gen gehören auch zwei der wichtigsten und häufig=
sten Bilder dieser Frühzeit, der Gute Hirt und die
Orante, auf die wir im folgenden Kapitel noch
zurückkommen werden. Das eine oder andere Motiv
ist auch aus den sogenannten apokryphen Schriften

in den Kreis dieser Darstellungen gekommen. Viele Bilder hingegen sind vom Leben selber inspiriert und zeigen uns die Verstorbenen in ihrem Berufe oder halten ihre Züge in einem Porträt fest.

Ein besonderes Anliegen des Katakombenbesuchers ist gewöhnlich das Alter der Bilder, Sarkophage und Inschriften, die er dort unten sieht. Vor allem möchte er wissen, was nun eigentlich von den gezeigten Dingen am ältesten ist, und von diesem möchte er dann noch das möglichst genaue Alter erfahren. Wie so oft auf dem Gebiete der christlichen Archäologie gehen auch hier die Meinungen der Forscher nicht wenig auseinander. Die älteren Forscher, wie De Rossi, Marucchi und Wilpert glaubten die ältesten Teile in die nachapostolische Zeit setzen zu können, also immerhin ins Ende des ersten Jahrhunderts. Die heutige Forschergeneration zieht es hingegen vor, die Anfänge in der ersten Hälfte des 2. Jahrhunderts anzusetzen. Man kann daraus schon ersehen, daß die Datierung der ältesten Katakombenteile und ihrer Bilder keine zwingende ist, das heißt eine solche, die sich auf konkrete Datierungen stützen kann, die sie an Ort und Stelle vorfindet. Man muß vielmehr aus der Gesamtanlage und ihrem Verhältnis zu genauer durch datierte Inschriften festgelegten Teilen auf eine bestimmte Zeit schließen. Da ist natürlich ein Schwanken zwischen mehreren Jahrzehnten nicht zu verwundern. Maßgebend ist vor allem der Vergleich der ältesten Katakombenmalereien mit der gleichzeitigen heidnischen Kunst. Wären die Anfänge noch im 1. Jahrhundert zu suchen, dann müßte sich eine wesentliche Verwandtschaft mit den letzten pompejanischen Malereien zeigen. Das ist aber nicht der Fall. Der vierte pompejanische Stil zeigt ein barock überladenes architektonisches Dekorationssystem. Von diesem findet sich in den Katakomben keine Spur. Im Gegenteil besteht die Dekoration dort meist in feinen und wenigen roten und grünen Linien auf weißem Grund. In der ersten Hälfte des 2. Jahrhunderts hingegen finden wir die eigentlichen Verwandten unserer Katakombenbilder. Da nun keine anderen zwingenden Gründe zu einer früheren Datierung vorliegen, ist der spätere Ansatz vorzuziehen. Auf dieser Grundlage kann man dann ohne Furcht die weitere relative Abfolge der übrigen Perioden aufbauen. Es liegt übrigens auch mit dieser Verschiebung um ein halbes Jahrhundert kein Grund zur Enttäuschung vor, sondern es bleibt immer wieder ein eindrucksvolles Erlebnis, sich Bildern gegenüber zu finden, die uns die Menschen des 2. christlichen Jahrhunderts vorführen in ihrem Glauben an dieselben großen christlichen Wahrheiten, die auch wir heutige Christen des 20. Jahrhunderts genau so von unsern Eltern und Lehrern empfangen haben.

Wir müssen nun noch auf eine Frage der Katakombenkunst eingehen, die wohl am meisten von allen hier hingehörenden Problemen umstritten worden ist und noch heute wird, das ist die Frage nach dem eigentlichen Sinn der Katakombenmalereien und Sarkophagreliefs. Es geht dabei zunächst nicht so sehr um den Sinn einer einzelnen Darstellung als vielmehr um den gesamten Sinn der frühchristlichen Bildenden Kunst. Nach einer Reihe von Forschern liegt dem gesamten Bildmaterial ein einheitlicher Gedanke zugrunde, aus dem heraus alles und jedes einzelne zu verstehen und zu deuten ist. Die altchristliche Kunst ist demnach wesentlich eine symbolische Kunst, in der die verschiedenen Szenen, wie etwa Jonas, Daniel, der Gichtbrüchige, Lazarus usw. nur Symbole für einen dahinterstehenden gemeinsamen Inhalt sind. Dieser eigentliche Inhalt ist nach dem einen die Auferstehung der Toten, nach einem andern die Überwindung des Todes usw. Entscheidend ist bei dieser Auffassung, daß alles, was dargestellt wird, in symbolischer Beziehung zu den Verstorbenen steht.

Ausdrücklich wendet sich vor allem Wilpert in seinem Katakombenwerk [153] gegen eine historische Auslegung der biblischen Darstellungen, während Paul Styger gerade dies in seinem Buch über die altchristliche Grabeskunst [154] zur These erhob. Mit Recht konnte er geltendmachen, daß keine der vorgeschlagenen Grundideen sich restlos auf das vorhandene Material anwenden läßt. Auch der zunächst verblüffende Vergleich mit alten Gebetsformeln, in denen eine Reihe der Katakombenszenen im obigen symbolischen Sinn vorkommen (und die von den Verteidigern der Symboltheorie als Beweis angeführt werden), wird von Styger verworfen, weil die Gebete jünger sind als die Katakombenmalereien, und weil die verschiedenen Szenenreihen nicht genügend zueinander stimmen. Die historische Deutung, die Styger verteidigt, will sagen, daß die Bilder nur als schlichte Erzählung gemeint sind, ohne Beziehung zu den Verstorbenen. Dieselben Bilder passen also eben so gut in eine christliche Wohnung, wie in die Katakomben, ja sie stammen nach ihm auch daher.

Der große Fehler dieser Theorie ist der, an dem auch die andern kranken, sie wollen die Sache zu einfach machen und alles in der gleichen Weise erklären. In Wirklichkeit ist es eben nicht so einfach und es gibt keinen einheitlichen Gesichtspunkt, unter dem sich das gesamte Material einordnen ließe. Denken wir einmal, wie wir es schon mehrmals taten, an einen heutigen Friedhof, denn die Katakomben sind letzten Endes nichts anderes.

## Die Kunst der Katakomben

Wenn wir heute z. B. über den Agro Verano von Rom gehen, dann sehen wir dort die verschiedensten Bilder an den Grabmonumenten. Da ist ein Kruzifix über einem Grab, anderswo ist es ein Engel der Auferstehung, oder ein Trauer-Engel, der Rosen streut, an einem andern Grab ist die Auferstehung Christi oder eine Darstellung des Todes, dann wieder erscheinen die trauernden Hinterbliebenen oder der Verstorbene selber. Oft finden wir ein Bild Christi oder der Gottesmutter, oft auch nur ein nacktes Kreuz, einen Säulenstumpf, eine dekorative Architektur, eine schlichte Platte mit Inschrift. Es wäre unmöglich für alle diese verschiedenen Dinge eine einzige tragende Idee zu finden. Da sind der Tod, der Trennungsschmerz, der Glaube an die Auferstehung ausgedrückt, da findet sich aber auch das religiöse Bild, das nur irgendwie den christlichen Glauben andeutet, ohne eine Beziehung zum Tode auszudrücken. Wenn wir so noch einmal die Katakombenbilder betrachten, dann werden wir leicht feststellen, daß im großen und ganzen die Situation ähnlich ist. Nur daß dort unten mehr Religiosität ist als auf unsern heutigen Friedhöfen, und weniger Prunk im Tode. Aber auch da sind viele Gräber ohne religiöse Zeichen und zuweilen auch solche, wo das profane Element allein spricht. Bei den religiösen Darstellungen der Katakomben finden wir solche, die sich auf den Tod und die Auferstehung beziehen, wie die Erweckung des Lazarus. Andere, wie die Anbetung der Magier, die Verkündigung an Maria sind mit dem besten Willen nicht in diesen Zusammenhang zu pressen. Wieder andere, wie zum Beispiel der gute Hirt, sind Symbolfiguren.

Wir möchten daher unsere Ansicht so zusammenfassen, daß wir uns keiner der vorerwähnten Auf-

stellungen anschließen können, weil sie den Tat≠
sachen und ihrer naturgemäßen Deutung Gewalt
antun. Es ist weder alles symbolisch noch alles
historisch, sondern es ist beides vorhanden. Die
Symbolik selber ist durchaus nicht eindeutig, son≠
dern drückt verschiedene Gedanken aus. Damit
ist keineswegs in Abrede gestellt, daß diese ver≠
schiedenen Symbolgedanken sich in einer Sphäre
bewegen, die dem Charakter des Ortes angepaßt ist.

Man könnte gegen unseren Vergleich mit den
heutigen Friedhöfen den Einwand erheben, daß es
nicht statthaft ist, geschichtlich so weit zurück≠
liegende Dinge wie die Katakomben mit modernen
Maßstäben und Empfindungen zu messen und zu
deuten. Das ist gewiß richtig, und es wäre ein gro≠
ßer Irrtum, wenn man bestimmte Inhalte aus unserer
heutigen Anschauung heraus erklären wollte. Der
Vergleich mit den heutigen Friedhöfen ist zunächst
eben nur als Vergleich und nicht als Beweis ge=
meint. Ferner geht dieser Vergleich nicht auf das
einzelne, sondern auf eine gewisse Gesamtlinie, die
sich auf das zu allen Zeiten gleiche menschliche
Grundempfinden beruft.

Eines dürfte jedenfalls aus dem bis hierhin ge≠
sagten klar werden, daß die Deutung der altchrist≠
lichen Bildkunst nicht so einfach und selbstver≠
ständlich ist, wie sie einem auf den ersten Blick
erscheinen könnte. Sonst würden nicht verdiente
Forscher in dieser Weise herumstreiten. Es mag
deswegen nicht unangebracht sein, ein wenig über
die Forschungsmethode selber zu sprechen. Grund≠
voraussetzung für eine gedeihliche Forschungsarbeit
ist eine möglichst gute und sorgfältige Veröffent≠
lichung des Materials, die das Studium auch außer≠
halb der Katakomben ermöglicht und Vergleiche
auf breiterer Basis gestattet. Die alten Veröffent≠
lichungen über die Katakomben haben für uns den

besonderen Wert, daß sie oft noch Bilder enthalten, die in der Zwischenzeit schon zerstört und verloren sind. Von neueren Werken möchten wir zwei nennen, die beide das Verdienst haben uns das Material in möglichster Vollständigkeit gesammelt vermittelt zu haben. Die Storia dell'arte cristiana [155] von Raffaele Garrucci S. J. ist ein wahres Corpus der altchristlichen Kunst, in dem wir alles, was in dieser Zeit an altchristlichen Werken bekannt war, gesammelt finden, Mosaiken, Katakombenmalereien, Sarkophage, Statuen, Goldgläser, Metallarbeiten, Holz= und Elfenbeinschnitzereien, Miniaturen und Münzen. Was Vollständigkeit angeht, ist dieses Werk bis heute nicht überholt. Wohl aber läßt die Technik der Wiedergabe für unsere heutigen An= sprüche viel zu wünschen übrig, weil weder Farbe noch Photographie verwandt wurde. Das große Verdienst, diesem Mangel in glänzender Weise abgeholfen zu haben, kommt Josef Wilpert zu, der in kostspieligen und monumentalen Veröffent= lichungen die Malereien der römischen Katakom= ben, die übrigen römischen Mosaiken und Male= reien der Frühzeit und die gesamten altchristlichen Sarkophage neu studierte und herausgab. [156]

Die Aufnahme der Katakombenbilder war mit den größten Schwierigkeiten verbunden. Die Photographien mußten nicht nur bei künstlichem Licht gemacht werden, sondern auch an höchst un= bequemen Stellen, wie bei jenen Bildern, die sich innen an einem kaum meterhohen Arkosolbogen befinden. Auf die vergrößerten Photographien ließ Wilpert unter seiner Aufsicht an Ort und Stelle durch einen Maler die Farben auftragen.

Über Schwierigkeiten anderer Art erzählt Wil= pert selbst in seinen Erinnerungen: „Zuletzt fehlten mir bloß die wichtigen Malereien einer Kammer und eines Arkosols der Prätextat=Katakombe, die

in einer Vigna liegt, welche damals einem Advo=
katen namens N. gehörte. Dieser führte seit vielen
Jahren mit der Kommission wegen der Katakombe
einen Prozeß. Zuletzt ist er unterlegen; das Gericht
sprach die Katakomben als religiöse Versamm=
lungsorte der die Interessen der Kirche wahrenden
Kommission zu. ‚Die Katakombe gehört euch‘,
sagte darauf der Advokat zu de Rossi, ‚aber die
Vigna gehört mir; und so lange ich lebe, wird mir
keiner die Katakombe betreten.‘ Er hielt Wort. Der
erste, den er aus der Vigna wies, war de Rossi
selbst...

Über zwanzig Jahre waren seitdem verstrichen.
‚Der Advokat wird wohl seinen Zorn besänftigt
haben‘, dachte ich, und ging, mit dem Empfehlungs=
schreiben eines seiner Freunde ausgerüstet, zu ihm,
um den Eintritt in die Katakombe zu erbitten. Da
kam ich an den Richtigen; wie von der Tarantel
gestochen, fuhr er auf, als ich das Wort Katakombe
aussprach. Ich merkte gleich, daß alles Bitten
umsonst war. Unverrichteter Sache kehrte ich nach
Hause zurück.

Wie ich mich in dem Advokaten, so hatte sich
aber auch der Advokat in mir geirrt. Da ich mein
Werk ohne die unter seiner Vigna befindlichen
Malereien nicht abschließen konnte, so blieb mir
nur eine Möglichkeit: ich mußte mir den Zugang
unterirdisch verschaffen. Und das ist denn auch
mit Hilfe von drei jungen, mutigen Studenten der
Theologie geschehen, ohne daß jemand eine Ahnung
davon hatte. Die Prätextat=Katakombe hat nämlich
zwei Eingänge: einen unter der Vigna des Advo=
katen und einen unter dem benachbarten, durch
einen niedrigen Zaun getrennten Grundstück, das
dem Fürsten Torlonia gehört. Durch diesen zweiten
Eingang konnte man unterirdisch weit unter die
Vigna des Advokaten gelangen, bis der Weg in=

folge eines Einsturzes unterbrochen war, und zwar in einer Länge von zehn Metern. Dieses Stück mußte also wiederhergestellt werden. Die Studenten hatten Schaufeln und Hacken... Nach vier Monaten war die Arbeit vollendet; an einem Osterdienstag hielt ich meinen feierlichen Einzug in den wiedereroberten Teil der Katakombe, d. h. ich kroch auf allen Vieren durch das Loch, das groß genug war, einen nicht allzu umfangreichen Mann durchzulassen. Durch dieses Loch mußte auch der Maler und der Photograph mit seinem Apparat kriechen. Die Fresken wurden natürlich sofort kopiert. Mir selbst verschaffte dieser Erfolg die Ernennung zum Mitglied der Ausgrabungskommission." [157]

Diese Erzählung Wilperts läßt ein wenig ahnen von der großen Mühe und der unüberwindlichen Zähigkeit, die ein solches Werk kostet. Und doch ist das nur die materielle Seite des Unternehmens. Schwieriger und aufreibender ist die eigentliche geistige Leistung, die zu vollbringen ist. Da findet sich der Forscher vor einem Bild, von dem nur noch schwache Umrisse erhalten sind oder von dem nur noch ein Bruchstück erhalten ist. Wie oft kommt das vor bei den Katakombenmalereien und Sarkophagen. Da heißt es dann alle Möglichkeiten versuchen, durch Vergleichen Ähnlichkeiten aufzufinden, die den dargestellten Inhalt erschließen lassen oder wenn das nicht gelingen will, wenigstens nach und nach den Bereich der Möglichkeiten zu verringern. Manchmal genügt allerdings auch ein kleiner Rest, um mit Sicherheit auf eine bestimmte Szene zu schließen. So ist der Stern in den meisten Fällen ein sicheres Zeichen der Anbetung durch die Magier. Die Füße menschengroßer Vögel weisen auf die Sirenen, und diese wiederum auf den an den Mastbaum gebundenen

Odysseus, der in der altchristlichen Sarkophag=
plastik den Christen darstellt, der auf dem Schiff=
lein der Kirche und an den Mastbaum des Kreuzes
gebunden die falschen Lehren der Häretiker oder
auch die bösen Lockungen der Welt überwindet.
Ein Hahn verrät fast immer die Ansage der Ver=
leugnung Petri, ein Löwe meist Daniel in der
Löwengrube und ein Brotkorb die wunderbare
Brotvermehrung. Das sind die leichten Fälle, die
dem einigermaßen mit der altchristlichen Kunst
Vertrauten keine Schwierigkeiten bereiten. Aber
nicht immer erweisen die Bruchstücke eines Sar=
kophags oder die Reste eines Katakombenfreskos
dem Forscher den Liebesdienst, gerade so charak=
teristische Teile für ihn aufzubewahren. In der
Mehrzahl der Fälle findet er vielleicht ein paar
Füße oder ein Stück einer gewandeten Figur oder
sonst eine wenig aufschlußreiche Sache. Da ist oft
jedes Suchen vergebens, und der Versuch einer
Deutung und Rekonstruktion würde eher als
schlechter Spaß denn als ernsthafte Forscherarbeit
wirken. Es bleiben aber die vielen Fälle, die zwi=
schen diesen beiden äußersten Möglichkeiten liegen.
Da hilft nur ein großes Wissen, viel Erfahrung
und große Geduld. Diese fördern dann allerdings
oft Erstaunliches zutage.

Damit ist der Forscher aber noch lange nicht
am Ende seiner Schwierigkeiten. Wenn er den
materiellen Sachbestand festgestellt hat, daß es sich
um eine bestimmte Szene handelt, die aus der
Heiligen Schrift bekannt ist, dann bleibt ihm noch
zu untersuchen, ob diese Szene nicht in einem
symbolischen Sinn gemeint ist und im Grunde weit
mehr sagen will, als es der Inhalt zunächst erraten
läßt. Wir kommen damit wieder zu den früher
erörterten Streitigkeiten über den eigentlichen Sinn
der altchristlichen Kunst zurück. Wir haben uns

dafür entschieden, daß der Sinn kein einheitlicher ist, sondern von Fall zu Fall verschieden sein kann. Dieser Einzelfall muß also nun erforscht werden, ob es sich um ein Symbol handelt oder nicht, und wenn, um welches. Man kann leicht begreifen, daß dies eine Unsumme von Studien und Forschungen erfordert. Diese Einzelforschungen sind erst in kleinem Umfange durchgeführt. Es stellt sich oft dabei heraus, daß wir heute den Schlüssel zum Verständnis dieser Bilder verloren haben. Nur in seltenen Fällen haben uns die Künstler den Schlüssel zum Verständnis selbst in die Hand gegeben, wie zum Beispiel in dem interessanten Bild am Arkosolgrab einer Celerina in der Prätextatkatakombe. Dort finden wir ein Lamm zwischen zwei Wölfen. Über dem Lamm steht Susanna geschrieben und über einem der Wölfe Senioris. Die drei Tiere bedeuten also Susanna und die beiden Alten, die sie verführen wollten und anklagten. In den andern Fällen bleibt nichts anderes übrig, als in den gleichzeitigen Schriften der Väter nachzusuchen, vor allem in ihren Predigten, um so festzustellen, was die damaligen Menschen unter gewissen Darstellungen verstanden, und was sie damit ausdrücken wollten. Es genügt freilich nicht, den einen oder andern Text ausfindig zu machen, sondern es muß erwiesen werden, daß es sich um einen bekannten Symbolismus handelt. Man hat auf diese Weise die Darstellung der großen Traube aus dem Gelobten Land, die von den beiden Kundschaftern an einer Stange getragen wird, untersucht und mit Sicherheit feststellen können, daß die Traube an der Holzstange Christus am Kreuz bedeutet, und die beiden Kundschafter die Kirche und die Synagoge. Derartige Feststellungen machen es sehr wünschenswert, daß es bald gelingen werde, für möglichst viele Dar=

stellungen der altchristlichen Kunst, die uns heute noch nicht ganz verständlich sind, ihren ursprünglichen Sinn wiederzufinden, und uns damit einen tieferen Einblick in das reiche Glaubensleben dieser ersten Jahrhunderte des Christentums zu ermöglichen.

Wir können die Katakomben und ihre schlichte Kunst nicht ganz verstehen, wenn wir uns nicht ein wenig nach den Männern und ihren Lebensbedingungen umsehen, die die Katakomben angelegt und deren Wände und Gräber geschmückt haben. Diese Arbeit oblag den sogenannten Fossoren. Diese Männer waren im Empfinden der alten Christen so sehr mit den Katakomben verbunden, daß diese zuweilen Fossoren an die Wände ihrer Grabkammern malen ließen, die nicht eine bestimmte Person, sondern nur das Amt als solches ausdrücken sollten. Andere Fossorenbilder gehören allerdings zu Fossorengräbern und wollen den Verstorbenen in seinem Beruf darstellen, wie man das im 4. Jahrhundert zu tun liebte.

Eines der bekanntesten derartigen Berufs-Bilder ist das des Fossors Diogenes in Domitilla. Das Fresko bildet die Rückwand eines Arkosoliums, dessen Sarkophag leider verschwunden ist. Wir sehen dort Diogenes vor einem Gebäudekomplex inmitten seiner Arbeitsinstrumente: Hacke, Spitzhacke, Hammer und Lampe. Die Figur selbst ist zerstört, sie wurde jedoch kopiert, als sie noch sichtbar war. Auf andern Darstellungen finden sich Fossoren am Eingang zu den Grabkammern oder wir sehen sie, wie sie beim Schein einer kleinen Lampe ihre mühsame Arbeit verrichten.

Die Fossoren gehörten zum niederen Klerus und waren einem bestimmten Friedhof zugeteilt. Außer ihrer eigentlichen Aufgabe, die Gänge und Gräber im Tuff auszuhauen und instand zu halten, ver-

## Die Kunst der Katakomben

sahen sie später auch das Amt des Ostiarius (Küster, Kirchenschweizer) an den Cömeterialbasiliken. Da ihnen die ganze unterirdische Anlage anvertraut war, mußten sie, oder wenigstens die Vorarbeiter unter ihnen, über gewisse technische Kenntnisse verfügen. Daß Diogenes sich ein Grab mit einem Sarkophag anlegen konnte, zeugt von einer gewissen Wohlhabenheit.

Die Fossoren hatten auch die Kaufverträge mit den einzelnen Gläubigen oder Familien abzuschließen und das Geld in Empfang zu nehmen. Das bezeugen eine Menge Inschriften [158], z. B. eine aus Comodilla vom Jahr 380: „Ich Flavius Victor, habe zu meinen Lebzeiten mit meiner Frau ein Grab gekauft von dem Fossor (Name unleserlich)"; eine andere aus Cyriaca vom Jahr 400: „Soteris hat bei Lebzeiten für sich und ihren Mann Vernaculus (dieses Grab) von dem Fossor Celerinus gekauft." „Constantinus und Susanna haben sich bei Lebzeiten das Grab gekauft in Gegenwart aller Fossoren." Auf einer Inschrift vom Jahr 426[159] steht auch der Preis: 1½ Solidus in Gold. Ob alle Gräber so teuer waren, wissen wir nicht. Natürlich verkauften die Fossoren die Gräber nicht auf eigene Rechnung, sondern für die Verwaltung des Cömeteriums, die ihrerseits dem Presbyter einer Stadtkirche unterstand. So war z. B. Domitilla abhängig von der Kirche „Titulus Fasciolae" (heute S. Nereo ed Achilleo).

Auch heute besteht an den römischen Katakomben wieder eine Gruppe von Männern, die Fossoren heißen und sich mit Graben beschäftigen. Aber heute geht es nicht darum, neue Gänge und Gräber anzulegen, sondern nur darum, das wieder freizulegen, was ihre Kollegen vor anderthalb tausend Jahren dort unten angelegt haben. Natürlich ist das eine Arbeit von großer wissenschaftlicher Verantwortung. Sie vollzieht sich deshalb unter Leitung und Aufsicht eines Facharchäologen. Seit vielen Jahren leitet diese Grabungen Prof. Enrico Josi, der als der beste lebende Kenner der Katakomben und ihrer Probleme bekannt ist. Bei den heutigen Fossoren erbt sich dieses Handwerk oft durch Generationen fort. So arbeitet z. B. heute dort ein Nachkomme jenes Zinobili, der vor hundert Jahren mit dem damaligen Inspektor der Katakomben, Marchi, das Grab des Martyrers Hyazinthus auffand.

Zu den alten Fossoren gehörten auch Maler und Bildhauer. Wir dürfen uns darunter nicht große Künstler vorstellen. Es waren meist bescheidene Handwerker, deren Erzeugnisse selten über ein Mittelmaß herausragen, oft sogar weit dahinter zurückbleiben. Doch gibt es auch in den Katakombenmalereien und den Sarkophagreliefs Darstellungen von großer Formschönheit und verblüffend frischer Charakterisierung. Aber im ganzen gesehen bilden diese Werke doch mehr eine Ausnahme. Es ist ja auch nicht auszuschließen, daß eine reiche Familie sich einmal einen besonders guten Künstler eigens besorgte. Bei den Steinmetzen muß man wohl erst recht unterscheiden, zwischen solchen, die zu den Fossoren gehörten und die einfachen Marmorverschlußplatten mit ihren Inschriften und kleinen Symbolen machten, und solchen, die eine eigene Werkstatt unterhielten, in der die Sarkophage gearbeitet wurden. Solche Werkstätten haben wir, genau wie heute, auf den großen Straßen zu den Friedhöfen zu suchen. Wenn wir heute etwa zum römischen Agro Verano gehen, so finden wir, je mehr wir uns dem Friedhof nähern, an der Straße Geschäfte, die Grabsteine feilhalten und entsprechende Aufträge ausführen. Ähnlich haben wir im alten Rom auf der Via Salaria, der Via Appia und ähnlichen Straßen, die zu den großen Cömeterialzentren führten, solche Werkstätten anzusetzen. Es finden sich nicht selten Sarkophage aus dieser Zeit, in der das Antlitz des Verstorbenen nur in allgemeinen Umrissen angegeben ist. Dieses Bild ist unvollendet geblieben, so wie es der Käufer im Laden vorgefunden hat. Eigentlich hätte es nach den Angaben des Käufers fertiggestellt werden sollen, denn deshalb war es nur im Umriß angelegt. Noch heute zeigt die Verwandtschaft der Sarkophage in einer bestimmten Region, daß in der Nähe eine Werkstatt war, aus der diese Arbeiten hervorgingen. Ähnliches kann man bei den Katakombenmalereien feststellen, wo sich oft deutlich dieselbe Art in einer und derselben Katakombe wiederholt.

In der Callisto-Katakombe wurde eine Inschrift gefunden, auf der uns die dort abgebildeten Arbeitsinstrumente, zwei Pinsel, ein Zirkel und ein spitzer Stift, klar den Beruf des Verstorbenen verraten. Es war ein junger Maler namens Felix, der mit dreiundzwanzig Jahren starb. Aus der Katakombe Pietro e Marcellino stammt eine Grabplatte, auf der uns ein Steinmetz bei der Arbeit dargestellt ist. Der Sohn hat laut der Inschrift seinem Vater, „dem heiligen und frommen Eutropos" die Platte gemeißelt. Er hat den Vater in seinem Beruf dargestellt, wie er auf einem hohen Stuhl sitzend an einem Sarkophag arbeitet, der auf zwei Stützen aufruht. Es ist eine strigilierte Wanne mit zwei Löwenköpfen. Ein Geselle, wohl der Sohn selber, hilft ihm bei der Arbeit. Rechts davon steht ein fertiger Sarkophag, der die Aufschrift Eutropos trägt. Auf der linken Seite ist nochmals groß Eutropos abgebildet, diesmal aber mit den typisch erhobenen Händen der Oranten,

in der linken einen Becher, das Symbol der Selig=
keit, haltend.

Die Maler und Bildhauer waren im alten Rom
trotz ihrer großen Kunstliebe nicht besonders
geachtet, sie waren Handwerker. Nur Sklaven und
Freigelassene übten daher diese Künste aus. Dem=
entsprechend war auch ihre Bezahlung. Immerhin
galten die Maler noch etwas mehr als die Bild=
hauer und wurden auch ein wenig besser bezahlt.
Die Bildhauer standen auf einer Stufe mit den
Mosaizisten. Erst Kaiser Konstantin suchte durch
besondere Privilegien den Künstlerstand etwas zu
haben.[160]

Es ist übrigens durchaus nicht ausgemacht, daß
alle Malereien, Plastiken und die Werke der Klein=
künste wie Tonlampen, Goldgläser usw., die christ=
liche Motive zeigen, auch immer von christlichen
Künstlern angefertigt worden sind. Für die erste
Zeit muß man das sogar entschieden bezweifeln.
Wo hätten auch so schnell überall christliche
Künstler und Handwerker herkommen sollen. Es
ist vielmehr anzunehmen, daß oft auch heidnische
Werkstätten christliche Aufträge ausführten nach
den Wünschen ihrer Auftraggeber. Anderseits fan=
den sich oft genug christliche Künstler in der um=
gekehrten Lage, für heidnische Besteller arbeiten
zu müssen. Sie hätten wohl sonst in der Frühzeit
kaum genügend Aufträge erhalten, um leben zu
können. Soweit es sich dabei um indifferente Mo=
tive handelte, wie die Porträts der Verstorbenen
und einige Ornamente oder Putten und Hirten=
szenen, war keine Schwierigkeit. Wenn aber die
Auftraggeber eigentlich heidnisch=religiöse Dar=
stellungen verlangten, begann für den christlichen
Künstler der Gewissenskonflikt. Es ist daher be=
greiflich, wenn man in der frühesten Zeit für die
Christen die Ausübung dieses Gewerbes für ge=

fährlich hielt und nicht gerne sah. Ein Rigorist wie Tertullian war jedenfalls nicht dafür zu haben. Je größer die Christengemeinden wurden, umso mehr trat diese Schwierigkeit in den Hintergrund.

Es bleibt aber noch eine andere interessante Frage. Wie konnten die ersten Künstler christlicher Darstellungen mit ihrem so neuen Inhalt, seien es Heiden oder Christen, so schnell die entsprechenden Formen finden? Diese Schwierigkeit ist umso realer als es sich, wie wir sahen, in den Katakomben meist nicht um geniale Schöpfungen, sondern um oft recht handwerkliche Erzeugnisse handelt. Es ist klar, daß diese einfachen Leute von andern angeleitet werden mußten, die sich besser als sie in den christlichen Glaubensgeheimnissen auskannten. Man wird deswegen nicht fehlgehen, für komplizierte Leistungen einen Kleriker als geistigen Urheber anzusprechen, wie es ja häufig in der christlichen Kunst bis ins Mittelalter hinein war. Aber auch so bleibt die Frage der künstlerischen Gestaltung der empfangenen Ideen noch offen. Es läßt sich feststellen, daß oft einfache, leicht darstellbare Inhalte bevorzugt und andere, schwierigere Darstellungen auf ein Mindestmaß reduziert wurden, das in einfachster Weise den Vorgang festlegte. Ein Mann zwischen zwei Löwen ist Daniel in der Löwengrube; ein Mann, der mit einem Stab gegen einen Fels schlägt, ist das Wasserwunder des Moses; ein Mann, der mit einem Stab Körbe berührt, bedeutet die wunderbare Brotvermehrung; ein Mann, der etwas Viereckiges auf der Schulter trägt, ist die Heilung des Gichtbrüchigen, und ein Mann, der in einem Kasten steht, ist Noe in der Arche. Man sieht also klar, wie die Vorgänge vereinfacht werden bis zur wesentlichsten Andeutung des Geschehens. Das konnte auch der einfachste Maler leisten. Trotzdem bleiben noch eine Reihe schwieriger Darstellungen, wie etwa der Jonas-Zyklus und die Anbetung der Magier. Da dienten bisweilen antike Vorbilder, die äußerlich ähnliche Gestalt aufwiesen, und die sich mit wenigen Änderungen übernehmen ließen. Nach und nach wurde so ein gewisser Typenschatz gewonnen, der sich nur langsam änderte oder vermehrte und der allmählich Gemeingut der altchristlichen Künstler wurde.

## XII. KAPITEL

# DAS CREDO DER KATAKOMBENKUNST

*Das Credo der Katakombenkunst*

Es ist auch für den in seinem Glauben oberflächlich unterrichteten Christen eine Selbstverständlichkeit, daß der christliche Glaube in seiner Substanz noch heute derselbe ist wie in den ersten Jahrhunderten, und daß die Urchristen dasselbe glaubten wie wir. Trotzdem wird jeder die Erfahrung machen, der aufmerksam und mit Interesse die Katakomben und ihre Bildwerke betrachtet, daß die augenscheinliche Feststellung dieser Tatsache vor den Bildern und Sarkophagen der Katakomben einen unvergeßlichen Eindruck macht und wie eine Überraschung wirkt.

Wenn wir nun in den folgenden Zeilen einige interessantere Stücke aus der Gesamtheit des dort unten bildhaft festgelegten Credos der alten Christen herausgreifen, so wollen wir damit nicht etwa irgend etwas „beweisen". Der christliche Glaube braucht weder die Katakombenbilder noch die Sarkophage noch irgendwelche andere Bildwerke der Frühzeit, um sein Alter zu beweisen. Das geschieht ganz unabhängig davon und beruht auf viel reicheren und sichereren Quellen. Es reizt uns vielmehr in diesem Zusammenhang der unmittelbare Kontakt mit der geistig-religiösen Welt der Urchristen, den kaum etwas anderes so frisch und lebendig vermitteln kann, als die alten Bilder der Katakomben, die oft vom Alter verblaßt, von der Witterung beschädigt, dennoch wahre „Augen- und Ohrenzeugen" sind, die selber Urchristentum sind, und nicht, wie so viele papierene Dokumente, nur berichten, was sie von andern gehört und übernommen haben.

Die klassische Gestalt der Katakomben und der altchristlichen Kunst überhaupt, ist der Gute Hirt. Man braucht nicht lange drunten in den Katakomben zu wandern, um seinem Bild zu begegnen. Zahlenmäßig übertrifft diese Gestalt um ein vielfaches alle andern. 120 Malereien und 150 Skulpturen hat Styger gezählt.[161] Sehr oft finden wir ihn im Zentrum einer Gewölbedekoration oder im Mittelpunkt einer Arkosollunette. In den meisten Fällen trägt er das Schäflein auf der Schulter, zuweilen steht er auch nur inmitten seiner Herde. Für uns ist der Hirt mit dem Lamm auf der Schulter vor allem das Sinnbild des Seelsorgers, des Heilandes, der die Sünder aufsucht und ihnen verzeiht, so wie Christus es selbst in seiner schönen Parabel bei Lukas 15, 1—7 erzählt hat. Für die alten Christen enthielt die Gestalt des Guten Hirten aber noch mehr als die Erzählung der Parabel des Herrn. Natürlich dachten sie auch an die Parabel, aber sie verbanden damit, wie wir aus den Schriften der Kirchenväter erfahren, eine Reihe anderer, theologisch sehr tiefer Vorstellungen und Gedanken, die uns heute nicht mehr so geläufig sind, wenn wir den Guten Hirten sehen.[162] Der Heiland als Hirte ist der Lehrer, der den Gläubigen die rechte Weide zeigt. Dann ist er der große König, der über die Völker herrscht. Das Hirtenamt als Sinnbild der Königsherrschaft ist dem ganzen klassischen Altertum vertraut. Schon bei Homer erscheint Agamemnon als „Hirt der Völker". Erst recht wird Gott in den Schriften des Alten Testamentes als Hirt der Völker bezeichnet. So ist in der Gestalt des lammtragenden Hirten Christus als Gott gemeint, als der ewige Logos, und nicht die menschlich-historische Erscheinung

Christi. Das Lamm, das der Hirte trägt, ist dem=
entsprechend nicht der einzelne Sünder, es läge
so nahe an den Verstorbenen zu denken, an dessen
Grab sich die Darstellung jeweilig findet, son=
dern die menschliche Natur, die der göttliche
Logos angenommen hat, und in der alle Menschen
einbegriffen sind. Wir müssen aber, um den In=
halt dieses tiefen Bildes noch besser zu verstehen,
die Vorstellung der antiken Menschen von den
Gefahren hinzunehmen, die die im Tod vom Leib
getrennte Seele auf ihrem Weg in den Himmel
durch die die Lüfte bevölkernden Dämonen zu
bestehen hatte. Der göttliche Logoshirte, der die
Menschheit auf seiner Schulter trägt, hat sie durch
seinen Tod errettet und führt sie durch alle Ge=
fahren heim zum Vater. Eine Tonlampe deutet
dies an, indem sie die Gestalt des Guten Hirten mit
sieben Sternen umgibt, den sieben Planeten, deren
Sphären als die große Gefahrenzone der Seelen
galten. Jenseits der Sterne, im lichten Äther, war
der Himmel. Es ist begreiflich, daß die Gestalt des
Guten Hirten den alten Christen besonders im
Angesicht des Todes so teuer war, die so viele und
tröstliche Grundwahrheiten ihres Glaubens ver=
sinnbildete. Wir wundern uns vielleicht, daß diese
Menschen so tiefe und schwere theologische Ge=
danken gehabt haben sollen. Aber wir dürfen nicht
vergessen, daß sie von ihren Seelsorgern so er=
zogen worden waren, deren Predigten und Schrif=
ten immer wieder in dieser Weise zu ihnen spra=
chen. Sie waren es gewohnt, sich nicht so sehr als
Einzelseelen zu fühlen, als vielmehr als Glieder
der Kirche, der in ihr erlösten Menschheit. So
bleibt auch ein Gelehrter, wie es Gregor von
Nyssa war, ganz in der Gedankenwelt des christ=
lichen Volkes von damals, wenn er in seinem
Kommentar zum Hohenlied die Braut sprechen

läßt: „Wo weidest du, guter Hirt, der du auf deinen Schultern die ganze Herde trägst? Denn ein einziges Schäflein ist die gesamte menschliche Natur, die du auf deine Schultern genommen hast. Zeige mir das immergrünende Land, laß mich finden den Born der Labung, führ mich fort zu deiner nahrhaften Weide und rufe mich bei meinem Namen, damit ich deine Stimme hören kann, ich bin ja dein Schäflein. Und durch deine rufende Stimme schenke mir dann das ewige Leben!"[163]

Eine weitere häufig verwendete Symbolfigur ist der Fisch. Nach der vom hl. Augustinus[164] u. a. gegebenen bekannten Erklärung wird das Wort Fisch für Christus gebraucht, weil seine Buchstaben im Griechischen (ΙΧΘΥΣ) zugleich die Anfangsbuchstaben bilden für Jesus Christus Gottes Sohn Erlöser. Das Ursprüngliche ist also wohl nicht die Abbildung des Fisches, sondern das Wort Fisch. So finden wir es auf einem der ältesten erhaltenen christlichen Grabsteine, der sicher noch dem 2. Jahrhundert angehört, in der Verbindung ΙΧΘΥΣ ΖΩΝΤΩΝ „Fisch der Lebenden", lebensspendender Fisch. Die Allegorie wurde aber dann weiter ausgebaut: Christus ist der Fisch, die Gläubigen sind seine pisciculi; daher ist ihr Lebenselement das Wasser, nämlich das Taufwasser, das sie niemals verlassen dürfen.[165] Ambrosius führt dieses Bild nach einer andern Richtung aus: Die Menschen sind die Fische, die der Fischer Petrus fängt; aber sein Angelhaken tötet nicht, sondern heiligt.[166] Dieser Gedanke, Petrus als Menschenfischer, ist nach Wilpert auf mehreren Sarkophagen dargestellt. Auf dem berühmten Sarkophag von La Gayolle, der dem 2. oder 3. Jahrhundert angehört, zieht auf der linken Seite der Bildfläche ein bärtiger Fischer gerade einen Fisch mit der Angel aus dem Wasser. Rechts von ihm steht eine Orante.[167]

Der Gute Hirt und der Fisch sind zwei symbolische Darstellungen Christi. Daneben finden wir aber auch häufig Christus realistisch dargestellt als Wundertäter, wobei wir nicht ausschließen wollen, daß auch hinter manchen dieser Wunderszenen ein weiterer symbolischer Zusammenhang steht. Diese Wunder Christi, die seinen Erlöserwillen und seine Erlösermacht zeigen, kann man als Paraphrase um das Leitmotiv des Guten Hirten ansehen. Zusammen mit den ähnlichen Szenen des Alten Testamentes, die denselben Heilswillen Gottes zeigen, wie Susanna, Jonas, Daniel, Abraham, Noe und die drei babylonischen Jünglinge, verraten sie das Vertrauen der Verstorbenen und der Hinterbliebenen auf die Hilfe Gottes in der schweren Entscheidungsstunde des Todes.

Die vielen Darstellungen und Szenen aus der Heiligen Schrift sagen uns aber auch, wie diese Menschen den Inhalt der heiligen Schriften kannten und liebten. Wenn man in der sogenannten Cappella Graeca in Priscilla weilt und dort die Auferweckung des Lazarus betrachtet, die sich trotz den verblaßten Farben noch immer deutlich genug von dem roten Grund abhebt, muß man bedenken, daß dieses Bild um 150 n. Chr. gemalt wurde, also nur fünfzig bis sechzig Jahre nach der Niederschrift des Johannesevangeliums, das allein diesen Wunderbericht enthält. Unmittelbarer kann man kaum mit dem Urchristentum in Berührung kommen.

Vieles wußten die alten Christen durch eifriges Lesen in den heiligen Schriften, vieles aber war damals in ihrem geistigen Besitz durch mündliche Unterweisung. Nicht umsonst spielt die Darstellung des lehrenden Christus und der katechetischen

Unterweisung in der altchristlichen Kunst, vor allem in der Sarkophagplastik, eine so große Rolle. Wir sehen da Christus lehrend im Kreise der Apostel, oder einen Katecheten auf dem Stuhl sitzend mit der Buchrolle und vor ihm einen Schüler oder eine Schülerin. Daß es sich dabei um die Glaubenslehre und nicht um irgend eine Reminiszenz aus dem Schulunterricht der Jugend handelt, geht schon daraus hervor, daß man diese Szene für wichtig genug hielt, sie auf Sarkophagen darzustellen.

Eigenartig ist das Verhalten der altchristlichen Kunst der Passion des Herrn gegenüber. Da wahrt sie die größte Zurückhaltung und wagt es nicht, sich offen auszusprechen. Erst sehr spät, im frühen 5. Jahrhundert, finden wir eine klare Darstellung der Kreuzigung an der Holztür der Kirche S. Sabina in Rom. Das Kreuz war viel früher in Brauch, aber nicht die Kreuzigung. Man stellte das Leiden des Herrn nur symbolisch oder verklärt dar. Eine solche symbolische Darstellung ist uns schon begegnet in dem Bild der großen Traube, die die beiden Kundschafter an einer Stange tragen. Eine verklärte Darstellung ist das sogenannte Gemmenkreuz, ein reich mit Edelsteinen geschmücktes Kreuz ohne Corpus. Aber auch diese Kreuzdarstellungen sind spät. In der Prätextatkatakombe ist ein sehr altes Bild, das eine verschleierte Dornenkrönung darstellen könnte. Ein Mann hält eine Art Schilfrohr über das von Blättern oder Zweigen leicht umgebene Haupt eines andern Mannes. Ein anderer Sinn, als eine verschleierte Dornenkrönung ist aus dem Typenschatz der altchristlichen Kunst nicht zu ermitteln. Auch auf Sarkophagen finden wir diese Art der verschleierten Dornenkrönung. So zeigt der sogenannte Passions-Sarkophag ein Bild, auf dem ein Soldat einen Lorbeerkranz über das Haupt Christi hält. Auf demselben Sarkophag sind auch noch der Weg nach Kalvaria und Christus vor Pilatus dargestellt, so daß über die Deutung als Dornenkrönung kein Zweifel bestehen kann. Auf dem Weg nach Kalvaria ist nur Simon von Cyrene, der das Kreuz trägt. Christus ist nicht dargestellt. Über diesem Bild und über der Pilatusszene hängt aus einer Muschel von einem Adlerkopf gehalten, je ein Kranz. Im Zentrum des Sarkophages ist groß das vom Christusmonogramm im Siegeskranz überragte Symbolkreuz der Auferstehung, auf dessen Querbalken zwei Tauben ausruhen und an dessen Fuß die Grabeswächter schlafen. So wird die Passion des Herrn ganz vom Triumph der Auferstehung her gesehen, und aus dem Leidensweg Christi wird der Siegeszug eines Triumphators.

Diese Verschleierung der Passion ist zum Teil Vorsicht und Rücksicht auf den Unverstand der Juden und Heiden, denn das Kreuz war „den Juden ein Ärgernis und den Heiden eine Torheit". Man braucht ja nur an das berühmte Spottkruzifix vom Palatin zu denken. Auf der andern Seite ist diese Art, alles im Licht der großen Wahrheiten zu sehen, in dem das Leiden nur Sieg Christi über die Sünde ist und die Pforte zum Triumph der Auferstehung, echt altchristlicher Geist, der lieber bei der Gottheit des Herrn als bei seiner Menschheit verweilt. Das liebevolle Versenken in die Geheimnisse des irdischen Lebens Jesu, vor allem seiner Kindheit und seines Leidens, ist mehr dem von Bernhard und Franziskus befruchteten Geist des Mittelalters eigen.

Eine der häufigsten und zugleich umstrittensten Gestaltungen der altchristlichen Kunst ist die Orante. Sie ist eine männliche oder weibliche Gestalt mit zum Himmel erhobenen Händen, dem

typischen Gebetsgestus des antiken Menschen.
Diese Figur, die zum ältesten Bestand der christ=
lichen Kunst gehört, dürfte mit der Zeit einen
Bedeutungswandel durchlaufen haben. Ohne Zwei=
fel bezieht sich die Orantenfigur in den meisten
Fällen auf die Verstorbenen, die zuweilen durch
Namensbeischrift oder auch durch andere Formen
der Individualisierung als solche erkannt werden
können. Man streitet nun über die Bedeutung ihrer
Gebetshaltung. Die einen erklären dies als das
Gebet der Verstorbenen für die Hinterbliebenen,
andere als den Anbetungsgestus der Verstorbenen
vor Gott, wieder andere als den Ausdruck des
Jubels der verklärten Seelen. Warum sollte es
jedoch ausgeschlossen sein, daß in einem Falle
dies und in einem andern Falle jenes gemeint war
oder daß diese Haltung des Gebets den Christen
eine der entsprechendsten Vorstellungen des
Lebens im Jenseits bedeutete? Es ist auch hier
wieder die Gefahr, die Dinge zu einfach machen
zu wollen, indem man für alles immer dieselbe
Grundvorstellung annimmt, die dann selber noch
viel zu eng und konkret gefaßt wird.

Die Orante als Darstellung der Seele im Jen=
seits tritt in zweifacher Form auf. Zunächst als
Porträt der Verstorbenen. Es sind Familienbilder
erhalten, wo Vater, Mutter und Kinder als Oranten
beisammenstehen. Manche dieser Porträts sind von
eindrucksvoller Schönheit oder doch lebendiger
Charakterisierung, wie zum Beispiel das Bild der
sogenannten Vergine Velata aus der Priscilla=
Katakombe. Die Mehrzahl verrät allerdings mehr
guten Willen als Geschicklichkeit. Eine andere
Form gibt die Seele als weibliche Orante wieder,
verzichtet also damit auf den Porträtcharakter.
Es bleibt die Frage offen, ob wirklich der oder die
Verstorbene mit dieser Orante gemeint ist oder

nicht. Denn es gibt genügend Fälle, in denen die Orante sich überhaupt nicht auf eine bestimmte Seele beziehen kann.

Dieser Fall scheint uns vor allem dann gegeben, wenn die Orante sich wie ein Ornament in den vier Zwickeln einer Gewölbedekoration wiederholt und wie eine Ornamentfigur aus einer großen stilisierten Blüte hervorwächst. Oder sie wechselt mit der in gleicher Weise wiederholten Gestalt des Guten Hirten ab, zu der sie in engste Beziehung gesetzt ist. Beide Gestalten sind hier ganz klar aus dem Bereich realistischer Beziehungen herausgehoben und in die abstrakte Sphäre des Symbols gerückt. Es ist übrigens bemerkenswert, daß derartige Darstellungen zu den ältesten gehören. Was bedeutet also hier die Orante? Zunächst ist nur eines sicher, daß sie nicht einen bestimmten Verstorbenen bezeichnen kann. Bedeutet sie etwa einfachhin das Reich der durch den Gotthirten geretteten Seelen? Es ist fernerhin nicht zu übersehen, daß die Orante auch auf Sarkophagen oft zum Guten Hirten in Beziehung gesetzt ist, so daß man mit Recht nach einer Sinndeutung für beide sucht. Man hat daran gedacht, in ihr eine Symbolgestalt der Kirche zu sehen, die dem göttlichen Bräutigam gegenübersteht. Es wäre verfrüht, sich für eine Meinung mit Bestimmtheit auszusprechen, denn dafür fehlen uns noch die entsprechenden wissenschaftlichen Spezialuntersuchungen. Aber eines kann man mit Sicherheit sagen, daß die älteren Forscher wie De Rossi und Garrucci recht hatten, in der altchristlichen Kunst nach einer Symbolgestalt der Kirche zu suchen. Sie haben dies getan aus ihrer überlegenen Kenntnis der Kirchenväter, bei denen Lehre und Spekulation über die Kirche von Anfang an zu den grundlegenden Themen gehörte und die weit populärer und volkstümlicher war, als wir heute ahnen und begreifen. — Es ist daher durchaus möglich, daß hier in frühester Zeit religiöse Gedanken und Vorstellungen schon volkstümlich-künstlerische Gestalt gewonnen haben, die uns modernen Christen fast wie fernliegende Fachspekulationen der Theologen scheinen.

Die Orante ist auch ein Ausdruck der Communio Sanctorum, wie sie ein Ausdruck für den Glauben an ein besseres Jenseits ist. Zuweilen sind die Figuren selber begleitet von Wunschformeln für die Verstorbenen, oder die Hinterbliebenen empfehlen sich deren Gebeten im Himmel. Jedenfalls kennen die Grabinschriften viele solcher Beispiele, die dieses gegenseitige Verbundensein im Gebet über das Grab hinaus ausdrücken. So heißt es in einer Inschrift aus der Kalixtuskatakombe, um wenigstens ein Beispiel anzuführen: Attice, spiritus tuus in bonu, ora pro parentibus tuis.[168]

Eine besonders ausdrucksvolle Darstellung der Communio sanctorum ist die Einführung der Verstorbenen in den Himmel durch die Heiligen. Auf Sarkophagen und Goldgläsern sind es häufig die beiden Apostel Petrus und Paulus, die den Verstorbenen in ihre Mitte nehmen. Ein anderes sehr schönes Bild befindet sich in der Domitilla-Katakombe. In der Mitte steht eine Matrone mit Namen Veneranda in Orantenstellung. Sie wendet sich zu einer Jungfrau, die dicht neben ihr steht und die durch die Beischrift als die Martyrin Petronilla gekennzeichnet ist. Auf der linken Seite ist das Fresko zwar zerstört, läßt aber noch deutlich erkennen, daß dort Blumen standen als Symbol des Paradieses. Ganz rechts oben ist ein geöffnetes Buch und darunter ein offener mit Buchrollen gefüllter Kasten. Der Sinn ist klar: die Martyrin Petronilla geleitet die Matrone Veneranda ins Paradies.

## Das Credo der Katakombenkunst

Dieses lebendige Bewußtsein von der Verbundenheit aller Christen untereinander in der Communio sanctorum ist nur eine besondere Seite des tiefeingewurzelten Gedankens von der Verbundenheit aller Gläubigen in der einen Ecclesia. Dieses Bewußtsein der Christen ist auch noch für das Verständnis einer andern Lieblingsdarstellung der alten Christen von Bedeutung, nämlich der Anbetung der Magier.

Die Geschichte der Magier ist in der römischen altchristlichen Malerei und Plastik in 85 Darstellungen erhalten[169] und gehört damit zu den wichtigsten Szenen der altchristlichen Kunst überhaupt. Noch kürzlich wurde bei den Ausgrabungen unter den Grotten von St. Peter ein großer Sarkophagdeckel gefunden, der auf seiner rechten Seite die Anbetung der Magier zeigt. Bemerkenswert ist diese Darstellung vor allem dadurch, daß hinter dem Sessel der Gottesmutter als Abschluß ein großes Kreuz steht, wiederum ein Beweis, daß wir den Gedankeninhalt dieser Bilder nicht zu oberflächlich interpretieren dürfen. Auf diesem Deckel sind es drei Magier, die dem Christusknaben huldigen. Diese Dreizahl ist bekanntlich in der Heiligen Schrift nicht ausgesprochen, wenn auch dreierlei Gaben als Geschenke angegeben werden. So hat sich denn auch die altchristliche Kunst nicht immer an diese Dreizahl gehalten, sondern wo es die Raumverteilung gebot sich mit weniger begnügt oder auch die Zahl der Symmetrie halber auf vier erhöht. Die älteste Darstellung der Magier, die wenigstens um die Mitte des 2. Jahrhunderts anzusetzen ist, befindet sich in der Cappella Graeca der Priscilla-Katakombe. Vielleicht ist uns damit das älteste Marienbild gegeben, das wir besitzen. Der Sinn dieses Bildes ist, wie wir vermuten dürfen, nicht einfach mit der Erzählung selbst erschöpft. Es geht in diesem Bilde auch nicht um die Muttergottes, die in den Katakomben kaum je um ihrer selbst willen dargestellt wird, sondern immer im Zusammenhang mit dem göttlichen Kinde und seinem Erlösungswerk.

Wir müssen in diesem Zusammenhang auf ein anderes berühmtes Marienbild derselben Katakombe zurückgreifen, das noch dem Ende des zweiten Jahrhunderts angehören dürfte. Das Bild wird gewöhnlich als Maria mit dem Propheten Isaias bezeichnet und soll dessen Prophezeiung von der jungfräulichen Geburt Mariens darstellen. Wir sehen auf diesem Bild Maria sitzend, das Kind an der Brust. Vor ihr steht ein Mann in Philosophentracht, der auf einen Stern weist, der über dem Haupt der Gottesmutter steht. Künstlerisch gehört dieses Bild zum Besten, was die Katakomben bergen.

Der Prophet, der hier dargestellt ist, ist nicht Isaias, sondern der Prophet Balaam. Das beweist zunächst klar der Stern, auf den er zeigt. Denn nur er hat die Geburt des Erlösers in Verbindung mit dem Stern geweissagt: Ein Stern geht aus Jakob auf, ein Zepter reckt sich aus Israel.[170] Der Prophet Balaam ist auch aus andern Darstellungen in der Katakombenmalerei bekannt. In den Schriften der Väter ist der Prophet Balaam der Stammes- und Berufsgenosse der Magier, die dem Sterne folgten, den der Prophet vorausgesagt hatte: In seiner 15. Homilie über das Buch Numeri spricht zum Beispiel Origenes klar aus, daß die Magier Nachkommen des Balaam seien entweder durch direkte Verwandtschaft oder durch die Überlieferung ihres Berufes.[171] Ähnliches finden wir bei andern Vätern. So sagt der hl. Hieronymus in seinem Matthäuskommentar: Zur Beschämung der Juden, damit sie die Geburt Christi von den Heiden erfahren, geht der Stern im Orient auf, von dem sie durch die Weissagungen des Balaam, dessen Nachfolger sie waren, wußten, daß er aufgehen werde.[172] Dieser Zusammenhang von Stern, Magiern und Balaam wird uns noch durch eine Grabinschrift einer Severa bestätigt, auf deren rechten Hälfte die Anbetung der Magier dargestellt ist. Hinter dem Sessel Mariens steht ein Prophet, der auf den Stern weist. Es ist der Prophet Balaam, wie uns die Väter gelehrt haben. Damit wird nun auch die Madonna mit Balaam und dem Stern verständlicher. Sie gehört in den Kreis der Magierdarstellungen.

Warum waren aber gerade die Magier so beliebt? Denn auch das Fest der Magier, das Epiphaniefest gehört zu den ältesten Festen der Kirche und galt im Orient mehr als das Weihnachtsfest selber. Den Aufschluß darüber dürfte uns der hl. Augustinus geben, wenn er in einer Epiphaniepredigt sagt: Jene (die Magier) waren die Erstlinge der Heiden, wir aber sind das Volk der Heiden".[173] Die Ecclesia ex Gentibus hat in dieser Darstellung ihren großen Ruhmestitel verherrlicht, daß die Erstlinge der Heiden den Herrn vor den Juden angebetet haben. Darum auch die Vorliebe für den Propheten Balaam, den Propheten aus den Heiden.

Es wäre verwunderlich, wenn wir bei dem starken Kirchenbewußtsein der alten Christen nicht auch einige ihrer wesentlichsten sichtbaren Lebensäußerungen im Glaubensniederschlag der altchristlichen Kunst wiederfänden. Man müßte geradezu nach einer Erklärung suchen, wenn unter den vielen christlichen Darstellungen nicht auch ein so grundlegendes Ereignis im Christenleben, wie es die Taufe bildet, seinen Platz hätte. Nun, wir brauchen nach keiner Erklärung zu suchen, weil die Taufe in

mannigfachster Weise in der sepulkralen Kunst zur Darstellung kommt. Die eindeutigste Weise ist ohne Zweifel die Taufe eines Katechumenen, wie sie etwa in einer der sogenannten Sakraments=
kapellen der Callixtuskatakombe sich findet. Gerne wird dabei der Täufling als Kind dargestellt, ob=
wohl es sich häufig um die Taufe von Erwachsenen handelte. Dabei dürfte eine künstlerische Vor=
stellung eine Rolle spielen, die von je her üblich war, nämlich die verschiedene Bedeutung der Per=
sonen durch entsprechend verschiedene Größen=
maßstäbe zu unterscheiden. So finden wir öfter die von Christus Geheilten in weit kleinerem Maß=
stabe als die Person Christi selber wiedergegeben. In unserem Falle möchte man allerdings auch an die Vorstellung der Wiedergeburt denken, die schon Christus selber in seinem Gespräch mit Nikodemus mit der Taufe verbunden hat. Diese Vorstellung wurde durch die Schriften des heili=
gen Paulus den Christen immer wieder eingeschärft und war für diese eine Selbstverständlichkeit. Der kleine Täufling enthält also eine Anspielung auf das innere Gnadengeschehen des Taufsakraments und geht damit weit über die realistische Wieder=
gabe des sichtbaren Ritus hinaus.

Häufiger als die vorige Darstellung kommt in der altchristlichen Kunst die Taufe Christi durch Johannes den Täufer vor. Man kann dieses Bild von dem vorigen gewöhnlich leicht dadurch unter=
scheiden, daß Johannes nur mit einem Lenden=
schurz bekleidet ist, und vor allem durch die Taube des Heiligen Geistes, die nach dem evangelischen Bericht bei der Taufe des Herrn über ihm sichtbar wurde. Man geht wohl nicht fehl, wenn man auch in dieser Darstellung aus dem Leben des Herrn eine Anspielung auf das Sakrament der Taufe sieht. Außerdem gibt es noch eine Reihe symbolischer

Taufdarstellungen. Als solche gelten z. B. die Bilder von Moses, der Wasser aus dem Felsen schlägt, und vor allem das auf Sarkophagen sehr häufige Bild des heiligen Petrus, der, wie Moses, einen Quell aus einem Felsen hervorschlägt. Letztere Szene ist aber in ihrer Deutung, weil sie keine Begebenheit der Heiligen Schrift wiedergibt, noch sehr unklar. Es besteht ein Zusammenhang mit apokryphen Erzählungen, aber es dürfte schwer auszumachen sein, welcher Art dieser Zusammenhang ist, und wo die eigentliche Wurzel liegt. Nur ganz sorgfältige und gewissenhafte Einzeluntersuchungen können uns hier weiterführen. Nach dem, was wir bis jetzt vom Geiste der altchristlichen Kunst wissen, dürfte tatsächlich der Symbolismus der Taufe noch weiter verbreitet sein als sich bis jetzt nachweisen läßt.

Wie wir schon früher erwähnten, gehört in den Symbolkreis der Taufdarstellungen auch der Fisch, dessen Lebenselement das Wasser ist. Die im antiken Christentum so beliebte Fischsymbolik hat aber ihr wichtigstes Anwendungsgebiet nicht in der Taufsymbolik sondern im Symbolkreis der Eucharistie.

Christus als Fisch wird in besonderem Sinn für Christus als Speise gebraucht, also für die Eucharistie. Als klassisches Zeugnis dafür haben wir die Inschrift des Aberkios aus dem Ende des 2. Jahrhunderts. Sie wurde im Jahr 1883 von dem englischen Forscher W. Ramsay in Kleinasien gefunden und 1892 vom Sultan dem Papst Leo XIII. geschenkt und ziert jetzt das Lateranmuseum.

Aberkios, ein reicher Bürger aus Phrygien, erzählt in dieser Inschrift in griechischen Hexametern, er sei ein „Schüler des heiligen Hirten, dessen große Augen alles überblicken". Dieser habe ihn „die zuverlässige Schrift" gelehrt und ihn auf weite Reisen geschickt, bis nach Rom. „Dort fand ich glänzendes Volk mit dem Siegel" (Sphragis=Siegel ist der geläufige Ausdruck für die Taufe). „Überall fand ich Weggenossen." „Pistis (der Glaube) begleitete mich überall und reichte mir überall Speise: einen Fisch aus der Quelle, einen ganz großen, reinen, den eine heilige Jungfrau gefangen hat. Diesen gab er den Freunden beständig zu essen, indem er von seinem starken Wein gemischt (mit Wasser zu kosten) gab, nebst Brot."

Die Beschreibung der Eucharistie ist auf den ersten Blick zu erkennen: die Gläubigen empfangen immer wieder Mischwein und Brot als Speise, aber der Glaube sagt ihnen, daß es der große, reine Fisch ist, nämlich der aus der Jungfrau geborene Christus.

In den sogenannten Sakramentskapellen von Callisto ist ein Bild, auf dem ein Mann in Philosophentracht die Hände über einen kleinen dreifüßigen Tisch ausstreckt, auf dem ein Fisch und ein Brot liegen. Rechts daneben steht eine Frau mit zum Gebet erhobenen Händen. Daß hier die Eucharistie dargestellt ist, kann keinem Zweifel unterliegen. Ob der Mann Christus ist, der segnend die Hände ausstreckt, ob es der Akt der eucharistischen Wandlung selber ist, mag dahingestellt bleiben. Sicher ist, daß Fisch und Brot Symbole der Eucharistie sind. Sicher ist ferner, daß der Tisch in der christlichen Frühzeit die normale Form des Altares ist, so sehr, daß der Altar einfachhin Tisch heißt und bis heute mit Vorzug diese Bezeichnung beibehalten hat in der Bezeichnung mensa für die Altarplatte. Es gibt noch eine andere Darstellung, die hierhin gehört. Sie befindet sich in einem Deckengemälde von Callisto und stellt einen dem vorigen ganz ähnlichen Tisch dar, auf dem ein Fisch liegt, zu Seiten des

Tisches stehen sieben Körbe mit Brot. Beide Bilder dürften um die Wende vom 2. zum 3. Jahrhundert entstanden sein. Die Brotkörbe sind eine Anspielung auf die zweite wunderbare Brotvermehrung, bei der die Jünger dem Herrn sieben Brote und einige Fischlein brachten, und bei der am Ende sieben Körbe mit Brot übrig blieben. Ungefähr aus derselben frühen Zeit stammen auch die beiden eucharistischen Bilder aus der sogenannten Lucinagruft bei Callisto. Rechts und links von einem verlorenen Mittelstück ist je ein großer Fisch mit einem Brotkorb dargestellt, in dessen Mitte sich ein roter Flecken befindet, der gerne als die eucharistische Spezies des Weines gedeutet wird. Ob man daran zweifeln will oder nicht ändert nichts an der eucharistischen Grundbedeutung des Ganzen.

Zum Kreis der eucharistischen Darstellungen gehören ohne Zweifel die auch in der heidnischen Kunst üblichen Mahlszenen, die in der Katakombenmalerei ziemlich häufig sind. Nur gehen hier wieder verschiedene Grundvorstellungen durcheinander, die in den Darstellungen für uns heute nicht immer leicht auseinanderzuhalten sind. Solche Grundvorstellungen, die hier in Frage kommen, sind folgende: zunächst das eucharistische Mahl im eigentlichen Sinn, ferner das Totenmahl, das im antiken Leben eine wichtige Stelle einnahm, und endlich das himmlische Mahl der Seligen. Zu diesen Grundvorstellungen, die alle bei der Erklärung der entsprechenden Bilder zu berücksichtigen sind, gesellt sich noch die wunderbare Brotvermehrung mit ihren Fischen und Brotkörben.

Am ehesten läßt sich noch zuweilen das Mahl der Seligen aus diesem verschlungenen Bilderkreis herauslösen und als solches festlegen. In der Katakombe Pietro e Marcellino finden sich zwei Szenen, in denen die Seligen Agape und Irene gleich wie himmlische Dienerinnen anrufen: Agape da calda, Irene miscemi. „Agape" und „Irene" sind ebenso Ausdrücke für die Seligkeit des Himmels wie „Pax" und „in Christo".

Auf den Bildern, in denen die sieben Brotkörbe und Fische erscheinen, liegt natürlich die eucharistische Deutung sehr nahe. Trotzdem dürfte im einzelnen hier wegen der Verwandtschaft der Szenen untereinander der sichere Nachweis schwer sein. Als berühmteste eucharistisch gedeutete Mahlszene möchten wir die Darstellung der Cappella Graeca nennen, die zugleich auch die älteste sein dürfte. Sie wurde von Wilpert entdeckt und von ihm „Fractio panis" getauft.

Noch ein drittes Sakrament der Kirche möchten wir kurz erwähnen, das in der Sepulkralkunst der alten Kirche zur Darstellung kommt, die Ehe. Es sind nicht viele Darstellungen und nur Sarkophage. Zuweilen findet sich merkwürdigerweise die Gestalt der Juno pronuba von der heidnischen Kunst übernommen. In anderen Darstellungen wurde diese aber durch die Gestalt Christi abgelöst. In einem Fragment der Villa Albani erscheint Christus hinter den beiden Eheschließenden, die sich die Hände reichen, und hält über das Haupt eines jeden einen Kranz. In dem großen Sarkophag des Fl. Jul. Catervius und der Septimia Severa in der Kathedrale von Tolentino erscheint über beiden die Hand Gottes, die den Kranz hält. In einer Inschrift des Sarkophages heißt es ausdrücklich: Gleich an Verdienst, verband sie in süßer Ehe der allmächtige Herr.[174]

In der Priscilla=Katakombe ist das schon erwähnte Fresko der sogenannten Vergine Velata. Von manchen Forschern wird auch dieses Bild als eine christliche Eheschließung gedeutet. Es ist einer der vielen Fälle, in denen es schwer ist, eine sichere Deutung zu geben.

Wir haben unsere Betrachtung über das Credo der Katakombenkunst mit der wichtigsten Gestalt, nämlich der des göttlichen Logoshirten begonnen. Wir wollen sie schließen mit einem Blick auf die zweitwichtigste Gestalt der altchristlichen Sepulkralkunst: Petrus. Es ist geradezu überraschend festzustellen, wie sehr die Gestalt des Apostelfürsten für die urchristliche Kunst im Vordergrund steht, und man muß mit Recht davon zurückschließen auf die Bedeutung, die Petrus im Glaubensbewußtsein der ersten christlichen Jahrhunderte hatte.

Aus seinem Leben werden uns in Bildern und vor allem in Sarkophagreliefs erzählt: seine Verleugnung, d. h. deren Voraussage durch den Herrn, die Schlüsselübergabe an ihn, seine Befreiung aus dem Kerker, die Auferweckung der Tabitha und sein Gang zur Hinrichtung. Diese Darstellungen aus der Lebensgeschichte Petri werden noch vermehrt durch Bilder, die nach den apokryphen Lebensberichten Petri entstanden sind, wie das Quellwunder, seine Flucht und die Heilung seiner Tochter. Außerdem erscheint er noch häufig mit Paulus zusammen als Begleiter Christi oder einer ins Paradies einzuführenden Seele. Nach den Studien Wilperts wird er auch als Fischer und Hirt dargestellt. Wilpert will ohne die apokryphen Bilder 27 verschiedene Szenen feststellen und schätzt die Gesamtzahl der Petrusdarstellungen auf über dreihundert.[175] Jedenfalls ist die Zahl und Mannigfaltigkeit seiner Darstellungen ganz außerordentlich und wird in der altchristlichen Kunst nur von dem Bilderkreis Christi übertroffen.

Die häufigste aller Petrusdarstellungen, die

zahlenmäßig nur vom Bilde des Guten Hirten übertroffen wird, ist das sogenannte Quellwunder. Styger zählt 26 Malereien und 120 Skulpturen.[176] In der Deutung gehen die Autoren auseinander. Wilpert sieht in diesem Bilde die Taufe des Cornelius, andere denken an die Taufe der Martyrer Prozessus und Martinianus, die nach der Legende die Gefängniswächter des heiligen Petrus im Mamertinischen Kerker waren und von ihm dort getauft wurden. Wie dem auch sei, eines darf dabei nicht übersehen werden, und das ist die Parallele mit dem Quellwunder des Moses. Diese Parallele besteht nicht nur in einer Petrusdarstellung, die einer Mosesdarstellung nachgebildet ist, sondern sie besteht in einer Gleichstellung der Personen. Auf einem Fresko der Callistuskatakombe ist links Moses dargestellt, der sich die Sandalen von den Füßen löst, und rechts daneben schlägt — auf demselben Bilde — Petrus das Wasser aus dem Felsen. Da Moses immer bartlos dargestellt ist und Petrus immer mit Bart, so ist der Personenwechsel nicht zu bezweifeln. Diese Moses-Petrus-Parallele kehrt noch in einer andern Bildergruppe wieder, nämlich der doppelten Gesetzesübergabe. Moses empfängt das Gesetz, und Petrus empfängt das Gesetz. Letztere Szene ist sehr häufig und heißt nach der Inschrift, die öfters auf der Schriftrolle, die Christus dem Petrus übergibt, steht: Dominus legem dat. Petrus empfängt gewöhnlich das Gesetz mit verhüllten Händen, dem Gestus des ehrfürchtigen Empfangens. Genau so sehen wir auf dem Silberschild des Kaisers Theodosius die Übergabe der Vollmachten an einen neuen Provinzpräfekten dargestellt, der diesen Teil des Reiches im Namen des Kaisers zu verwalten hatte. Theodosius sitzt auf dem Thron und reicht das Gesetz, das der Beamte mit verhüllten Händen empfängt. So war es Brauch bei der Entsendung eines neuen Präfekten durch den Kaiser.[177]

Der Sinn der Gesetzesübergabe ist eindeutig. Dem Petrus ist die Hütung des Gesetzes, ist die Verwaltung des Reiches durch Christus anvertraut. Nur Petrus empfängt das Gesetz, nie Paulus, obwohl er kaum je bei dieser Darstellung fehlt. Diese Sonderstellung Petri wird noch mehr betont durch den Parallelismus dieser Gesetzesübergabe mit der Gesetzesübergabe an Moses. Die Parallele Moses=Petrus besteht also unbestreitbar in der alt= christlichen Kunst, und zwar in verschiedener Form. Der Sinn dieser Parallele kann aber nur einer sein: so wie Gott dem Moses im Alten Bunde die Führung seines Volkes anvertraut hat, so hat er im Neuen Bunde die Führung des Gottesvolkes dem Petrus übergeben.

Wenn wir vollständig sein wollten, dann müßten wir nun unseren Gang durch die Katakomben und ihr Bildwerk noch weiter fortsetzen, denn nicht alle Gedanken des Credo der Katakomben= kunst sind zur Sprache gekommen. Manches haben wir übergangen, wie zum Beispiel die Sündenver= gebung und das Gericht, anderes wurde kaum angedeutet. Wieder anderes, das zum altchristlichen Credo gehört, findet sich nicht in den Katakomben, die eben nur Friedhöfe sind. Trotzdem dürfte das Gesagte genügen, um zu bestätigen, was wir ein= gangs sagten, daß das Credo der Urchristen das= selbe Credo ist, das auch wir Christen von heute glauben.

# ANMERKUNGEN

[1] Pastor, Gesch. d. Päpste, IX 4. Kap., S. 194.
[2] P. M. Baumgarten, G. B. de Rossi, Roma 1892, p. 44.
[3] Sueton, Vita Domitiani, 15, 1; Cassius Dio, Hist. Rom., 67, 14.
[4] Stein, Flavius Clemens bei Pauly-Wissowa, VI/2 (1909), Sp. 2536—39.
[5] Acta Nerei et Achillei, griech. Text, hrsg. v. Achelis, Texte u. Unters., XI/2 c. 18.
[6] Hier. epist. 108, 7; ML 22, 882.
[7] J. Guiraud, Le commerce des Reliques au commencement du IXe siècle. Mélanges G. B. de Rossi (Suppl. aux Mél. d'Archéol. et d'Hist. T. XII), Rome 1892, p. 73—96.
[8] P. Franchi, de'Cavalieri Note Agiografiche, IV, p. 122 (Studi e Testi 24), 1912.
[9] G. Marchi, Monumenti delle Arti cristiane primitive nella Metropoli del Cristianesimo, Roma 1844—47, p. 238—240.
[10] A. Ferrua, Epigrammata Damasiana (1942), n. 21; Ihm n. 27.
[11] de Rossi, Inscr. Christ., II 108.
[12] E. Schäfer, Die Bedeutung der Epigramme des Papstes Damasus für die Gesch. der Heiligenverehrung, Roma 1932, S. 99.
[13] Ambrosius, epist. 22, 12; ML 16, 1023.
[14] Optatus, I 16; CSEL 26, p. 18.
[15] Cypr. epist. 12, 1; CSEL III/2, p. 502; epist. 5, 2, p. 479.
[16] de Rossi, Inscr. Christ., I, p. 8; Delehaye, Sanctus, p. 143.
[17] Ferrua, n. 42 u. 43.
[18] H. Delehaye, Origines du Culte des Martyrs, p. 458; Il y a donc beaucoup plus de martyrs qu'il n'y eut d'anniversaires institués.
[19] Diehl, n. 1753.
[20] A. Gerkan bei Lietzmann, Petrus und Paulus in Rom, Bonn 1927, S. 292.
[21] Eusebius, Kirchengesch. VIII 1, 5.

[22] Gerkan bei Lietzmann, S. 282: Es steht alles im Wege, die Triklia in die Zeit der valerianischen Verfolgung zu datieren, nichts, sie ins beginnende 4. Jahrhundert zu setzen.

[23] Lietzmann, S. 171.

[24] Lietzmann, S. 155.

[25] Acta Sanctorum Sept., VIII, d. 29, p. 61.

[26] Delehaye, Le Sanctuaire des Apôtres sur la voie Appienne Anal. Bolland. 45 (1927), S. 305.

[27] Delehaye, Sanctuaire des Apôtres, S. 306.

[28] H. Grisar, Analecta Romana (1899), p. 259 ff.

[29] C. Respighi, Rivista di Arch. Christ., 1942, p. 9.

[30] Lietzmann, S. 193.

[31] Lietzmann, S. 199.

[32] A. Ferrua, Civ. Catt. 1941, v. III 358—365, 424—433; 1942 v. IV 73—86, 228—241. C. Respighi, Riv. di Arch. Chr. 1942, 5—26. E. Josi, Il Vaticano nel 1944, 188—200. E. Kirschbaum, Gregorianum 1948, 544—557.

[33] E. Kirschbaum, Miscellanea, Hist. Pont., vol. VII, p. 49—82, Roma 1943.

[34] Dionys. v. Alex. bei Eusebius, KG VII 11, 9.

[35] Tert., De praescr. c. 29; ML 2, 41.

[36] Cypr. epist. 15, 1; CSEL III/2, p. 513.

[37] Tert., De ieiunio, c. 12; ML 2, 970.

[38] In der sonst legendarischen griech. Passio Tryphonis, P. Franchi, Studi e Testi 22 (1909), p. 75—88.

[39] Sueton, Julius Caesar, c. 41.

[40] insignes personae, Cypr. epist. 8, 2.

[41] Cypr., De lapsis 2, CSEL III/1, p. 238.

[42] Cypr. epist. 21, 3, p. 531; 55, 14, p. 633.

[43] Lietzmann, Gesch. d. Alten Kirche, I (1932), S. 166: Die Wirkung dieses ungeheuren Feldzuges ist denn auch ganz gewaltig gewesen. Richtig Zeiller bei Fliche-Martin, II, p. 151: Le résultat pratique de la persécution se trouva à peu près nul. K. Bihlmeyer, Tüb. Quart. 1910, S. 49: So war denn die große Aktion des Decius gescheitert.

[44] Cypr., De Lapsis 5, CSEL III/1, p. 240.

[45] Appendix ad Optat., CSEL 26, p. 198.

[46] Vita Silvestri ed. Duchesne, Lib. Pont. I, p. 182.

[47] De Rossi, Roma Sott., II/2, p. 52—58; Allard, La persécution de Dioclétien (1890), I, p. 188.

⁴⁸ C. H. Turner, The papal chronology of the third century. Journal of Theol. Studies 17 (1916), p. 338—353.

⁴⁹ Tert. De corona 1; ML 2, 77.

⁵⁰ Eus. KG., VI 42.

⁵¹ Cruenta qua flagella pendent tortorum, Martial 2, 17.

⁵² Jordan-Hülsen, Topographie der Stadt Rom im Altertum, I/3 (1907), S. 389.

⁵³ Jordan-Hülsen, ebd. S. 514.

⁵⁴ Epist. 31, 5 in der Sammlung Cyprians.

⁵⁵ Pontius, Vita Cypr. c. 14; Franchi, Note agiogr., IV, p. 122.

⁵⁶ Eus. KG., VIII 7.

⁵⁷ Cont. Ferrini, Diritto penale Romano, Milano 1902, p. 149.

⁵⁸ F. Clementi, Roma imperiale nelle XIV Regioni Augustee secondo gli scavi e le ultime scoperte, Roma 1935, vol I, p. 143.

⁵⁹ Horaz, Sat I 8.

⁶⁰ Sueton, Vita Claudii, c. 25.

⁶¹ Apg. 20, 11.

⁶² 1 Kor. 10, 16.

⁶³ Ign. ad Rom. 4.

⁶⁴ Justinus I, Apol. 66 u. 67.

⁶⁵ Cypr. epist. 55, 13, p. 632.

⁶⁶ Dion. v. Alex. bei Eus., KG., VI 44.

⁶⁷ Cypr. epist. 57, 2, p. 652.

⁶⁸ Innoc. I ad Decentium, c. 5.

⁶⁹ G. P. Kirsch, Le Catacombe Romane (1933), S. 111.

⁷⁰ Kirsch, ebd. S. 66.

⁷¹ 1 Kor. 10, 21.

⁷² Arnobius Adv Gentes VI 1, CSEL IV, p. 214: Crimen nobis maximum inpietatis infligitis quod neque aedes sacras... non altaria fabricamus, non aras.

⁷³ Jos. Braun, Der christl. Altar, I (1924), S. 54.

⁷⁴ Braun, ebd. S. 48.

⁷⁵ Hist. rel. c. 20; MG 82, 1439; Braun, S. 51.

⁷⁶ Philostorgius, II 13; MG 65, 476.

⁷⁷ Tert. De oratione, c. 19; ML 1, 1181.

⁷⁸ Cypr., De Lapsis, c. 25.

⁷⁹ Cypr., epist. 64, 2.

[80] Silvagni, Inscr. christ. 2771; jetzt im Seminar von Fossombrone.
[81] De Rossi, Inscr. Christ., I 226, Mus. Vat.
[82] 1 Kor. 1, 14.
[83] Justinus, I Apol. 61.
[84] Tert. De praescr., c. 41.
[85] Tert. De bapt. 19.
[86] De Rossi, I 446.
[87] Silvagni, 1856.
[88] Silvagni, 2759.
[89] Palladius, Dial. de vita S. Joh. Chrys.; MG 47, 32.
[90] Nach Grisar, Gesch. Roms u. d. Päpste im Mittelalter, I (1900), S. 800 ff.
[91] J. B. Giovenale, Il Battistero Lateranense nelle recenti indagini della Pont. Comm. di Arch. sacra, 1929.
[92] E. Josi in Atti del IV. Congresso Internaz. di Arch. Christ. (1938), Roma 1940, p. 53.
[93] Kirsch, Le Cat. Rom, p. 229.
[94] De Rossi, I n. 11 (S. Maria in Trast.).
[95] Sarkophag aus S. Prassede Diehl, 484.
[96] Silvagni, 1637.
[97] Tert. Apol., c. 42.
[98] Marucchi, Le Catacombe Romane, p. 105.
[99] Diehl, 635.
[100] Diehl, 682.
[101] Diehl, 638.
[102] Diehl, 644.
[103] Diehl, 669 a (S. Lorenzo).
[104] Silvagni, 1761, Mus. Lat.
[105] De Rossi, I 256; aus S. Agnese mit Jahreszahl 376.
[106] Diehl, 651, S. Agnese.
[107] Diehl, 680.
[108] Diehl, 628, Mus. Lat.
[109] De Rossi, 687.
[110] Diehl, 626, Agro Verano.
[111] Tussor = tusor, tonsor Diehl, 604, Mus. Lat.
[112] Diehl, 616.
[113] Hortulanus, Diehl, 592, Treppe von S. Agnese.
[114] Pomarius, Diehl, 638, Comodilla.

[115] Porcinarius, Diehl, 689, Domitilla.
[116] Marucchi, S. 236, Callisto, ao. 338.
[117] Silvagni, 1213, Antiquario Civico.
[118] Diehl, 591, ao. 530.
[119] Marucchi, p. 105.
[120] Diehl, 609.
[121] Diehl, 610, aus Cyriaca, jetzt Mus. Lat.
[122] Diehl, 608, aus Ermete, jetzt Palermo.
[123] Silvagni, 1558.
[124] Silvagni, 1640.
[125] So etwa nach Mommsen, CJL VI 8, 498; Dessau Inscr. Lat., 1738.
[126] Marucchi, p. 72, Coem. Processi et Martiniani.
[127] Silvagni, 1550, Mus. Lat.
[128] De Rossi, 125, aus Priscilla, ao. 354.
[129] Silvagni, 1978, Mus. Naz.
[130] Diehl, 2288.
[131] Diehl, 2291.
[132] Diehl, 2292.
[133] Diehl, 2212.
[134] De Rossi, 132.
[135] Tert. De praescr., c. 32: (Haeretici) nec recipiuntur in pacem et communionem ab ecclesiis quomodocumque apostolicis.
[136] Inter epist. Hier. 131, 2; ML 22, 1125; vgl. L. Hertling, Communio und Primat (1943) in: Miscellanea Hist. Pont. Bd. VII, Heft 9.
[137] Athanasius, Apol. n. 20; MG 25, 281.
[138] Diehl, 2723 ff.
[139] Diehl, 2202.
[140] Diehl, 2231.
[141] Marucchi, p. 208, Callisto.
[142] Diehl, 3451.
[143] Diehl, 2722.
[144] Silvagni, 941.
[145] Silvagni, 1867.
[146] Marucchi, p. 537, aus Priscilla, jetzt Mus. Lat.
[147] Marucchi, p. 208, Callisto.
[148] Diehl, 1558.

[149] Silvagni, 1238.
[150] Silvagni, 2703.
[151] Marucchi, p. 165, Domitilla.
[152] Silvagni, 1677.
[153] Le Pitture delle Catacombe Romane, Roma 1903, p. 37.
[154] Die altchristliche Grabeskunst. Ein Versuch der einheitlichen Auslegung. München, 1927.
[155] Prato, 1873—1881, 6 voll.
[156] Die römischen Mosaiken und Malereien der kirchlichen Bauten vom 4. bis 13. Jahrhundert, 4 Bände, Freiburg 1917; I sarcofaghi cristiani antichi, 5 voll. Roma, 1927.
[157] Wilpert, Erlebnisse und Ergebnisse im Dienste der christlichen Archäologie, Freiburg, 1930, S. 39 f.
[158] Diehl, 3754—62.
[159] De Rossi, 653.
[160] Wilpert, Sarcofaghi, vol. II, Introduzione generale, p. 2 f.
[161] Styger, Grabeskunst, S. 7.
[162] Th. K. Kempf, Christus der Hirt. Ursprung und Deutung einer altchristlichen Symbolgestalt. Rom, 1942.
[163] Greg. Nyss. Hom., 2; MG 44, 801.
[164] De Civ. Dei, 18, 23.
[165] Tert. De bapt., c. 1: Sed nos pisciculi secundum ΙΧΘΥΣ nostrum Jesum Christum, in aqua nascimur nec aliter quam in aqua permanendo salvi sumus.
[166] Ambros. in Hex., V 6, 7.
[167] Wilpert, Sarcofaghi, I, p. 156.
[168] Diehl, 2338.
[169] Styger, Grabeskunst, S. 7.
[170] Num. 24, 17.
[171] In Num. hom., XV 4; Stählin VII 136.
[172] In Matth. I, in cap. 2, 2; ML 26, 26.
[173] Sermo 200 in Epiph. IV, c. 4; ML 38, 1208; 201 in Epiph. V, c. 3; ML 38, 1056.
[174] Wilpert, Sarcofaghi, I, p. 90.
[175] Styger, Grabeskunst, S. 8.
[176] Wilpert, La fede della Chiesa nascente secondo i monumenti dell'arte funeraria antica (Roma 1938), p. 146.
[177] Wilpert, Sarcofaghi, I, p. 173.

*BILDER=ANHANG*

1. Graffitti der „Römischen Akademie" in Callisto

2. Katakombengang

3. Katakombengang

4. Ganzes Skelett

5. Gräber im Freien (oberhalb der Domitilla-Katakombe)

6. Goldglas mit Darstellung der Brotvermehrung

7. Glasfläschchen für Parfümerien

8. Tonlampe mit Darstellung des Guten Hirten

9. Tonlampe mit Fabrikstempel

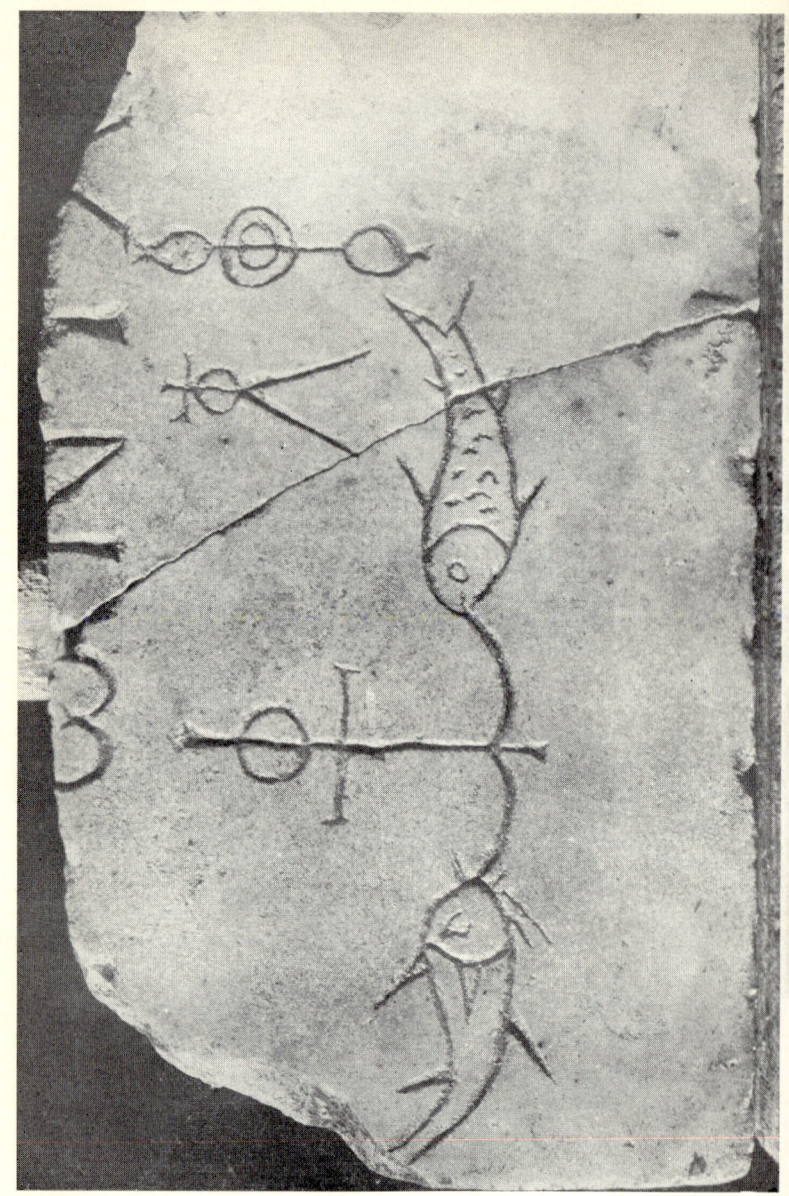

10. Kreuz als Anker

11. Münzen als Erkennungszeichen für Gräber

12. Grabplatte des Papstes Cornelius

13. Grabplatte des Papstes Pontianus

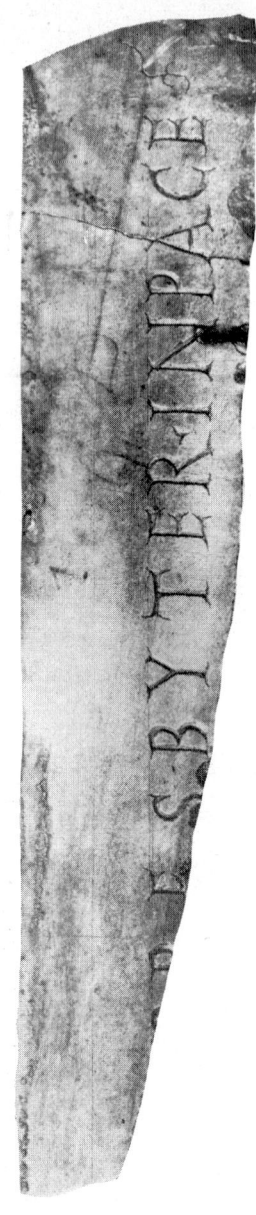

14. „Presbyter in pace"

15. Hinrichtung des Martyrers Achilleus

16. Altar in S. Alessandro

17. Ausgrabung unter dem Hochaltar von S. Agnese

18. Relief aus S. Agnese

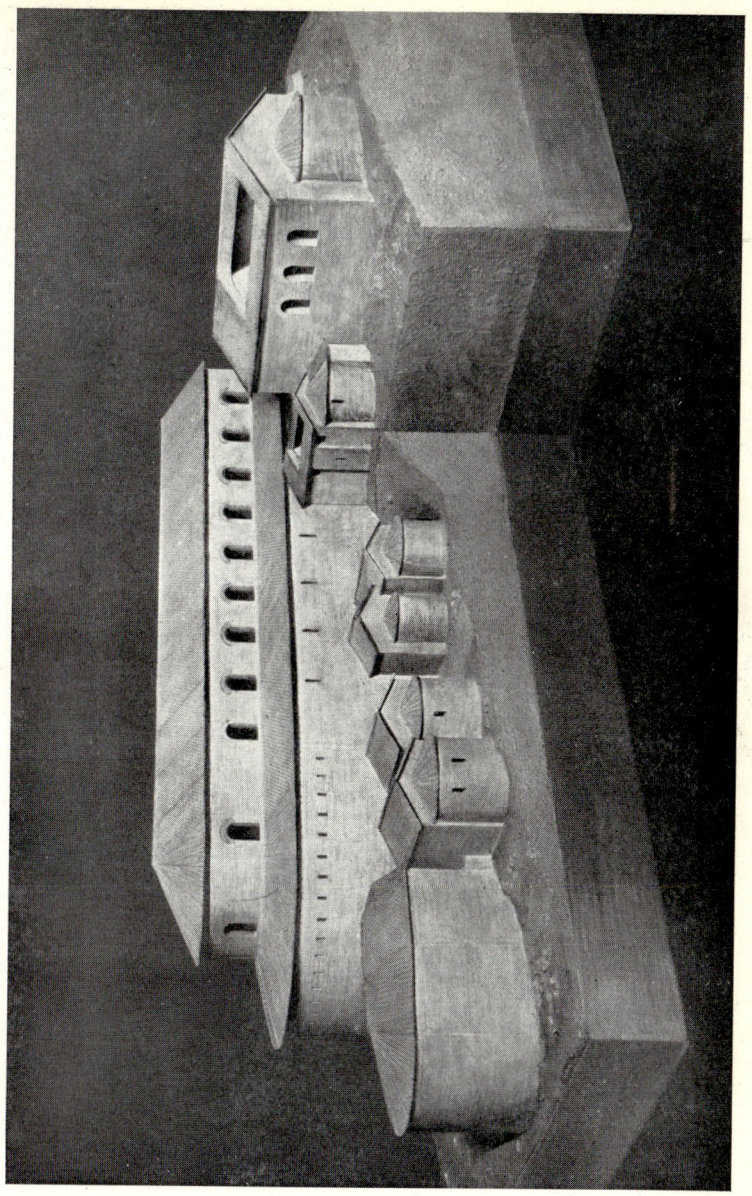

19. Rekonstruktion der Apostelbasilika (S. Sebastiano) an der Via Appia

20. Ausgrabung unterhalb von S. Sebastiano

21. Graffitti unter S. Sebastiano

22. Peterskirche. Blick in die Confessio
*(Fot. Alinari)*

23. Fossor mit Spitzhacke und Lampe

24. Deckengemälde in einem Cubiculum

25. Tisch mit Brot und Fisch

26. Noe mit der Taube

27. Malerei an einem Arkosolgrab

28. Susanna als

zwischen Wölfen

29. Taufszene

30. Die Martyrin Petronilla führt Veneranda ins Paradies ein

31. Brotvermehrung

32. Der Prophet Balaam vor Maria mit dem Kind
*(Fot. Alinari)*

33. Guter Hirt

34. Sarkophag

Im gleichen Verlag ist erschienen:

### Dr. EDUARD STOMMEL
# Führer durch Rom
### Mit Bildbeilagen und Karten

VIII, 220 Seiten, 10.2 × 17.5 cm, Taschenformat, in biegsamem, strapazfähigem Leinenband, 17 Bildbeilagen, 1 Stadtplan von Rom, S 21.50, sfr. 6.60

Dr. Stommel vom Campo Santo Teutonico in Rom gibt mit diesem Buch dem gläubigen Romfahrer, der zur Feier des Heiligen Jahres zum Sitz des Oberhauptes der Kirche und zum Mittelpunkt der Christenheit pilgert, eine wertvolle Anleitung und Hilfe. Das Werk führt ihn an die wichtigsten Stätten und an die Denkmäler des christlichen und weltlichen Roms. Ein ausführlicher Stadtplan sowie verschiedene Lageskizzen erleichtern ihm die Orientierung; vielerlei praktische Winke unterstützen ihn bei der Durchführung der Reise. Der Abbildungsteil enthält zahlreiche Aufnahmen wichtiger Gebäude und Denkmäler, wodurch das Buch einen bleibenden Erinnerungswert bekommt und auch von jenen gerne gekauft werden wird, die entweder Rom schon kennen oder deren Wunsch, es zu besuchen, sich noch nicht erfüllen kann.

Bezug durch den Buchhandel

## DATE DUE

| DEC 31 '78 | | | |
|---|---|---|---|
| | | | |
| | | | |
| | | | |
| | | | |
| | | | |
| | | | |
| | | | |
| | | | |
| | | | |
| | | | |
| | | | |
| | | | |
| | | | |
| | | | |
| | | | |
| | | | |
| | | | |
| GAYLORD | | | PRINTED IN U.S.A. |